Cuentos inolvidables
PARA AMAR LA LECTURA

NOFICCIÓN | **DIVULGACIÓN**

Cuentos inolvidables
PARA AMAR LA LECTURA

Edición de Juan Domingo Argüelles

EDICIONES B

México · Barcelona · Bogotá · Buenos Aires · Caracas
Madrid · Montevideo · Miami · Santiago de Chile

Cuentos inolvidables para amar la lectura

Primera edición, marzo 2014

D.R. © 2014, Juan Domingo Argüelles

© Juan Domingo Argüelles, por la edición, selección, prólogo y notas.

© Héctor Orestes Aguilar, por las traducciones de Hoffmann y Kafka; Lucía Segovia Forcella, por la traducción de Stevenson; Juan Enrique Argüelles, por las traducciones de Kleist, Gogol, Chéjov, Tolstoi y Pushkin, y Juan Domingo Argüelles, por las traducciones de Poe, Schwob, Lovecraft, Harte, Machado de Assis, Wilde, anónimo de *Las mil y una noches*, Boccaccio, Twain y Maupassant.

D.R. © 2014, Ediciones B México, S. A. de C. V.
Bradley 52, Anzures DF-11590, MÉXICO
www.edicionesb.mx
editorial@edicionesb.com

ISBN 978 - 607 - 480 - 544 - 4

Impreso en México | *Printed in Mexico*

Todo cuento perdurable es como la semilla donde está durmiendo el árbol gigantesco. Ese árbol crecerá en nosotros, dará su sombra en nuestra memoria.

JULIO CORTÁZAR

PRÓLOGO

LA LITERATURA

La literatura, es decir la obra ficcional, la escritura poética, de imaginación y fantasía, es una de las mayores necesidades del ser humano, pues los seres humanos necesitamos historias paralelas a la realidad para escapar precisamente de un mundo real que a veces nos agobia, nos limita y nos frustra.

Se habla con frecuencia del "derecho a la lectura", derecho que todas las personas deberían disfrutar, pero el brasileño António Cândido, uno de los pensadores iberoamericanos más lúcidos, va más allá y se refiere al "derecho a la literatura" y explica él cómo entiende este derecho y a qué se refiere con este concepto:

"Llamaré literatura, de la manera más amplia posible, a todas las creaciones de toque poético, ficcional o dramático en todos los niveles de una sociedad, en todos los tipos de cultura, desde lo que llamamos folclor, leyenda, chiste, hasta las formas más complejas y difíciles de la producción escrita de las grandes civilizaciones. Vista de este modo la literatura aparece claramente como manifestación universal de todos los hombres en todos los tiempos. No hay pueblo y no hay hombre que pueda vivir sin ella, esto es, sin la posibilidad de entrar en contacto con alguna especie de fabulación".

Y añade: "Así como todo el mundo sueña cada noche, nadie es capaz de pasar las veinticuatro horas del día sin algunos momentos de entrega a un universo fabulado. La ensoñación asegura durante el sueño la presencia indispensable de este universo, independientemente de nuestra voluntad. Y durante la vigilia la creación ficcional o poética, que es el impulso de la literatura en todos los niveles y modalidades, está presente en cada uno de nosotros, analfabeto o erudito, como anécdota, relato, tira cómica, noticiero judicial, canción popular, música del sertón, samba carnavalesca, etcétera. Se manifiesta desde las quimeras amorosas o económicas, tejidas durante el recorrido del autobús, hasta la atención continua en la telenovela o en la novela. Y bien, si nadie puede pasar veinticuatro horas sin sumergirse en el universo de la ficción y de la poesía, la literatura concebida en el sentido amplio al que me refiero parece corresponder a una necesidad universal que precisa ser satisfecha y cuya satisfacción constituye un derecho".

Para António Cândido, "la literatura es el sueño despierto de las civilizaciones", y haciendo una correspondencia con aspectos científicos, llega a la conclusión de que así como no es posible tener equilibrio psíquico sin la ensoñación —durante el sueño—, es bastante probable que —durante la vigilia— no pueda existir equilibrio social sin la literatura, pues ésta "es un factor indispensable de humanización, y siendo así, confirma al hombre en su humanidad, incluso porque en gran parte actúa sobre el subconsciente y sobre el inconsciente".

Pocos especialistas, como este gran pensador brasileño, han sabido vislumbrar que la literatura no es únicamente un pasatiempo (aunque también lo sea), sino que corresponde estrictamente a una necesidad universal "que debe ser satisfecha so pena de mutilar la personalidad, porque por el hecho de dar forma a los sentimientos y a la visión del mundo nos organiza, nos libera del caos y por lo tanto nos humaniza".

En otras palabras, los cuentos y los sueños son necesarios, imprescindibles —consciente o inconscientemente— para nuestra vida despierta o dormida. Sigmund Freud escribió todo un libro, de cientos de páginas, dedicado a la interpretación de los sueños, y encuentra que éstos están perfectamente vinculados a los mitos más antiguos de la humanidad, a las angustias demoníacas y a las zozobras cotidianas, las de todos los días (cuando estamos despiertos), que nos asaltan con preocupaciones domésticas y, muchas veces, difíciles o imposibles de resolver. Los cuentos y los sueños tienen un simbolismo fundamental para nuestra vida. Predominantemente, dice Freud, los sueños son benéficos realizadores de deseos, al igual que los cuentos. "*¡Esto no me lo hubiera figurado ni en sueños!*, exclama encantado aquel que encuentra superadas por la realidad sus esperanzas". (Sigmund Freud, *La interpretación de los sueños*.)

Nietzsche no estaba equivocado cuando afirmaba que "el sueño nos trae de nuevo lejanos estados de la civilización humana y nos proporciona el medio para comprenderlos mejor" (*Humano, demasiado humano*). Hoffmann, por su parte, afirmaba que "todo el placer y todo el dolor de aquellas horas de nuestro crepúsculo matutino continúan viviendo en nosotros". Los sueños nos ayudan a vivir. Así se lo dijo Goethe a Eckermann: "Ha habido en mi vida épocas en las que me dormía con las lágrimas aún en los ojos; pero en mis sueños llegaban a consolarme y hacerme feliz las más amables figuras, y a la mañana siguiente me levantaba contento y fortificado".

El ser humano necesita soñar y necesita fabular porque necesita creer y descreer, porque necesita un equilibrio entre la razón y la fantasía, entre el intelecto y las emociones. "El sueño es una expresión de las ideas", afirma Freud. Y lo mismo podría decirse del cuento, con la única diferencia de que los sueños no podemos dirigirlos: conscientemente, escapan a nuestro control, mientras que los cuentos admiten siempre la posibilidad de hacernos despertar para salvar la vida. En su libro *El oro de los tigres* (1972), Jorge Luis Borges tiene un brevísimo e inolvidable cuento ("Episodio del enemigo") donde él mismo es protagonista, e ilustra perfectamente esto que decimos:

"Tantos años huyendo y esperando, y ahora el enemigo estaba en mi casa. Desde la ventana lo vi subir penosamente por el áspero camino del cerro. Se ayudaba con un bastón, con un torpe bastón que en viejas manos no podía ser un arma sino un báculo. Me costó percibir lo que esperaba: el débil golpe contra la puerta. Miré, no sin nostalgia, mis manuscritos, el borrador a medio concluir y el tratado de Artemidoro sobre los sueños, libro un tanto anómalo ahí, ya que no sé griego. Otro día perdido, pensé. Tuve que forcejear con la llave. Temí que el hombre se desplomara, pero dio unos pasos inciertos, soltó el bastón, que no volví a ver, y cayó en mi cama, rendido. Mi ansiedad lo había imaginado muchas veces, pero sólo entonces noté que se parecía, de un modo casi fraternal, al último retrato de Lincoln. Serían las cuatro de la tarde.

"Me incliné sobre él para que me oyera.

"—Uno cree que los años pasan para uno —le dije— pero pasan también para los demás. Aquí nos encontramos al fin y lo que antes ocurrió no tiene sentido.

"Mientras yo hablaba, se había desabrochado el sobretodo. La mano derecha estaba en el bolsillo del saco. Algo me señalaba y yo sentí que era un revólver.

"Me dijo entonces con voz firme:

"—Para entrar en su casa he recurrido a la compasión. Le tengo ahora a mi merced y no soy misericordioso.

"Ensayé unas palabras. No soy un hombre fuerte y sólo las palabras podían salvarme. Atiné a decir:

"—Es la verdad que hace tiempo maltraté a un niño, pero usted ya no es aquel niño ni yo aquel insensato. Además, la venganza no es menos vanidosa y ridícula que el perdón.

"—Precisamente porque ya no soy aquel niño —me replicó— tengo que matarlo. No se trata de una venganza sino de un acto de justicia. Sus argumentos, Borges, son meras estratagemas de su terror para que no lo mate. Usted ya no puede hacer nada.

"—Puedo hacer una cosa —le contesté.

"—¿Cuál? —me preguntó.

"—Despertarme.

"Y así lo hice".

Las palabras, es decir la literatura, el arte, el ingenio (más que la fuerza) pueden salvarnos, como bien dice Borges (el personaje y el narrador). ¿Por qué? Porque la literatura alimenta nuestro imaginario y lo dota de mayores capacidades de sensibilidad, incluso de manera inconsciente o subconsciente. La literatura es otra forma de la inteligencia y del conocimiento: una forma amena y deleitosa del saber que contribuye, muy eficazmente (y más allá del disfrute), a evitar la chatura (y la chatarra) espiritual.

En este sentido, la literatura no es, simplemente y como hasta ahora se ha considerado, el privilegio de unos cuantos, sino la necesidad humana de inventar, imaginar, crear universos paralelos al mundo real, lo mismo en la escritura que en la lectura, pues quien lee también imagina y recrea, e inventa —a partir de la invención misma— ámbitos de gran importancia simbólica para aceptar y reconciliarse con su realidad.

Sin los escapes que proporciona la literatura, la vida siempre sería menos deseable de vivirse. La fantasía es tan importante como la realidad. Y dice bien el que dijo que todo libro tiene por colaborador a su lector, que es lo mismo que decir, con Joseph Conrad, que "el autor sólo escribe la mitad de un libro, pues de la otra mitad debe ocuparse el lector".

LA LECTURA

Leer no es lo mismo que estudiar, aunque para estudiar sea necesario leer. Se puede ser muy buen lector instrumental y, al mismo tiempo, analfabeto cultural y funcional. La razón es muy simple: hay quienes tienen un especial resentimiento (algo más que disgusto) hacia la lectura literaria, sea porque no la disfrutan, sea porque no la comprenden, pero, sobre todo, porque la consideran un lujo inocuo, un pasatiempo inútil, una pérdida de tiempo... Abundan los que piensan así. No sólo esto. Incluso personas con buena formación intelectual se irritan contra la literatura, es decir contra la creación literaria ficcional cuando, por ejemplo, alguien recomienda este medio como el inmejorable vehículo para la educación sentimental y la formación cultural de las personas. En un arranque de falso "pragmatismo" consideran banal o frívolo todo aquello que tiene que ver con la imaginación y la fantasía. Lo desdeñan por suponerlo falto de rigor académico o sociológico.

Por todo ello, no es fácil que admitan que no hay nada mejor que la ficción y la fantasía para iniciar a la gente en la cultura escrita y, en general, en la cultura. Un deformado pensamiento sociológico lleva a pensar a algunos que la ficción o lo ficcional es del todo prescindible. Y, con frecuencia, éste es el drama de la educación: que enseña que sólo es importante lo curricular y aquello que tiene una utilidad inmediata dentro de una instrumentalización práctica.

Michèle Petit refiere que, incluso en Francia, ¡en la Universidad de París!, no son pocos los profesores e investigadores que esconden la novela o el libro de cuentos o de poesía que están leyendo para que ningún colega los sorprenda en el campus "leyendo cosas sin importancia", es decir cosas que les restan "seriedad académica". ¡Y esto ocurre en Francia! ¡Y en la Sorbona!

Lo curioso del caso es que las investigaciones sobre las prácticas lectoras y los hábitos culturales han demostrado que los lectores literarios suelen estar más abiertos a otras materias o campos (psicología, sociología, historia, filosofía, política, etcétera) que los lectores exclusivamente sociológicos, muchos de los cuales incluso sólo leen sobre su especialidad y, más restringidamente, sobre los productos internos de su especialidad: tesis, artículos en revistas e investigaciones de su departamento, facultad o escuela. No se les ocurriría traspasar esa frontera.

Ciertos lectores académicos desdeñan con mucha facilidad todo lo ficcional porque lo consideran un "lujo burgués", una inactividad, un ocio improductivo. Esta conclusión es uno de los mayores daños que ha causado la escuela y, en particular, una escolarización carente de placer, que ha privilegiado el pragmatismo frígido.

El gran escritor húngaro Stephen Vizinczey refiere lo siguiente en su libro ya clásico *Verdad y mentiras en la literatura*: "Hace unos años vino una estudiante a verme a Londres: estaba licenciándose en Literatura Inglesa en Oxford. Mencionó un libro y yo le pregunté si le había gustado. Poniéndose muy derecha, dijo con orgullo: '¡No leo para sacar gusto, leo para evaluar!' Me temo que es típica de la educación universitaria y del género de expertos literarios que ésta produce: aman a los libros como los niños mimados aman a los criados: porque pueden sentirse superiores a ellos. Extraen su disfrute no de la de la literatura, sino de la emisión de su juicio, del poder".

Con una mentalidad como la de aquella estudiante, leer sólo importa si produce una utilidad inmediata. "Leer por leer" —que es el futuro de la lectura, según ha dicho Armando Petrucci— no convence a estos lectores. Para ellos, la lectura *debe tener* un "para qué" de utilidad inmediata o, al menos, evidente, tangible. Leer *para* un examen, leer *para* una tesis, leer *para* el escalafón, leer *para* una promoción, etcétera. Pero, con esta lógica, leer es perder una buena parte del imaginario, del mismo modo que leer, *exclusivamente*, literatura ficcional, es perder de vista la realidad y mucho de lo mejor del pensamiento escrito.

La verdad es que la escolarización deshumanizada (sin humanidad y sin humanidades) que es a la vez una educación instrumentalizada, tiene mucho que explicar a este respecto. Escolarizar y preparar a la gente nada más para la "carrera" y para el "trabajo" es una forma de cortarle las alas de la imaginación, una manera de inhibir la creatividad del ser humano. En la actualidad, se llega al extremo de privilegiar y recomendar, en las mismas universidades, sólo aquella lectura que tenga un "propósito social". A esto se refiere, por ejemplo, Harold Bloom en *El canon occidental*; a eso que con buen apelativo denomina "la escuela del resentimiento", la cual predica que sólo es ético leer con un propósito social. ¡Vaya locura! (Las supersticiones ilustradas existen, y tienen, por cierto, muy buena prensa y no pocos partidarios.)

"Leer al servicio de..." se ha convertido en la ortodoxia: en la lectura "correcta". Pero, junto con Bloom, existimos algunos que todavía creemos en los lectores comunes y corrientes, en los lectores autónomos y en la lectura soberana. No es sorprendente que, pese a sus estudios universitarios en Cornell y en Yale, y pese a ser profesor en la Universidad de Nueva York, Bloom haya puesto la siguiente advertencia en el prólogo de *El canon occidental*:

"Este libro no se dirige a los académicos, porque sólo un escaso número de ellos sigue leyendo por amor a la lectura. Lo que Johnson y Woolf denominaron el 'lector corriente' todavía existe, y posiblemente siga siendo receptivo ante las sugerencias de lo que debería leer. Tal lector no lee para obtener un placer fácil o para expiar la culpa social, sino para ensanchar una existencia solitaria. El mundo académico se ha vuelto tan increíble que he oído a un crítico denunciar a este tipo de lector, diciéndome que leer sin un propósito social constructivo no era ético".

¡Vaya con la concepción "ética" que tienen algunos! Harold Bloom impugna este dislate del modo más lúcido: "Leer al servicio de cualquier ideología es lo mismo que no leer nada. La recepción de la fuerza estética nos permite aprender a hablar de nosotros mismos y a soportarnos. La verdadera utilidad de Shakespeare o de Cervantes, de Homero o de Dante, de Chaucer o de Rabelais, consiste en contribuir al crecimiento de nuestro yo interior".

Leer, por tanto, ha sido y sigue siendo una de las mejores maneras de *saber*. Hace muchos años, el escritor español Pío Baroja clasificó a sus coterráneos en siete estratos: "1, los que no saben; 2, los que no quieren saber; 3, los que odian el saber; 4, los que sufren por no saber; 5, los que aparentan que saben; 6, los que triunfan sin saber; y 7, los que viven gracias a que los demás no saben".

La clasificación sigue vigente y es válida no sólo para España y los españoles, sino para el mundo en general. Cuidémonos, sobre todo, de no estar en el saco de los que odian el saber, pues éste es un saco lleno de víctimas de los que viven —y medran— gracias a que los demás no saben.

EL CUENTO

Horacio Quiroga, gran cuentista y excelente novelista, escribió con algo de humor que "un cuento es una novela depurada de ripios" y que "en un cuento bien logrado, las tres primeras líneas tienen casi la importancia de las tres últimas". Sean o no verdades absolutas para el género, lo que no admite duda es que el cuento, es decir la narración breve de carácter literario, es uno de los géneros más importantes de que dispone la humanidad desde hace mucho tiempo. El diccionario lo define como la narración corta, generalmente en prosa, de carácter fantástico, ideada para entretener o para producir una impresión rápida y llamativa.

Pero esto, en realidad, es decir muy poco o casi nada sobre este importante género literario, pues los cuentos incluso están asociados al aprendizaje de la vida, y muchos cuentos de hadas, que están entre los más fantasiosos, es decir entre los más llenos de fantasías y poblados de imaginación, tenían en sus orígenes el propósito moral de una enseñanza que sirviera para el posterior desenvolvimiento en la vida.

Vladimir Propp, gran estudioso de los cuentos fantásticos, es decir de las fabulaciones, de los textos maravillosos (porque encierran en sus páginas maravillas e invenciones de todo tipo), encontró que la mayor parte de los cuentos remiten a hechos arcaicos que se relacionan con las costumbres, la cultura, la religión, etcétera, y que todos ellos, por muy fantásticos que sean, se apoyan en la realidad o, más bien, son metamorfosis de la realidad. De ahí que las semillas del cuento, en general, estén en la historia misma del ser humano y nos hablen del aprendizaje en la vida.

Por su parte, el célebre psicólogo de la infancia, Bruno Bettelheim, escribe todo un libro sobre la importancia que tienen los cuentos maravillosos en nuestra existencia (*Psicoanálisis de los cuentos de hadas*), y en él nos advierte que "si deseamos vivir, no momento a momento, sino siendo realmente conscientes de nuestra existencia, nuestra necesidad más urgente y difícil es la de encontrar un significado a nuestras vidas". Y es por esto que el hombre inventa los cuentos: para encontrar ese significado. Los cuentos maravillosos, y los cuentos en general, lo que plantean, de modo breve y conciso, con gran concentración de lo poético, es un problema existencial cuya resolución, sobre todo en la infancia, nos ayuda en la existencia cotidiana, muchas veces sin avisárnoslo, y aun sin advertirlo nosotros mismos.

En este sentido, un cuento, al mismo tiempo que divierte, asombra o entretiene, brinda significados, ayuda a comprender a los demás y a entendernos a nosotros mismos y, con ello (que no es poco) "alienta el desarrollo de la personalidad" como bien apunta Bettelheim.

Más allá de definiciones académicas o especializadas, científicas o psicológicas, la definición de Borges (autor también de cuentos inolvidables) es mucho más concisa: "El cuento es un breve sueño, una corta alucinación". Y él mismo añade que "el cuento es tan antiguo como el hombre, y así como en la niñez del hombre están los cuentos, así como a un niño le gusta oír cuentos, así los cuentos que se llamaron mitologías o cosmogonías están al principio de la humanidad".

Para Borges, los cuentos son tan sustantivos del ser humano que "aunque dejen de escribirse, seguirán contándose", puesto que así nacieron, en la oralidad, en el ejercicio verbal que reunía a nuestros antepasados alrededor de la fogata, todos convertidos en escuchas atentos e iluminados. Pero, además, los cuentos, que generalmente nacen de la fantasía y que cumplen también una función necesaria de evadirnos por un momento de la realidad más inmediata, nos sirven para comprender mejor y de un modo más profundo esa realidad. El simbolismo de los cuentos nos ayuda a aceptar nuestra existencia, a reconciliarnos con la vida y a aceptar nuestro destino finito, nuestro corto tiempo en la vida, nuestra mortalidad. Para decirlo en los términos de la poesía náhuatl: sólo venimos a soñar, sólo un momento aquí en la tierra, un instante.

El sueño y la vigilia, la fantasía y la razón son asuntos complementarios. La magia está dentro de la realidad, y muchas veces la realidad es mágica. No hay conocimiento sin misterio. Lo "sobrenatural" es parte de nuestra existencia. Y esto lo han sabido todos los grandes escritores. Al prologar su novela breve *La línea de sombra*, Conrad explicó: "El mundo de los vivos encierra ya por sí solo bastantes maravillas y misterios; maravillas y misterios que obran de modo tan inexplicable sobre nuestras emociones y nuestra inteligencia, que ello bastaría casi para justificar que pueda concebirse la vida como un sortilegio". Para Conrad, lo sobrenatural forma parte de la naturaleza misma, al igual que la fantasía está dentro de la realidad.

A decir de Gabriel García Márquez —otro cuentista prodigioso—, en la literatura y la cultura, en general, el cuento es el género natural de la humanidad "por su incorporación espontánea a la vida cotidiana", y explica: "Desde las cuevas de Altamira hasta la llegada al planeta Marte, el hombre no cesará de contar cosas que le suceden a la gente: siempre habrá alguien contando". El cuento se funda en el misterio de la vida, en la magia y en la fantasía, en la imaginación que se desata a partir de la realidad que se vive ya sea sufriéndola o gozándola.

Los cuentos han acompañado, desde un principio, a los seres humanos y, además, en no pocos casos, simbólica y literalmente, salvan la vida; como en *Las mil y una noches*, el antiquísimo libro de las tradiciones árabe, persa e hindú, donde se nos dice que Scheherezada se salva cada noche de ser decapitada gracias al arte de saber relatar cuentos y dejarlos suspensos, en lo más emocionante, en lo más intrígante, para continuarlos después y brindar sus desenlaces.

Desde la antiquísima fórmula "había una vez..." o "hace mucho tiempo en...", un cuento que no cumple con las expectativas que promete es un cuento fallido. El cuento está en creérselo, en aceptar las condiciones básicas del que cuenta y en no poner en duda "razonable" lo que ocurre en el cuento. Por ello, García Márquez ha dicho: "Creo que hubo en realidad un tiempo en que las alfombras volaban y había genios prisioneros dentro de las botellas". Nadie podría seguir leyendo un cuento si, por principio, no lo cree. Un cuento es un ejercicio de empatía cuando no de complicidad entre el autor y el lector, y por ello un cuento fallido es aquel que no consigue la participación del lector. Un cuento es fabulación, pero la fabulación no es menos verdad que la realidad. Para decirlo con las palabras de Mario Vargas Llosa, la literatura es "la verdad de las mentiras".

"El placer más alto en literatura —sostenía Oscar Wilde— es prestar realidad a lo inexistente". La antigua ciencia clásica y las historias homéricas y bíblicas están llenas de relatos fabulosos y fantásticos, de pasajes asombrosos, mitos, apólogos y parábolas morales, pues el cuento contiene, además del entretenimiento, una lección para la vida que nos servirá, precisamente, a lo largo de toda nuestra existencia.

El cuento, entonces, no es un asunto trivial, sino un importante descubrimiento en el desarrollo de la humanidad. Cuando los hombres necesitaron contar lo que les ocurría o lo que imaginaban, ampliaron su desarrollo intelectual y emocional. Toda fabulación surge de nuestra necesidad de comprender, y la imaginación no es otra cosa, volviendo a palabras de García Márquez, que "la facultad que se tiene para crear una realidad nueva a partir de la realidad en que se vive". Y esto es válido lo mismo para el cuentista que para el lector de cuentos.

ESTA ANTOLOGÍA

El propósito de esta antología es invitar a leer, especialmente cuentos. Entre los miles de cuentos que se han escrito en el mundo, existen muchos de gran calidad, y entre esos muchos hay un puñado de obras maestras inolvidables en este género, y de entre ese puñado hemos elegido veinticinco relatos que resultan óptimos para iniciar a alguien en la lectura o como ejercicio de relectura o redescubrimiento para aquellos a quienes el cuento ya los ha seducido.

¿Qué es lo que hace que, entre millares de ellos, un cuento se vuelva inolvidable? Por supuesto, todos sus elementos (historia, personajes, anécdotas, forma de contar, desenlace, etcétera) que convierten a cada uno de ellos en únicos e irrepetibles; en piezas magistrales que se leen una y otra vez y siempre nos placen e incluso nos arrebatan. Pero también porque cada uno de ellos contiene, en sí mismo, la totalidad del universo; porque cada uno de ellos, aun dentro de sus límites, abarca lo general de nuestra experiencia: el sentimiento esencial, la emoción primigenia y el asombro inaugural de la humanidad ante un hecho extraordinario.

Julio Cortázar, novelista y cuentista argentino, considerado entre los mejores cultivadores del cuento, se hizo esta misma pregunta y la respondió del siguiente modo: "¿No es verdad que cada uno de nosotros tiene su colección de cuentos? ¿Por qué perduran en la memoria? Piensen en los cuentos que no han podido olvidar y verán que todos ellos tienen la misma característica: son aglutinantes de una realidad infinitamente más vasta que la de su mera anécdota, y por eso han influido en nosotros con una fuerza que no haría sospechar la modestia de su contenido aparente, la brevedad de su texto. Y ese hombre que en un determinado momento elige un tema y hace con él un cuento será un gran cuentista si su elección contiene —a veces sin que él lo sepa conscientemente— esa fabulosa apertura de lo pequeño hacia lo grande, de lo individual y circunscrito a la esencia misma de la condición humana".

Y por tanto, Cortázar concluye: "Todo cuento perdurable es como la semilla donde está durmiendo el árbol gigantesco. Ese árbol crecerá en nosotros, dará su sombra en nuestra memoria". Cada cuento, como cada persona, encierra un misterio. Chéjov lo dice bien al poner lo siguiente en el pensamiento de Gurov, uno de sus más entrañables personajes en uno de sus cuentos más inolvidables ("La dama del perrito"): "Toda existencia individual descansa sobre el misterio". Por eso leemos, contamos, escribimos y escuchamos cuentos; por eso los cuentos son necesarios para nuestra vida: porque no podemos renunciar a ese misterio sobre el que descansa nuestra existencia.

En el prólogo a su antología de cuentos clásicos sobre el tema del doble (*El doble, el otro, el mismo*), el escritor y neurólogo Bruno Estañol nos da también una respuesta que a él, como lector, le fue revelada por un cuentista magistral: "Poe tenía razón cuando decía que un cuento debía ser calculado para causar un efecto. Este efecto puede ser de ansiedad, de terror, de extrañeza, de felicidad, a veces de perplejidad. La extrañeza es quizá el efecto más impactante que puede ocasionar una narración".

Para Lovecraft, maestro de la ficción espectral, "la *gracia* de un cuento verdaderamente extraño es simplemente alguna violación o superación de una ley cósmica fija, una escapada imaginativa de la tediosa realidad". El carácter inquietante de la mayor parte de los grandes cuentos nos hace imposible dejar de leerlos, y en ese mismo instante se convierten, para el lector, en cuentos inolvidables, en experiencias únicas que se integran a la propia vida, como cuando Borges afirma que entre los primeros recuerdos de su infancia está aquél en el que un genio sale de una botella. Un cuento es, siempre, una subversión frente a la realidad doméstica y la monotonía cotidiana, un poner en entredicho lo que todos los días creemos inamovible. Por eso, la vida sin fantasía y sin imaginación, sin emoción y sin pasiones, vale muy poco vivirla o sólo puede vivirse con desilusión.

Estañol nos recuerda que, en su libro *Los sueños como delirio*, Allan Hobson afirma que los sueños son una forma de alucinación o delirio; justamente como Borges definía los cuentos mismos, con la diferencia de que los cuentos y las fantasías pueden "controlarse", a diferencia de los sueños que son caprichosos. Borges escribió, en su libro *Siete noches*, que "los sueños son la actividad estética más antigua".

Estañol precisa: "Hobson ha distinguido con claridad los sueños nocturnos de los sueños diurnos o fantasías. Los sueños nocturnos son incoherentes y no siguen la unidad de tiempo, espacio y persona. Los sueños diurnos, en cambio, sí la siguen. Hay grandes escritores de historias alucinadas: los mejores, Kafka y Poe". En resumidas cuentas, "un cuento siempre es un delirio, aun en los temas realistas, ya que, en sentido estricto, no hay cuentos realistas". Se puede argumentar, como prueba en contrario, explica Estañol, que la ejecución de un cuento se ubica, indiscutiblemente, dentro de la razón, puesto que forma parte del oficio y de la inteligencia, pero tal argumento no es válido, pues "la estructura misma del cuento también puede ser delirante". Esto lo podrán comprobar los lectores en varios de los cuentos que aquí incluimos.

Los diversos efectos del cuento, mencionados por Poe y recordados por Estañol (ansiedad, terror, extrañeza, felicidad, perplejidad), están todos en los cuentos de esta antología, cuyo propósito es invitar a leer para amar la lectura. Hemos agrupado estas narraciones en cinco partes. La primera abarca los cuentos fantásticos, terroríficos y de misterio; la segunda, aquellos que podrían calificarse como tristes, crueles y trágicos; la tercera, los cuentos que se centran en el amor, la amistad y la fidelidad, pero también en la traición; la cuarta, los cuentos poéticos, morales e ilustrativos y, finalmente, la quinta que incluye los cuentos eróticos, satíricos y humorísticos, que completan un panorama muy variado del género.

En la primera parte agrupamos siete cuentos: "Vampirismo", de E. T. A. Hoffmann (1776-1822); "La mendiga de Locarno", de Heinrich von Kleist (1777-1811); "El corazón delator", de Edgar Allan Poe (1809-1849), "El diablo de la botella", de Robert Louis Stevenson (1850-1894); "Arachné", de Marcel Schwob (1867-1905); "El almohadón de plumas", de Horacio Quiroga (1878-1937), y "Los gatos de Ulthar", de H. P. Lovecraft (1890-1937), todos ellos hermanados por los elementos fantásticos, terroríficos o misteriosos, donde lo sobrenatural y la realidad sublimada logran en nosotros más de un estremecimiento y algún escalofrío.

La segunda parte abarca los cuentos "El capote", de Nikolai Gogol (1809-1852); "¡Adiós, *Cordera!*", de Leopoldo Alas, *Clarín* (1852-1901); "Yzur", de Leopoldo Lugones (1874-1938); "Un ayunador", de Franz Kafka (1883-1924), y "La parábola del joven tuerto", de Francisco Rojas González (1903-1951). En todos estos textos están presentes la tristeza, la crueldad o la tragedia, en historias donde la alegría casi nunca asoma, y cuando lo hace, con mucha timidez, nos deja en el corazón un sabor agridulce.

En la tercera parte incluimos cinco cuentos donde el amor, la amistad y la fidelidad, pero también su contraparte, la traición, hacen las veces de hilos conductores de narraciones verdaderamente inolvidables: "Brown de Calaveras", de Bret Harte (1839-1902); "La cartomántica", de Machado de Assis (1839-1908); "A secreto agravio...", de Emilia Pardo Bazán (1851-1921); "La novela del tranvía", de Manuel Gutiérrez Nájera (1859-1895), y "La dama del perrito", de Antón Chéjov (1860-1904).

Para la cuarta parte, hemos elegido tres cuentos donde el lenguaje poético y el sentido moral e ilustrativo resplandecen especialmente. Detrás de cada uno de estos cuentos hay una lección y un aprendizaje. Se trata de "Los dos hermanos", de León Tolstoi (1828-1910); "El Príncipe Feliz", de Oscar Wilde (1854-1900), y "El Rey Burgués", de Rubén Darío (1867-1916).

Finalmente, en la quinta parte, agrupamos cinco cuentos con elementos eróticos, satíricos o humorísticos; a veces dos cosas en una misma narración que puede ser erótica y satírica o erótica y humorística. Son cuentos igualmente inolvidables: "El astrónomo engañado", de *Las mil y una noches* (siglos IX-XIV); "El monje que le tendió una trampa al abad", de Giovanni Boccaccio (1313-1375); "El fabricante de ataúdes", de Alexandr Pushkin (1799-1837); "La célebre rana saltarina del condado de Calaveras", de Mark Twain (1835-1910), y "La seña", de Guy de Maupassant (1850-1893); feliz final para un fantástico inicio.

A decir de Julio Ramón Ribeyro, narrador peruano que también produjo excelentes cuentos, "la historia contada por el cuento debe entretener, conmover, intrigar o sorprender; si todo ello junto, mejor, y si no logra ninguno de estos efectos, no existe como cuento". Los lectores podrán comprobar que, en esta antología, ningún cuento dejará de entretenerlos, ninguno de conmoverlos, ninguno de intrigarlos y ni uno sólo de sorprenderlos.

Hay otro elemento esencial en todo buen cuento, en el cuento magistral, en el cuento inolvidable. También nos lo revela Ribeyro: "El cuento se ha hecho para que el lector pueda, a su vez, contarlo... El cuento debe conducir necesaria, inexorablemente, a un solo desenlace, por sorpresivo que sea. Si el lector no acepta el desenlace es que el cuento ha fallado".

En resumen, desde un relato anónimo del libro *Las mil y una noches* (libro que fue recopilándose entre los siglos IX y XIV) hasta algunos cuentos del siglo XX, esta antología incluye también narraciones inolvidables de los siglos XVIII y XIX, con grandes maestros del género nacidos en Alemania, Francia, Italia, Gran Bretaña, Rusia, República Checa, Estados Unidos, España, Portugal, Argentina, Uruguay, Nicaragua y México. Si consigue que el lector la disfrute, habrá conseguido su propósito. Pero este propósito puede tener una recompensa mucho más rica si los lectores —después de leer el cuento de su preferencia— van en busca de los libros del autor que lo escribió.

Las antologías son libros que pueden descubrirle a un lector un mundo antes ignorado. Por ello, al final de cada cuento, incluimos algunas recomendaciones bibliográficas, para que los lectores exploren por su cuenta, si así lo desean, otras páginas del mismo autor.

"No abuses del lector", aconsejaba y se aconsejaba Quiroga. "Nunca escribas cosas superfluas", recomienda Stephen Vizinczey. Y García Márquez asegura que "cuando uno se aburre escribiendo, el lector se aburre leyendo".

En esta antología no hay cuentos superfluos, el lector jamás se aburrirá y nunca los cuentistas abusan de su tolerancia. Este libro es lo más parecido a una lectura en voz alta, en la que los cuentistas cuentan el cuento imperecedero que luego, a su vez, un día, contarán o recontarán quienes lo escucharon.

¡Buen viaje, lector, por este gran universo del cuento inolvidable!

Juan Domingo Argüelles

Fantásticos, terroríficos y de misterio

E. T. A. Hoffmann

Ernst Theodor Amadeus Hoffmann nació en Königsberg en
1776, y murió en Berlín en 1822. Músico, además de escritor,
muchas de sus narraciones fantásticas se desarrollan en el
ambiente de la música. Sueños, pesadillas, hechicerías, fantasmas, desdoblamientos y locura pueblan el mundo encantado de los cuentos de Hoffmann. Inspirados en los cuentos
de Hoffmann, Jules Barbier y Jacques Offenbach realizaron
una ópera que lleva por título, precisamente, *Los cuentos de
Hoffmann*, estrenada en 1881.

"Vampirismo" es uno de los cuentos de horror más represen-
tativos de este gran autor alemán. Enamoramiento, brujería,
necrofagia, maldición y muerte son algunos de los aspectos que los lectores encontrarán en este cuento inolvidable.

Vampirismo

EL CONDE HYPPOLIT —comenzó Cipriano— había regresado de sus largos viajes para hacerse cargo de la valiosa propiedad de su padre. El castillo familiar estaba en una de las regiones más bellas y agradables del país, y los ingresos de su patrimonio bastaban para los remozamientos más costosos. Todo lo que el conde había visto a lo largo de sus viajes, especialmente en Inglaterra, lo más bello, atractivo y suntuoso, quería verlo de nuevo levantarse ante sus ojos. Cuando era necesario, artesanos y artistas acudían de inmediato a su llamada, de modo que pronto comenzaron las obras del castillo y el diseño de un amplio parque de gran estilo, de tal modo que la iglesia, el cementerio y la casa del párroco quedaron delimitadas y semejaban parte del apócrifo bosque. El conde dirigía todos los trabajos, pues tenía conocimientos suficientes para ello; se entregó en cuerpo y alma a estos quehaceres, de modo que transcurrió un año sin que se le ocurriese, de conformidad al consejo de un anciano tío, dejarse ver por la residencia a los ojos de las jóvenes, para que así, la más bella, la mejor y la más noble apareciera ante él como esposa.

Una mañana que se encontraba sentado al restirador, proyectando el plano de un nuevo edificio, se hizo anunciar una vieja baronesa, pariente lejana de su padre. Hyppolit recordó el nombre de la baronesa, y que su padre sentía la indignación más profunda contra esta mujer, e incluso que hablaba de ella con asco, y a cuantas personas trataban de acercarse a ella les aconsejaba que se alejasen, sin explicar jamás los motivos del peligro. Cuando se le preguntaba al conde en la intimidad, solía decir que había ciertas cosas sobre las que más valía callar que hablar. Con más razón, cuanto que en la residencia corrían oscuros rumores de un extraño e inaudito proceso delictivo en el que estaba implicada la baronesa, separada de su marido y expulsada de su lejano domicilio, cuya anulación debía a la misericordia del hidalgo.

Muy molesto se sintió Hyppolit por la proximidad de una persona a la que su padre aborrecía, aunque los motivos le fueran desconocidos. La ley de la hospitalidad privativa de toda esa región le obligaba a recibir la desagradable visita. Jamás una persona había causado al conde una impresión tan antipática en su apariencia —aunque en realidad no fuese odiosa— como la baronesa.

Al entrar, ella traspasó al conde con una mirada de fuego; luego entornó los párpados y se disculpó por su visita, con expresiones casi mortificadas. Se quejó de que el padre del conde, poseído por extraños prejuicios, a los que le habían inducido sus enemigos maliciosamente, la había odiado hasta la muerte, de modo que, aunque abatida en la mayor pobreza, y avergonzada por su estado, nunca había recibido la menor ayuda. Como inesperadamente se vio en posesión de una pequeña suma de dinero, le fue posible abandonar su residencia y huir hacia un pueblo muy alejado de aquella región. Antes de emprender el viaje no había podido resistir el impulso de conocer al hijo del hombre que le había profesado un odio tan injusto e irreconciliable, aunque a su pesar lo reverenciase.

El conmovedor tono de verosimilitud con que habló la baronesa emocionó al conde, sobre todo porque lejos de mirar el desagradable semblante de la vieja, su mirada estaba absorta en la contemplación de la adorable, maravillosa y encantadora criatura que la acompañaba.

Calló aquella y el conde pareció no darse cuenta: permanecía absorto. La baronesa pidió que la disculpase, pues al entrar estaba desconcertada y había olvidado presentar a su hija Aurelie. Sólo al oír esto recuperó el conde la palabra, y juró, ruborizado totalmente, lo que sumió en la mayor confusión a la adorable joven, que le permitieran corregir lo que su padre había cometido por error, y les suplicó que, conducidas por su propia mano, entrasen en el castillo.

Para confirmar sus buenas intenciones tomó la mano de la baronesa, pero la respiración y el habla se le cortaron, al tiempo que un frío enorme recorrió lo más profundo de su cuerpo. Sintió que su mano era apresada por unos dedos rígidos, helados como la muerte, y le pareció como si la enorme y huesuda figura de la baronesa —que le contemplaba con los ojos vacíos— estuviera envuelta en el aterrador vestido de colores de un cadáver maquillado.

—¡Oh, Dios mío, qué desgracia está sucediendo en este momento! —gritó Aurelie, y empezó a gemir con una voz tan quejumbrosa, que su pobre madre fue presa de un ataque convulsivo, de cuyo estado, como de costumbre, solía salir unos instantes después, sin necesidad de valerse de ningún remedio. Con dificultades, el conde se desprendió de la baronesa, y al tomar la mano de Aurelie y depositar en ella un ardiente beso, sintió que el dulce deleite del amor y el fuego de la vida volvían a invadir su ser. Cercano a la madurez, el conde sintió por vez primera toda la violencia de la pasión, de tal modo que le resultó muy difícil esconder sus sentimientos, y como Aurelie le expresara su amabilidad de la manera más inocente, la esperanza se encendió en él. Transcurrieron unos cuantos minutos cuando la baronesa despertó de su desmayo, sin saber lo que había sucedido, y aseguró al conde que apreciaba la invitación para permanecer algún tiempo en el castillo, y que olvidaba por siempre todo el mal que su padre le había causado. Así fue como, repentinamente, cambió la situación hogareña del conde, hasta el punto que llegó a pensar que, por un especial favor, el destino le había llevado hasta allí a la única persona en todo el universo, que como ardiente, adorable esposa podría brindarle la mayor felicidad para un ser humano.

La conducta de la baronesa fue idéntica, permaneció silenciosa, seria, incluso reservada y siempre que había oportunidad mostraba un dulce talante y hasta una inocente alegría en el fondo de su corazón. El conde, que ya se había habituado al extraño semblante cadavérico y a su figura fantasmal, atribuyó todo esto a su enfermedad, así como la tendencia a una intensa exaltación, de la que daba muestras —según le había dicho su gente— durante los paseos nocturnos que efectuaba por el parque, en dirección al cementerio.

El conde se avergonzó de que los prejuicios de su padre le hubiesen prevenido tanto contra ella y trató de vencer el sentimiento que lo atenazaba, siguiendo los consejos de su buen tío que le indicaba librarse de una relación que tarde o temprano le perjudicaría. Convencido del intenso amor de Aurelie, pidió su mano y hay que imaginar la alegría con que la baronesa aceptó esa petición, al verse transportada de la mayor indigencia al seno de la felicidad. La palidez y aquel aspecto que denotaba un interior extremadamente desasosegado fueron desapareciendo del semblante de Aurelie. La felicidad del amor resplandecía en su mirada y daba a sus mejillas un tono rosáceo.

La mañana de la boda una circunstancia sobrecogedora frustraba los deseos del conde. Se había encontrado a la baronesa inerte en el parque, tirada en el suelo, con el rostro por tierra, no lejos del camposanto, y la transportaron al castillo, precisamente cuando el conde se levantaba con sensación de deleite por la felicidad conseguida. Creyó a la baronesa invadida por su acostumbrado mal; sin embargo, fueron vanos todos los medios de que se sirvieron para volverla a la vida. Estaba muerta.

Aurelie no se entregó a los desahogos propios de un intenso dolor, y muda, sin derramar una lágrima, parecía haberse quedado como paralizada después del golpe recibido. El conde, que temía por su amada, con gran cuidado y suavidad se atrevió a recordarle su situación de criatura abandonada, de modo que ahora más que nunca era necesario aceptar el destino y proceder convenientemente acelerando la boda que se había aplazado por la muerte de la madre. A esto, Aurelie, echándose en los brazos del conde, gritó, al tiempo que derramaba un torrente de lágrimas, con una voz que desgarraba el corazón: "¡Sí, sí, por todos los Santos, por mi bien, sí!" El conde atribuía ese desahogo de emociones internas al amargo pensamiento de hallarse sola, sin patria, sin saber a dónde ir y al impedimento de las buenas costumbres para quedarse en el castillo. El conde se aseguró de que una venerable matrona fuera su acompañante hasta que se celebró la boda, sin que ningún acontecimiento infeliz interrumpiese la ceremonia, e Hyppolit y Aurelie fueran felices por completo. Mientras todo esto sucedía, Aurelie se había mostrado siempre en un estado de gran excitación. No era el dolor por la pérdida de su madre lo que la inquietaba, sino una mortal sensación de miedo que continuamente parecía estrujarla.

En mitad de la más dulce conversación amorosa, se sentía sobrecogida de terror, palidecía como una muerta y abrazaba al conde, mientras lágrimas brotaban de sus ojos, como si quisiera asegurarse bien de que un poder invisible y enemigo no la llevase a la perdición. Entonces gritaba: "¡No, nunca, nunca!"

Una vez casada con el conde, el estado de excitación pareció cesar y que se había librado del miedo que la sobrecogía. Esto no impidió que el conde adivinase que algún secreto fatal se escondía al interior de Aurelie, pero, ciertamente, le pareció inoportuno preguntarle acerca de ello, en tanto que persistiese la excitación, y ella misma se mantuviese callada. Hasta que un día se atrevió a insinuarle la pregunta de cuál era la causa de su inquietud. Entonces Aurelie confesó que suponía un inmenso bien para ella vaciar por entero su corazón en su amado esposo. No poco se sorprendió el conde cuando se enteró que el motivo del malestar de Aurelie era únicamente la fatal conducta de la madre. "¿Hay algo más espantoso —gritó Aurelie— que odiar a la propia madre y tener que aborrecerla?" De aquí se deduce que tanto el padre como el tío no estaban dominados por falsos prejuicios y que la baronesa había engañado al conde con una premeditada hipocresía.

El conde consideró como un signo muy favorable que la malvada madre se hubiese muerto el mismo día que iba a celebrarse su boda, y no tenía ningún reparo en decirlo. Aurelie, en cambio, dijo que precisamente desde el día de la muerte de su madre se sentía sometida por los más lúgubres y sombríos presentimientos, que no podía evitar sentir un miedo espantoso a que los muertos saliesen de sus tumbas y la arrancasen de los brazos de su amado para llevarla al abismo.

Aurelie recordaba (según relató) muy remotamente que una mañana de su infancia, cuando acababa de despertarse, oyó un tumulto espantoso en la casa. Las puertas se abrían y cerraban, se oían voces extrañas. Cuando finalmente se hizo la calma, la nodriza tomó a Aurelie de la mano y la llevó a una gran estancia donde estaban muchos hombres reunidos, y en el centro de la habitación sobre una gran mesa yacía un hombre que jugaba a menudo con Aurelie, que le daba golosinas, y al que solía llamar papá. Extendió las manos hacia él y quiso besarle. Los labios que en otro tiempo estaban cálidos ahora estaban helados, y Aurelie, sin saber por qué, prorrumpió en sollozos. La nodriza la condujo a una casa desconocida, donde estuvo durante mucho tiempo, hasta que apareció una señora y se la llevó en una carroza. Era su madre que la trasladó al palacio. Aurelie debía tener ya dieciséis años cuando apareció un hombre en casa de la baronesa, al que ésta recibió con alegría, denotando la confianza e intimidad de un amigo querido desde hace tiempo. Cada vez venía más a menudo, y cada vez era más evidente que su casa se transformaba y ponía en mejores condiciones. En lugar de vivir como en una cabaña y vestirse con pobres vestidos y alimentarse mal, ahora vivían en la parte más bella de la ciudad, ostentaban lujosos vestidos, y comían y bebían con el extraño, que diariamente se sentaba a la mesa y participaba en todas las diversiones públicas que se ofrecían en la Corte. Únicamente Aurelie permanecía ajena a las mejoras de su madre que, evidentemente, se debían al extraño. Se encerraba en su cuarto cuando la baronesa departía con el extraño y permanecía tan insensible como antes. El extraño, aunque era ya casi de cuarenta años, tenía un aspecto fresco y juvenil, poseía una gran figura y su semblante podía considerarse masculino. No obstante esto, le resultaba desagradable a Aurelie porque, a menudo, su conducta le parecía vulgar, torpe y plebeya.

Las miradas que empezó a dirigir a Aurelie le causaron inquietud y espanto, incluso un temor que ella misma no sabía explicar. Hasta entonces, la baronesa nunca se había molestado en dar alguna explicación a Aurelie acerca del extraño. Ahora mencionó su nombre a Aurelie, añadiendo que el barón era muy rico y un pariente lejano. Alabó su figura, sus rasgos, y terminó preguntando a Aurelie qué le parecía. Aurelie no ocultó el aborrecimiento que sentía por el extraño; la baronesa le lanzó una mirada que le produjo un terror indecible y luego la regañó acusándola de ser necia. Poco después, la baronesa se condujo más amablemente que nunca con Aurelie. Le regaló hermosos vestidos y ricos adornos a la moda, y la dejó participar en saraos públicos.

El extraño trataba de ganarse el favor de Aurelie, de tal modo que se hacía todavía más odioso. Fue fatal para su tierno espíritu que la casualidad le deparase ser testigo de todo esto, lo que motivó que sintiese un odio tremendo hacia el extraño y la madre depravada. Como pocos días después el extraño, medio embriagado, la estrechase en sus brazos, de modo que no dejase lugar a dudas de sus perversas intenciones, la desesperación le dio fuerza hombruna, de forma que le propinó tal empujón al desconocido que lo tiró de espaldas, tuvo que huir y se encerró en su cuarto.

La baronesa explicó a Aurelie, fríamente y con firmeza, que el extraño mantenía la casa y que no tenía el menor deseo de volver a la antigua indigencia y que, por consiguiente, eran vanos e inútiles los caprichos. Aurelie debía ceder a los deseos del extraño, que amenazaba abandonarlas. En vez de compadecerse de las súplicas desgarradoras de Aurelie, de sus ardientes lágrimas, la vieja comenzó a proferir amenazas y a burlarse de ella, agregando que estas relaciones le proporcionarían el mayor placer de la vida, así como toda clase de comodidades, y dio muestras de un desaforado aborrecimiento hacia los sentimientos virtuosos, por lo que Aurelie quedó aterrada. Se vio perdida, de modo que la única salvación posible le pareció una fuga precipitada.

Aurelie se había hecho con una llave de la casa, y envolviendo algunos enseres indispensables, cuando vio a su madre profundamente dormida, a la medianoche, se deslizó hasta el vestíbulo débilmente iluminado. Con sumo cuidado trataba de salir, cuando la puerta de la casa se abrió de golpe violentamente y retumbó a través de la escalera. En medio del vestíbulo, haciendo frente a Aurelie, apareció la baronesa vestida con una bata sucia y vieja, con el pecho y los brazos descubiertos, con el despeinado pelo gris agitándose salvajemente. Y detrás de ella el extraño, que gritaba y chillaba: "¡Espera, infame Satanás, bruja infernal, haré que te tragues tu banquete te bodas!", y arrastrándola por los cabellos, empezó a golpearla de un modo brutal en mitad del cuerpo, envuelto como estaba en su gruesa bata.

La baronesa empezó a gritar. Aurelie, casi desvanecida, pidió auxilio, asomándose a la ventana abierta. Dio la casualidad que precisamente pasaba por allí una patrulla de policías armados que entraron al instante en la casa: "¡Atrápenlo! —gritaba la baronesa a los gendarmes, retorciéndose de rabia y de dolor— ¡Aprehéndanlo y sujétenlo bien! ¡Mírenle la espalda!"

En cuanto la baronesa pronunció su nombre, el sargento de la policía exclamó jubilosamente: "¡Ja, ja, al fin te tenemos, Urian!", y con esto lo sujetaron y lo llevaron consigo, no obstante resistirse. A pesar de todo lo sucedido, la baronesa se había percatado de las intenciones de Aurelie. De momento se conformó con agarrarla violentamente del brazo, arrojarla al interior de su cuarto y cerrarlo bien, sin decir palabra. A la mañana siguiente, la baronesa salió y regresó muy tarde por la noche, mientras Aurelie permanecía en su cuarto encerrada como en una prisión, sin ver ni oír a nadie, de modo que pasó el día sin ingerir alimento ni bebida. Así transcurrieron varios días. A menudo, la baronesa la miraba con ojos encendidos de ira y parecía como si quisiera tomar una decisión, hasta que un día encontró una carta, cuyo contenido pareció llenarla de alegría: "Odiosa criatura —dijo la baronesa a Aurelie—, eres culpable de todo, aunque te perdono, y lo único que deseo es que no te alcance la espantosa maldición que este malvado ha descargado sobre ti". Luego de decir esto se mostró muy amable, y Aurelie, ahora que ya aquel hombre se había alejado, no volvió a pensar más en fugarse, por lo que le fue concedida mayor libertad.

Pasado ya algún tiempo, un día que Aurelie estaba sentada sola en su cuarto, oyó un gran rumor en la calle. La doncella salió y volvió diciendo que era el hijo del verdugo el que iba detenido, después de ser marcado con un hierro candente por robo y asesinato, y que al ser conducido a la cárcel se había escapado de entre las manos de los guardianes. Aurelie vaciló, asomándose a la ventana, dominada por temerosos presentimientos; no se había engañado: era el extraño que, rodeado de numerosos centinelas, iba bien encadenado en una carreta, camino a la ejecución de la condena y de la expiación de sus faltas. Casi estuvo a punto de desmayarse en su sillón, cuando la espantosa y salvaje mirada del hombre se cruzó con la suya, al tiempo que con gestos amenazadores levantaba el puño cerrado hacia su ventana.

Era costumbre de la baronesa estar siempre fuera de casa, aunque regresaba para hablar con Aurelie y hacer consideraciones acerca de su destino y de las amenazas que se cernían sobre ella, presagiando una vida muy afligida. Por medio de la doncella que había entrado a su servicio, el día después del suceso de aquella noche, y a la que habían tenido al corriente de las relaciones de la baronesa con aquel tunante, se enteró Aurelie de que todos los de la casa compadecían a la baronesa por haber sido engañada tan vilmente por un criminal tan despreciable.

Bien sabía Aurelie que la cosa era de otro modo, y le parecía imposible que los gendarmes, que poco antes habían detenido a este hombre en casa de la baronesa, no supieran de sobra la buena amistad de la baronesa con el hijo del verdugo, ya que, al apresarlo, la baronesa había proferido su nombre y había hecho alusión a la marca de su espalda, que era la señal de su crimen. De aquí que, incluso, la misma doncella a veces expresase con ambigüedad lo que se decía por todas partes, y que insinuase que los jueces estaban haciendo investigaciones, de forma que hasta la honorable baronesa estuviese a punto de ser arrestada, debido a las extrañas declaraciones del malvado hijo del verdugo.

De nuevo se dio cuenta la pobre Aurelie de la situación tan lamentable en que se hallaba su madre, y no comprendió cómo, después de aquel horroroso acontecimiento, podría permanecer un instante más en la residencia. Finalmente, se vio obligada a abandonar el lugar, donde se sentía rodeada de un justificado desprecio, y a dirigirse a una región alejada de allí. El viaje la condujo al castillo del conde, donde sucedió lo relatado.

Aurelie se sintió extremadamente feliz, libre de las tremendas preocupaciones que tenía, pero he aquí que quedó aterrada cuando al expresarle su madre el favor divino que le concedía este sentimiento de bienaventuranza, ésta, con fuego en los ojos, gritó con voz destemplada: "¡Tú eres la causa de mi desgracia, desventurada criatura, pero ya verás, toda tu soñada felicidad será destruida por el espíritu vengador, cuando me estremezca la muerte! En medio de las convulsiones que me costó tu nacimiento, la astucia de Satanás...", y aquí se detuvo Aurelie, se apoyó en el pecho del conde y le suplicó que le permitiese callar lo que la baronesa había proferido en su furor demencial. Estaba destrozada, pues creía firmemente que se cumplirían las amenazas de los malos espíritus que poseían a su madre.

El conde consoló a su esposa lo mejor que pudo. Cuando se tranquilizó, se confesó a sí mismo que el profundo aborrecimiento de la baronesa, aunque hubiese fallecido, arrojaba una negra sombra sobre la vida, que le parecía tan clara.

Poco tiempo después se notó un marcado cambio en Aurelie. Como la palidez mortal de su semblante y la mirada extenuada denotaba enfermedad, pareció como si Aurelie ocultase un nuevo secreto en el interior de su ser, que se mostrara inquieta, insegura y temerosa. Huía incluso hasta de su marido, se encerraba en su cuarto, buscaba los lugares más apartados del parque, y cuando se la veía, sus ojos llorosos y los consumidos rasgos de su semblante denotaban una pena profunda. En vano, el conde se esforzaba por conocer los motivos del estado de su esposa. Un famoso médico la sacó del enorme desconsuelo en el que finalmente se sumió, al insinuar que la gran irritabilidad de la condesa, a juzgar por los síntomas, posiblemente denotaba un cambio de estado, que haría la dicha del matrimonio. Este mismo médico se permitió, como se sentase a la mesa del conde y de la condesa, toda clase de alusiones al supuesto estado en que se hallaba la condesa.

La condesa parecía indiferente a todo lo que escuchaba, aunque de pronto prestó gran atención, cuando el médico comenzó a hablar de los caprichos tan raros que a veces tenían las mujeres en estado, y a los que se entregaban sin tener en consideración la salud y la conveniencia del niño.

La condesa abrumó al médico con preguntas, y éste no se cansó de responder a todas ellas, refiriendo casos asombrosamente curiosos y divertidos de su propia experiencia: "También —repuso— hay ejemplos de caprichos anormales, que llevan a las mujeres a realizar hechos espantosos. Así la mujer de un herrero sintió tal deseo de la carne de su marido, que no paró hasta que un día que éste llegó embriagado, se abalanzó sobre él con un cuchillo grande y le acuchilló, de manera tan cruel, que pocas horas después entregaba el espíritu".

Apenas hubo pronunciado el médico estas palabras, la condesa se desmayó en la silla donde estaba sentada, y con gran trabajo pudo ser salvada de los ataques de nervios que sufrió después. El médico se percató de que había sido muy imprudente al mencionar en presencia de una mujer tan débil y nerviosa aquel terrible suceso.

Sin embargo, pareció que aquella crisis había ejercido un influjo bienhechor en el ánimo de la condesa, pues se tranquilizó, aunque como de nuevo volviese a enmudecer y a convertirse en una extraña criatura solitaria, con un fuego intenso que brotaba de sus ojos, adquiriendo la palidez mortal de antes. El conde nuevamente volvió a sentir pena e inquietud acerca del estado de su esposa. Lo más raro de ello era que la condesa no tomaba ningún alimento y, sobre todo, que demostraba tal asco a la comida, especialmente a la carne, que más de una vez se alejó de la mesa dando las más vivas muestras de repulsión. El médico se sintió incapaz de curarla, pues ni las más fuertes y cariñosas súplicas del conde, ni nada en el mundo podían hacer que la condesa tomase alguna medicina.

Como transcurrieron semanas y meses sin que la condesa probase bocado, y pareciese que un insondable secreto consumía su vida, el médico supuso que había algo raro, más allá de los límites de la ciencia humana. Abandonó el castillo bajo cualquier pretexto, y el conde pudo darse cuenta de que la enfermedad de la condesa parecía muy sospechosa al reputado médico, y denotaba que la enfermedad estaba muy arraigada, sin que hubiese forma de curarla. Hay que imaginarse en qué estado de ánimo quedó el conde, no satisfecho con esta explicación.

Justamente por esta época un viejo y fiel servidor tuvo ocasión de revelar al conde que la condesa abandonaba el castillo todas las noches y regresaba al romper el alba. El conde se quedó helado. Fue cuando se percató que desde hacía bastante tiempo, a eso de la medianoche, le sobrecogía un sueño muy pesado, que atribuía a algún narcótico administrado por la condesa para poder abandonar, sin ser vista, el dormitorio que compartía con él.

Los más negros presentimientos sobrecogieron su alma; pensó en la diabólica madre, cuyo espíritu quizá revivía ahora en la hija, en alguna relación ilícita y adúltera, y hasta en el malvado hijo del verdugo. A la noche siguiente iba a revelársele el espantoso secreto, único motivo del estado misterioso en que se hallaba su esposa.

La condesa acostumbraba ella misma a preparar el té que tomaba el conde y luego se alejaba. Aquel día decidió el conde no probar una gota, y como leyese en la cama, según tenía por costumbre, no sintió el sueño que le sobrecogía a medianoche como otras veces. No obstante, se acostó sobre los cojines y fingió estar dormido. Suavemente, con gran cuidado, la condesa abandonó el lecho, se aproximó a la cama del conde e iluminó su rostro, deslizándose de la alcoba sin hacer ruido.

El corazón le latía al conde violentamente, se levantó, se cubrió con un manto y siguió a su esposa. Era una noche de luna clara, de modo que, no obstante lo veloz de su paso, podía verse perfectamente a la condesa Aurelie, envuelta su figura en una túnica blanca. La condesa se dirigió a través del parque hacia el cementerio y desapareció tras el muro.

Rápidamente, corrió el conde tras ella, atravesó la puerta del muro del cementerio, que halló abierta. Al resplandor clarísimo de la luna vio un círculo de espantosas figuras fantasmales. Viejas mujeres semidesnudas, con el cabello desmelenado, estaban arrodilladas en el suelo y se inclinaban sobre el cadáver de un hombre, que devoraban con voracidad de lobo. ¡Aurelie entre ellas! Impelido por un horror salvaje, el conde salió corriendo irreflexivamente, como preso de un espanto mortal, por el pavor del infierno, y cruzó los senderos del parque, hasta que, bañado en sudor, al amanecer llegó ante el portón del castillo. Instintivamente, sin meditar lo que hacía, subió corriendo las escaleras y atravesó las habitaciones hasta llegar a la alcoba. Al parecer, la condesa yacía entregada a un dulce y tranquilo sueño. El conde trató de convencerse de que sólo había sido una pesadilla o una visión engañosa que le había angustiado, ya que era sabedor del paseo nocturno, del cual daba trazas su manto, mojado por el rocío de la mañana.

Sin esperar a que la condesa despertase, se vistió y montó en su caballo. La carrera que dio a lo largo de aquella hermosa mañana a través de aromáticos arbustos, de los que parecía saludarlo el alegre canto de los pájaros que despertaban al día, disipó las terribles imágenes nocturnas; consolado y sereno regresó al castillo.

Como ambos, el conde y la condesa se sentaron solos a la mesa y, como de costumbre, ésta trató de salir de la estancia al ver la carne guisada, dando muestras del mayor asco, se le hizo evidente al conde, en toda su crudeza, la verdad de lo que había contemplado la noche anterior. Poseído por la mayor furia se levantó de un salto y gritó con voz terrible: "¡Maldito aborto del infierno, ya sé por qué aborreces el alimento de los hombres, te alimentas en las tumbas, mujer diabólica!"

Apenas pronunció estas palabras, la condesa, profiriendo alaridos, se abalanzó sobre él con la furia de una hiena y lo mordió en el pecho. El conde dio un empujón a la mujer rabiosa, tirándola al suelo, donde entregó su espíritu en medio de las convulsiones más espantosas. El conde se hundió en la locura.

Traducción de Héctor Orestes Aguilar.

SI QUIERES, LEE MÁS DE HOFFMANN

- *Cuentos*, Porrúa, México, 1978.
- *El niño extraño*, Olañeta, Palma de Mallorca, 1988.
- *Signor Formica*, Olañeta, Palma de Mallorca, 1988.
- *Los autómatas*, Olañeta, Palma de Mallorca, 1992.
- *Cuentos*, Espasa-Calpe, Madrid, 1998.
- *El hombre de la arena. 13 historias siniestras y nocturnas*, Valdemar, Madrid, 1998.
- *Los elíxires del diablo*, Valdemar, Madrid, 1999.
- *Cuentos*, Alianza Editorial, Madrid, 2002, 2 volúmenes.
- *Cuentos*, Cátedra, Madrid, 2007.
- *Vampirismo*, seguido de *El magnetizador*, Olañeta, Palma de Mallorca, 2010.

Heinrich von Kleist

Heinrich von Kleist nació en Francfort del Oder en 1777, y murió en Wansee, Postdam, en 1811. Dramaturgo, novelista, ensayista y cuentista. Kleist es una de las grandes glorias rescatadas de la literatura alemana, pues en vida fue muy poco apreciado e incluso ignorado por sus contemporáneos. Desilusionado de una existencia que le daba muy pocas satisfacciones, se suicidó en las orillas del lago Wansee, junto con su amiga Henriette Vogel. La importancia de su literatura, lo mismo en Alemania que en el resto del mundo, ha tenido un reconocimiento creciente gracias a las revaloraciones y las traducciones de todas sus obras. Para Stepehn Vizinczey, Kleist "dijo más con menos palabras que cualquier otro escritor en la historia de la literatura occidental".

"La mendiga de Locarno" es un cuento característico de la corriente literaria con tema de fantasmas de la Europa de finales del siglo XVIII y principios del XIX. La aparición de un ser invisible, que aterroriza a los moradores de un castillo, tiene su causa en la humillación cometida contra una persona indefensa.

La mendiga de Locarno

En Locarno, en la Italia superior, al pie de los Alpes, existió hace tiempo un palacio antiguo, propiedad de un marqués. Si uno viene de San Gotardo aún pueden verse las ruinas y los escombros de lo que antes fue un palacio con grandes y espaciosas estancias, en una de las cuales fue alojada por caridad, encima de un montón de paja, una vieja y enferma mujer de la que el ama de llaves se apiadó, al encontrarla pidiendo limosna ante la puerta.

El marqués, que al volver de cacería entró a esa estancia donde solía guardar las escopetas, enfureció cuando vio a la anciana y le ordenó con desdén que se levantase del cálido rincón donde estaba acurrucada y que se pusiese detrás de la estufa. Al incorporarse, la enferma mujer resbaló con su muleta y cayó al suelo golpeándose la espalda. Se levantó trabajosamente y, cumpliendo la orden, salió de la habitación, y entre quejas y lamentos se guareció, en el frío, detrás de la estufa.

Muchos años después, cuando el marqués se encontraba en una situación precaria debido a las guerras y a su inactividad, un caballero florentino lo buscó con el propósito de comprarle el palacio. El marqués, que tenía gran interés en que la venta se realizara, ordenó a su esposa que alojara al huésped en la ya mencionada estancia vacía, que en ese entonces estaba muy bien amueblada.

Cuál no sería la sorpresa del matrimonio, cuando el caballero, a medianoche, pálido y aterrado, apareció jurando y perjurando que había fantasmas en la habitación y que alguien invisible, entre ayes y lamentos, se movía en un rincón de la estancia, como si estuviese sobre paja, y que incluso se percibía el ruido de pasos lentos y vacilantes con dirección a la estufa.

El marqués se mostró inquieto, pero se echó a reír, con una risa forzada, y le dijo al caballero que, para su mayor tranquilidad, lo acompañaría a pasar el resto de la noche en dicha habitación. El caballero, sin embargo, suplicó que lo cambiaran de habitación o que, al menos, le permitiesen dormir en un sillón de la alcoba, y tan pronto como amaneció ensilló su caballo, se despidió y ya no volvió a saberse nada de él.

Cuando esta historia se conoció causó gran sensación, tanta que asustó mucho a los compradores y contrarió notablemente al marqués. Incluso entre los moradores del palacio se propagó la idea de que esto sucedía en la estancia, exactamente a las doce de la noche. Para investigar personalmente esta historia y terminar con esta situación, el marqués decidió trasladarse a la estancia y pasar la noche ahí.

Al caer la tarde, ordenó que le pusieran la cama en dicha habitación y ahí permaneció, despierto, hasta que dieron las doce. Y, exactamente, al sonar las campanadas de medianoche, percibió un extraño murmullo; era como si un ser humano se levantase de la paja, que crujía, y entre lamentos y gemidos, atravesase la habitación, para desaparecer detrás de la estufa.

A la mañana siguiente, la marquesa le preguntó qué tal había dormido; y como él, inquieto y temeroso, después de haber cerrado la puerta, le asegurase que la estancia estaba habitada por fantasmas, ella se asustó muchísimo y le suplicó que antes de decir cualquier cosa que se esparciera alrededor del palacio, volviese a someterse a la ingrata experiencia de dormir ahí, y esta vez en compañía de ella, para salir de toda duda.

La noche siguiente, acompañados de un fiel servidor, el matrimonio escuchó el rumor extraño y fantasmal, y únicamente obligados por el intenso deseo que sentían de vender la propiedad, supieron disimular ante el sirviente el gran espanto que tenían, atribuyendo el suceso a motivos casuales y sin importancia alguna.

Al llegar la noche del tercer día, ambos, para salir de dudas y hacer averiguaciones a fondo, con el corazón latiéndoles violentamente, volvieron a subir las escaleras que les conducían a la habitación, y como se encontraron al perro ante la puerta, que se había soltado de la cadena, lo llevaron consigo con la secreta intención, aunque no se lo dijeron entre sí, de entrar en la habitación acompañados de otro ser vivo.

Después de haber depositado dos velas sobre la mesa, la marquesa, sin desvestirse, y el marqués, con la daga y las pistolas que había sacado de un cajón, puestas a un lado, se acostaron en la cama hacia las once, y mientras trataban de entretenerse conversando, el perro se tumbó en medio de la habitación, echado con la cabeza entre las patas. Y he aquí que justo al llegar la medianoche se oyó el escalofriante rumor: alguien invisible se levantó del rincón de la habitación apoyándose en unas muletas; se oyó el ruido entre la paja, y cuando comenzó a andar, el perro se despertó, se levantó asustado y, parando las orejas, empezó a ladrar y a gruñir como si lo hiciera frente a alguien que, con paso desigual, se estuviera acercando a la estufa.

Con el cabello erizado, la marquesa salió de la habitación a toda prisa, mientras el marqués, con la daga desenvainada, gritaba: "¿Quién va?". Al no obtener respuesta, se agitó como un loco furioso que tratara de encontrar aire para respirar. Ella decidió en ese momento salir hacia la ciudad, pero antes de que corriese hacia la puerta con algunas cosas que había recogido precipitadamente, pudo ver el palacio envuelto en llamas. El marqués, presa del pánico, había tomado una vela y, desesperado, había prendido fuego a la habitación, toda revestida de madera.

En vano la marquesa envió a los criados a salvar al infortunado marqués. Éste encontró una muerte horrible y, todavía hoy, sus huesos, recogidos por la gente del lugar, están depositados en el rincón de la habitación donde él, en un arranque de furia, ordenó a la mendiga de Locarno que se levantase y se fuera.

Traducción de Juan Enrique Argüelles.

SI QUIERES, LEE MÁS DE KLEIST

- *La marquesa de O y otros cuentos*, Alianza, Madrid, 1985.
- *Michael Kohlhaas*, Destino, Barcelona, 1990.
- *El desafío*, Versal, Madrid, 1991.
- *Michael Kohlhaas y otras narraciones*, Porrúa, México, 1993.
- *Narraciones*, Cátedra, Madrid, 1999.
- *Sobre el teatro de marionetas y otros ensayos de arte y filosofía*, Hiperión, Madrid, 2005.
- *El cántaro roto / El terremoto en Chile / La marquesa de O*, Akal, Madrid, 2006.
- *La marquesa de O y otros cuentos. Narrativa completa*, Valdemar, Madrid, 2007.
- *La marquesa de O*, Gandhi Ediciones, México, 2008.
- *Santa Cecilia o el poder de la música*, Alpha, Barcelona, 2009.

EDGAR ALLAN POE

Edgar Allan Poe nació en Boston en 1809, y murió en Baltimore en 1849. Novelista, cuentista, ensayista y poeta es, con mucho, uno de los maestros del cuento de terror, así como de algunos de los denominados "policiales". En general, su narrativa se nutre de sus obsesiones más oscuras y de las pesadillas del universo gótico y la fantasía. Nadie, sin duda, lo ha igualado en su capacidad de capturar la atención de los lectores al adentrarlos en el mundo del misterio, la culpa, el remordimiento y el horror. A decir de Borges, Poe "creó un mundo imaginario para eludir un mundo real; el mundo que soñó perdurará, el otro es casi un sueño".

"El corazón delator" es uno de sus magistrales cuentos breves, en el cual el asesinato se combina con la terrible tensión del sentimiento de culpa, la obsesión, el delirio persecutorio y la confesión de un crimen.

El corazón delator

¡ES VERDAD! Siempre he sido muy nervioso, terriblemente nervioso, pero ¿por qué afirman ustedes que estoy loco? La enfermedad agudizó mis sentidos, pero no los embotó ni mucho menos los destruyó. De todos ellos, el más agudo es mi oído. Puedo asegurarles que he escuchado todas las cosas del cielo y de la tierra. Y muchísimas también del infierno. ¿Cómo, entonces, puedo estar loco? ¡Escuchen!... y vean qué tan buena es mi salud y con qué tranquilidad puedo contarles toda esta historia.

Me resulta imposible decir cómo entró, en un principio, aquella idea en mi cerebro, pero una vez concebida, me acosó noche y día, sin ningún motivo. Tampoco estaba colérico. Quería mucho al anciano. Nunca me había hecho daño. Nunca me insultó. Su dinero no me interesaba. ¡Creo que fue su ojo, sí, eso fue! Tenía un ojo inquietante, semejante al de un buitre: un ojo azul pálido, velado por una catarata. Cada vez que lo clavaba en mí, se me helaba la sangre y así, poco a poco, gradualmente, me hice a la idea de matar al viejo, y así librarme de aquel ojo para siempre.

Ahora bien: éste es el punto. Ustedes dicen que estoy loco, pero los locos no saben nada de cosa alguna. Si me hubieran visto, si hubieran observado con qué sabiduría procedí, con cuántos cuidados, con cuánta cautela, con qué previsión y con cuanto disimulo puse manos a la obra... Nunca fui más amable con el viejo que durante toda la semana antes de matarlo. Y cada noche, cerca de las doce, giraba el picaporte de su puerta y la abría, ¡oh!, muy suavemente! Y entonces, cuando la había abierto lo suficiente para pasar mi cabeza, introducía por la abertura una linterna sorda, cerrada, completamente cerrada, para que no se colara ninguna claridad. ¡Oh!, se hubieran reído al ver con cuánta astucia introducía la cabeza. La movía lentamente, muy, muy lentamente, para no turbar el sueño del anciano. Tardaba al menos una hora entera para introducir completamente la cabeza dentro de la abertura y poder ver al viejo acostado en su cama. ¡Ah!, ¿creen acaso que un loco hubiera sido tan prudente como yo? Y luego, cuando mi cabeza estaba adentro de la habitación, abría la linterna cautelosamente —con mucha cautela, con todo el cuidado del mundo— porque las bisagras rechinaban un poco, e iba abriendo sólo lo necesario para que un escaso rayo de luz cayera sobre el ojo de buitre. Y esto lo hice durante siete largas noches, a las doce exactamente, pero siempre encontraba el ojo cerrado, siempre, por lo que me era imposible cumplir con mi propósito, porque no era el viejo el que me irritaba, sino su maldito ojo. Y cada mañana, cuando amanecía, entraba sin miedo a su habitación y le hablaba resueltamente, llamándolo por su nombre con voz cordial, y preguntándole cómo había dormido. Hubiera tenido que ser un viejo muy astuto para siquiera sospechar que todas las noches, justamente en punto de las doce, yo lo observaba mientras dormía.

A la octava noche abrí la puerta con mayor cautela que de costumbre. La aguja de un reloj se mueve más rápidamente que lo que entonces se movía mi mano. Nunca antes de esa noche me había sentido con tal sagacidad en mis facultades. Apenas podía contener mi sensación de triunfo. Pensar que allí estaba yo, abriendo la puerta poco a poco, ¡y él ni siquiera soñaba con mis acciones o mis secretas intenciones! Me reí entre dientes ante la idea, y quizá me oyó, porque él se movió en la cama de repente, como sobresaltado. Ahora ustedes podrían pensar que entonces me eché hacia atrás, pero no. Su cuarto estaba tan negro como la pez, con la densa oscuridad de las espesas tinieblas —pues las ventanas estaban completamente cerradas por miedo a los ladrones— y así, con la seguridad de que él no podía ver la puerta entreabierta, seguí empujándola un poco más, suavemente, siempre un poco más.

Había introducido mi cabeza y me disponía a abrir la linterna, cuando mi pulgar resbaló en el cierre metálico y el viejo se levantó de un salto en la cama, gritando:

—¿Quién anda ahí?

Permanecí completamente inmóvil, sin decir palabra. Durante una hora entera no moví un sólo músculo, y en todo ese tiempo no oí que volviera a acostarse. Seguía sentado en la cama escuchando, al igual que yo lo había hecho noche tras noche, mientras percibía en la pared los ruidos del reloj que anunciaban su muerte.

Oí de pronto un leve quejido, y supe que era un gemido de terror mortal. No fue un gemido de dolor o de pena —¡oh, no!—; fue el ahogado sonido que brota del fondo del alma cuando el espanto la sobrecoge. Yo ya conocía bien ese sonido. Muchas noches, justamente a las doce, cuando todo el mundo dormía, brotaba de mi pecho, ahondando con su espantoso eco los terrores que me consumían. Repito que lo conocía bien. Yo sabía lo que estaba sintiendo el viejo y le tuve lástima, aunque en el fondo me reía. Yo sabía que él estaba despierto desde el primer leve ruido, cuando se movió en la cama. Sus temores habían ido siempre en aumento y procuraba persuadirse, sin éxito, de que esos temores eran infundados. Quiso engañarse diciéndose a sí mismo que aquel ruido era sólo parte de su fantasía, pero no pudo. Se dijo: "No es más que el viento en la chimenea; es sólo un ratón que corre sobre el piso" o "no ha sido más que el chirrido de un grillo". Sí, procuró calmarse y darse ánimos con estas falsas suposiciones, pero todo era en vano: todo era inútil porque la Muerte, que se acercaba, lo había acechado con su negra sombra y había pasado delante de él envolviendo a su víctima. Y era la fúnebre influencia de aquella sombra imperceptible lo que le hacía sentir —aunque no viera ni escuchara nada—, lo que le hacía sentir la presencia de mi cabeza en su habitación.

Después de haber esperado largo rato, con mucha paciencia, sin oír que volviera a acostarse, resolví abrir una pequeña, una muy, muy pequeña ranura en la linterna. Así lo hice —no se pueden imaginar con qué cautela, con qué sigilo— hasta que por fin, un muy tenue rayo de luz, como el finísimo hilo de una telaraña, brotó de la ranura y cayó de lleno sobre el ojo de buitre.

Estaba abierto, enteramente abierto, y yo empecé a enfurecerme mientras lo miraba. Lo vi con perfecta claridad: todo él de un azul opaco y recubierto de aquella horrible tela que me helaba hasta el tuétano. Pero no podía ver ni la cara ni el cuerpo del anciano, porque yo había dirigido el rayo, como por instinto, exactamente hacia el punto maldito.

¿Y no les he dicho ya que apenas es una hiperestesia de los sentidos lo que ustedes llaman locura? Si no se los he dicho, ahora se los digo, porque entonces llegó a mis oídos un resonar apagado y presuroso, como un reloj envuelto en algodón. De inmediato, reconocí perfectamente ese sonido. Era el latir del corazón del viejo, que aumentó aún más mi furia, tal como el redoble de un tambor excita el coraje de un soldado.

Pero, incluso entonces, me mantuve inmóvil y en silencio. Apenas si respiraba. Sostenía la linterna. Traté con firmeza de mantener el haz de luz sobre el ojo. Entretanto, el pálpito infernal del corazón iba en aumento, y se fue haciendo más intenso, cada vez más intenso y más fuerte. El terror del viejo debió ser más tremendo. Ese latir, ya lo he dicho, se hizo más fuerte, más y más fuerte a cada momento. Pero ¿me han oído bien cuando les he dicho que soy realmente muy nervioso? Y entonces, en el centro mismo de la noche, en medio del silencio terrible de aquella vieja casa, ese resonar tan extraño me produjo a mí también un horror incontrolable. Sin embargo, durante unos minutos más me contuve y me quedé quieto, ¡pero el latir se hizo más fuerte, más y más fuerte, cada vez más fuerte! Pensé que el corazón iba a estallarme, y era que una nueva angustia se apoderó de mí: ¡ese sonido podía ser escuchado por algún vecino! ¡La hora del viejo entonces había sonado! Lanzando un alarido, abrí la linterna y me precipité en la habitación. El viejo dejó escapar un grito ahogado, un solo grito. En un instante lo derribé en el suelo y dejé caer sobre él todo el peso de la cama. Sonreí, entonces, complacido, al ver lo fácil que había sido todo. Pero, durante muchos minutos, el corazón siguió latiendo con un sonido ahogado. Esto, sin embargo, no me preocupaba mucho, pues nadie podría escucharlo a través de las paredes. Hasta que, por fin, cesó. El viejo había muerto. Levanté la cama y examiné el cuerpo. Sí, el viejo estaba muerto, completamente muerto. Puse mi mano sobre el corazón y la mantuve así largo tiempo. No advertí pulsación alguna. Estaba muerto como una piedra. Su ojo no me atormentaría más.

Si todavía creen que estoy loco, dejarán de creerlo cuando les describa todas las precauciones que adopté para esconder el cadáver. Avanzaba la noche, y yo trabajé con rapidez, pero en silencio. Lo primero que hice fue descuartizar el cadáver. Le corté primero la cabeza, y después los brazos y las piernas.

Enseguida, levanté tres tablas del piso de madera de la cámara y puse debajo todos los restos. Volví a colocar las tablas con tanta habilidad y destreza, que ningún ojo humano —ni siquiera el *suyo*—, hubiese podido detectar ahí nada extraño. No había nada que lavar: ni siquiera una mancha de sangre, ninguna mancha de nada. Yo fui todo lo precavido y no se me escapó ningún detalle. Con una cubeta lo desaparecí todo... ¡Ja, ja!

Cuando terminé, eran las cuatro de la madrugada, y estaba tan oscuro como si fuera medianoche. En el momento en que sonó la hora en la campana del reloj, llamaron a la puerta de la calle. Fui a abrir con el corazón tranquilo, pues ¿qué podía temer entonces? Entraron tres hombres, que se presentaron, muy cortésmente, como oficiales de la policía. Un vecino había escuchado un grito durante la noche, y esto le hizo sospechar que se había cometido un crimen. En la oficina de la policía se había presentado la denuncia, y aquellos caballeros (los oficiales) habían sido enviados para practicar un reconocimiento.

Sonreí, porque ¿qué podía temer entonces? Les di la bienvenida a aquellos caballeros y les dije:

—El grito lo lancé yo mismo mientras dormía, como consecuencia de una pesadilla. El viejo —añadí— ha salido de viaje.

Llevé a los visitantes por toda la casa. Los invité a que buscaran, y a que buscaran bien. Los conduje, al fin, a su habitación. Les mostré sus bienes, seguros, en perfecto orden. Envalentonado con mi confianza, les llevé unas sillas a la habitación y les supliqué que se sentaran para descansar un rato, mientras yo mismo, con la audacia de mi perfecto triunfo, coloqué mi silla en el exacto punto bajo el cual reposaba el cuerpo de la víctima.

Los oficiales estaban satisfechos. Mis modales los habían convencido. Me sentía perfectamente cómodo. Se sentaron, y mientras yo les contestaba jovialmente, ellos hablaron de cosas cotidianas. Pero, al poco rato, sentí que me ponía pálido y deseé que se fueran. Me dolía la cabeza y me parecía percibir un zumbido en mis oídos. Sin embargo, ellos seguían sentados y charlando. El zumbido se hizo más intenso y más claro; cada vez más perceptible. Empecé a hablar copiosamente para liberarme de tal sensación, pero ésta continuó de forma reiterada que, al fin, me di cuenta de que el ruido no estaba dentro de mis oídos.

Entonces, sin ninguna duda, estoy seguro que me puse muy pálido, aunque seguía parloteando desatinadamente y levantando cada vez más la voz. Y el ruido aumentaba, aumentaba y aumentaba. ¿Qué podía hacer? Era un resonar apagado, ahogado, rápido, continuo, como el sonido de un reloj envuelto en algodón. Me faltaba el aliento y, sin embargo, los policías no habían oído nada aún. Hablé más de prisa, y con mayor vehemencia, pero el sonido crecía incesantemente. Me levanté y discutí sobre insignificancias en voz muy alta y con violentas gesticulaciones; pero el sonido crecía más y más. ¿Por qué no se iban? Anduve de un lado a otro de la habitación, a grandes zancadas, como exasperado por las observaciones de los policías, pero el rumor crecía y crecía de modo incesante. ¡Oh Dios! ¿Qué podía yo hacer? Comencé a echar espumarajos, desvariaba, zapateaba. Movía la silla sobre la cual me había sentado y raspaba con ella las tablas, pero el rumor lo dominaba todo y crecía y crecía sin cesar. ¡Se hizo más fuerte, más y más fuerte! Y los hombres seguían charlando, bromeando, sonriendo. ¿Era posible que no oyeran nada? ¡Dios Todopoderoso! ¡No, no! ¡Estaban oyendo! ¡Estaban sospechando! ¡Sabían! ¡Estaban divirtiéndose con mi terror! ¡Así lo creí y así lo sigo creyendo! Cualquier cosa era mejor que aquella agonía, que aquella intolerable burla. ¡No podía soportar más tiempo aquellas hipócritas sonrisas. ¡Sentí que era preciso gritar o morir!, y entonces... ¿Lo oyen? ¿Lo escuchan? ¡Otra vez! ¡Ahí está! ¡Más fuerte, más fuerte, más y más fuerte, siempre más y más fuerte!...

—¡Malditos miserables —grité—, no disimulen más! ¡Lo confieso todo! ¡Yo lo maté! ¡Arranquen esas tablas! ¡Aquí, aquí! ¡En el sitio exacto donde está latiendo su horrible corazón!

Traducción de Juan Domingo Argüelles.

SI QUIERES, LEE MÁS DE POE

- *Poesía completa*, Hiperión, Madrid, 2000.
- *Narración de Arthur Gordon Pym*, Alianza, Madrid, 2001.
- *Cuentos de humor y sátira*, Heliasta, Buenos Aires, 2004.
- *Eureka*, Valdemar, Madrid, 2004.
- *Cuentos completos*, Páginas de Espuma, Madrid, 2009.
- *Cuentos completos*, Losada, Buenos Aires, 2010.
- *Cuentos*, Alianza, Madrid, 2011, 2 volúmenes.
- *Cuentos esenciales*, Claridad, Buenos Aires, 2011.
- *Narrativa completa*, Cátedra, Madrid, 2012.
- *Narraciones extraordinarias*, Editores Mexicanos Unidos, México, 2013.

Robert Louis Stevenson

Robert Louis Stevenson nació en Edimburgo en 1850, y murió en Upolu, Islas Samoa, en 1894. Viajero y aventurero infatigable fue novelista, cuentista, poeta y ensayista. Es autor de algunos de los libros más recordables de la literatura universal, lo mismo novelas que colecciones de cuentos. Cultivó la literatura fantástica en su más amplia expresión y escribió libros que están considerados como iniciadores de la lectura para múltiples generaciones, en especial sus novelas que hallaron la mejor acogida entre niños y jóvenes. Muchas vocaciones literarias y no pocas vocaciones lectoras han dependido de haber leído o no algún libro de Robert Louis Stevenson.

"El diablo de la botella" es el cuento fantástico por excelencia, donde los poderes mágicos de un genio maligno pueden dar la felicidad pero también la condenación. Influido, sin duda, por los antiguos relatos árabes y persas de *Las mil y una noches*, Stevenson consigue que este cuento parezca un sueño maravilloso o, más exactamente, una pesadilla.

El diablo de la botella

HABÍA UN HOMBRE en la isla de Hawaii, al que llamaré Keawe; pues la verdad es que aún vive y su nombre debe permanecer secreto, pero su lugar de nacimiento no estaba lejos de Honaunau, donde la osamenta de Keawe el Grande yace escondida en una cueva. Este hombre era pobre, valeroso y emprendedor; leía y escribía como un maestro de escuela; era además un excelente marinero que navegó durante un tiempo en los vapores de la isla y piloteó un barco ballenero en la costa de Hamakua. Con el tiempo, Keawe quiso ver el ancho mundo y las ciudades extranjeras, así que se embarcó rumbo a San Francisco.

San Francisco es una ciudad notable, con un puerto excelente y más gente rica de la que se puede contar, y, en particular, existe ahí una colina cubierta de palacios. Un día, Keawe se paseaba por aquella colina, con dinero en los bolsillos, admirando con gran deleite las casas a ambos lados. "¡Qué casas tan espléndidas! —pensaba— y qué dichosos quienes viven en ellas sin tener que preocuparse por lo que será mañana." Tales eran sus pensamientos cuando llegó a la altura de una casa que era más pequeña que las demás, pero muy bien acabada y adornada como un juguete; los escalones de la entrada brillaban como la plata y los bordes del jardín florecían como guirnaldas; y las ventanas resplandecían como diamantes. Keawe se detuvo maravillado ante la perfección de cuanto miraba. Mientras la contemplaba, sintió la mirada de un hombre que lo observaba a través de una ventana, tan transparente que Keawe lo veía como a un pez en la alberca del arrecife. El hombre era mayor, con la cabeza calva y una barba negra, su rostro estaba apesadumbrado por la tristeza y suspiraba amargamente. Lo cierto es que, mientras Keawe miraba al hombre y el hombre a Keawe, ambos se envidiaban.

De repente, el hombre sonrió y asintió con la cabeza, y con un ademán invitó a Keawe a que pasara y lo recibió en la puerta de la casa.

—Esta bella casa es mía —dijo el hombre y suspiró con amargura—. ¿No le gustaría conocer las habitaciones?

Así que llevó a Keawe por toda la casa, desde el sótano hasta el tejado, y cuanto había en ella era perfecto dentro de su estilo y Keawe estaba asombrado.

—Sin duda —dijo Keawe—, esta casa es hermosa; si yo viviera en una casa así, me reiría el día entero. ¿Por qué entonces usted no hace más que suspirar?

—No hay razón por la cual usted no pueda tener una casa idéntica a esta en cada detalle, y hasta más hermosa, si lo desea. Tiene algo de dinero, supongo.

—Tengo cincuenta dólares —contestó Keawe—, pero una casa como ésta vale más que cincuenta dólares.

El hombre calculó.

—Lamento que no tenga más —dijo—, pues puede acarrearle problemas en el futuro, pero será suya por cincuenta dólares.

—¿La casa? —preguntó Keawe.

—No, la casa no —contestó el hombre—, la botella. Debo decirle que, aunque a sus ojos parezco un hombre rico y afortunado, toda mi fortuna y esta misma casa y el jardín, salieron de una botella en la que cabe poco menos que un litro. Es ésta.

Y abrió un compartimento cerrado con llave del que sacó una botella panzona de cuello largo; era de vidrio, del color blanco de la leche, con cambiantes matices irisados en su superficie. Dentro, algo se movía confusamente, como una sombra y un fuego.

—Ésta es la botella —dijo el hombre, y cuando Keawe se rió—: ¿Acaso no me cree? —añadió—: Haga usted la prueba. A ver si logra romperla.

Así que Keawe sujetó la botella y la estrelló contra el suelo hasta cansarse; rebotaba como la pelota de un niño y no se rompía.

—Esto es extraño —dijo Keawe—, porque, por su tacto como por su aspecto, la botella parece de vidrio.

—Es de vidrio—contestó el hombre, con un suspiro más hondo que nunca—, pero de un vidrio templado en las llamas del infierno. Un diablo vive en ella, y aquella es su sombra moviéndose ahí dentro, o eso creo. Quien compra esta botella, tiene al diablo a sus órdenes; todo lo que desee: amor, fama, dinero, casas como ésta, sí, o una ciudad como ésta, todo será suyo con que lo pida. Napoleón poseyó esta botella, y gracias a ella llegó a ser el rey del mundo; pero la vendió al final y cayó. El capitán Cook fue dueño de esta botella, y con ella descubrió tantas islas, aunque él también la vendió, y lo asesinaron en Hawaii. Pues, cuando se vende, se acaban el poder y la protección, y a menos que un hombre esté satisfecho con lo que tiene, la mala suerte lo perseguirá.

—¿Y sin embargo, habla usted de venderla? —dijo Keawe.

—Tengo todo lo que quiero y me estoy haciendo viejo —contestó el hombre—. Hay algo que el diablo no puede hacer: no puede prolongar la vida. Y no sería justo ocultárselo a usted: la botella tiene una desventaja; pues si su dueño muriera antes de venderla, arderá por toda la eternidad en el infierno.

—Sin duda, esa es una desventaja —exclamó Keawe—. No me enredaría con aquella cosa. Puedo prescindir de una casa, a Dios gracias, pero puedo prescindir aún más de otra cosa, y eso es de condenarme.

—Por amor del cielo, no se vaya tan de prisa —le respondió el hombre—. Basta con que use el poder del diablo con moderación y después véndasela a alguien más, como yo se la vendo a usted, y termine sus días tranquilamente.

—Bueno, noto dos cosas —dijo Keawe—: usted suspira sin cesar, como una muchacha enamorada, ésa es una, y la otra, está vendiendo esta botella por muy poco.

—Ya le dije por qué suspiro —dijo el hombre—. Me temo que mi salud está empeorando, y como usted bien lo dijo, morir e ir al infierno es una desgracia para quien sea. En cuanto a la razón de que la venda por tan poco es porque debo explicarle una peculiaridad de la botella. Hace mucho, cuando el diablo la trajo a esta tierra, era extremadamente cara, y fue vendida en primer lugar al Preste Juan por muchos millones de dólares; pero sólo ha de venderse si se vende por menos. De no venderse por menos de lo que costó, vuelve a su dueño como una paloma mensajera. Por lo tanto, el precio ha ido cayendo a lo largo de los siglos y hoy la botella es muy barata. Yo se la compré a uno de mis ricos vecinos de esta colina, y le pagué tan solo noventa dólares. Puedo venderla hasta por ochenta y nueve dólares y noventa y nueve centavos, pero ni por un centavo más, o volverá a mí. Ahora, acerca de esto hay dos inconvenientes. Primero, al ofrecer una botella tan excepcional por ochenta y pico dólares, la gente cree que se trata de una broma. Y segundo... aunque no corre prisa, así que no necesito explicarlo ahora. Recuerde nada más que debe venderse por moneda acuñada.

—¿Y cómo puedo saber que todo esto es cierto? — preguntó Keawe.

—Algo de esto puede comprobar en este mismo instante —contestó el hombre—. Deme sus cincuenta dólares, tome la botella, y desee que sus cincuenta dólares vuelvan a su bolsillo. Si eso no sucediera, juro por mi honor que cancelaré el trato y le devolveré su dinero.

—¿No me estará engañando? —dijo Keawe.

El hombre se comprometió con un juramento solemne.

—Bueno, correré el riesgo —dijo Keawe—; no me hará daño.

Y le entregó el dinero al hombre y el hombre le dio la botella.

—Diablo de la botella —dijo Keawe—, quiero mis cincuenta dólares de vuelta.

Y ciertamente, apenas lo había dicho y su bolsillo ya pesaba lo mismo que antes.

—Sin duda esta es una botella maravillosa —dijo Keawe.

—Y buen día tenga usted, mi buen hombre, y ¡que el diablo lo acompañe y no a mí! —dijo el hombre.

—Espere —dijo Keawe—, ya me divertí lo suficiente. Tome la botella de vuelta.

—Usted la compró por menos de lo que yo pagué por ella —contestó el hombre—, ahora es suya; y en lo que a mí respecta, lo único que quiero es que se pierda de mi vista.

Y llamó a su sirviente chino y le ordenó que acompañara a Keawe a la puerta.

Luego, cuando Keawe estuvo en la calle, con la botella bajo el brazo, pensó: "Si es cierto todo esto de la botella, tal vez hice un mal trato", meditó. "Aunque es posible que el hombre me estuviera engañando". Lo primero que hizo fue contar su dinero; la cantidad era exacta: cuarenta y nueve dólares americanos y un dólar chileno. "Parece la verdad", dijo Keawe. "Ahora intentaré otra cosa."

Las calles en aquella parte de la ciudad eran tan limpias como la cubierta de un barco, y aunque era mediodía, no había transeúntes. Keawe colocó la botella en una alcantarilla y se alejó. Dos veces se volvió, y la botella lechosa y panzona seguía ahí donde la había dejado. Se volvió una tercera vez y dio vuelta en la esquina; pero apenas dio vuelta, cuando algo le pegó en el codo y, para su asombro, era el largo cuello que sobresalía; en cuanto a la parte panzona, estaba bien enfundada en el bolsillo de su gabán.

—Parece la verdad —dijo Keawe.

Lo que hizo a continuación fue comprar un sacacorchos en una tienda e irse a un lugar apartado en el campo. Ahí intentó sacar el corcho, pero en cuanto clavaba el berbiquí, se salía y el corcho permanecía intacto.

"Éste debe ser algún nuevo tipo de corcho", pensó Keawe, y de pronto, empezó a sudar y temblar, porque le tenía miedo a aquella botella.

De regreso al puerto, vio una tienda donde un hombre vendía conchas y mazas de las islas lejanas, viejas deidades paganas, antiguas monedas, ilustraciones de China y Japón, y todo tipo de cosas que los marineros traen en sus baúles. Y aquí se le ocurrió una idea. Así que entró y ofreció la botella por cien dólares. El hombre en la tienda se rió de él al principio y le ofreció cinco; pero de verdad era una botella extraña, de un vidrio como nunca se había soplado en las fábricas de vidrio de los hombres, con colores que brillaban tan hermosamente bajo el blanco lechoso, y la sombra temblando de forma tan extraña en su centro; así que después de regatear un tiempo, como suelen hacer los suyos, el comerciante le dio a Keawe sesenta dólares por el objeto y lo colocó en un estante en el centro de su escaparate.

—Ahora —dijo Keawe—, vendí por sesenta lo que compré en cincuenta o, para ser exactos, por un poco menos pues uno de mis dólares era chileno. Ahora sabré la verdad sobre otro punto.

Así que regresó a su barco, y cuando abrió su baúl, ahí estaba la botella, que hasta había llegado antes que él. Keawe tenía un compañero a bordo de nombre Lopaka.

—¿Qué te preocupa —dijo Lopaka— que miras tu arcón fijamente?

Estaban solos en el castillo de proa de la nave y Keawe le hizo jurar que guardaría el secreto y le contó todo.

—Este es un asunto muy extraño —dijo Lopaka—y me temo que te meterás en problemas con esta botella. Pero algo está claro: ya sabes cuál es el problema, ahora te conviene sacar provecho del trato. Decide qué quieres de la botella, da la orden y, si tu orden se cumple, yo mismo te compraré la botella, porque quisiera adquirir mi propia goleta y comerciar en las islas.

—Lo que yo quisiera más en el mundo —dijo Keawe— es tener una casa hermosa y un jardín en la costa de Kona, donde nací, con el sol brillando en la puerta, flores en el jardín, ventanas de vidrio, cuadros en las paredes y adornos y tapetes finos en las mesas, como la casa en la que estuve hoy, sólo que un piso más alta y con balcones todo alrededor, como en el palacio del rey, y vivir ahí sin una sola preocupación y divertirme con mis amigos y mi familia.

—Bueno —dijo Lopaka—, llevémonos la botella a Hawaii, y si todo se cumple, como lo crees, compraré la botella, como te dije, y pediré una goleta.

Estuvieron de acuerdo y al poco tiempo el barco regresó a Honolulu con Keawe y Lopaka y la botella. Apenas habían desembarcado cuando se encontraron un amigo en la playa que de inmediato se condolió de Keawe.

—No sé por qué te condueles de mí —dijo Keawe.

—¿No sabes que tu tío, ese buen hombre, está muerto y tu primo, ese apuesto muchacho, se ahogó en el mar? —dijo el amigo.

A Keawe lo inundó la tristeza, y llorando y lamentándose, se olvidó de la botella; mientras Lopaka cavilaba y, más tarde, cuando la pena de Keawe se calmó un poco, le dijo:

—He estado pensando, ¿acaso tu tío no tenía tierras en Hawaii, en el distrito de Kaü?

—No —dijo Keawe—, en Kaü no; están en la ladera de la montaña, un poco al sur de Hookena.

—¿Aquellas tierras serán tuyas ahora? —preguntó Lopaka.

—Lo serán —dijo Keawe y empezó a lamentarse por su familia.

—No —dijo Loapaka—, no te lamentes ahora. Tengo una idea. ¿Qué tal que la botella causó esto? Porque está listo el lugar para tu casa.

—Si así fuera —lloró Keawe—, qué pésima manera de complacerme, matando a mi familia. Pero puede ser, sin duda, pues cuando la imaginé, ahí fue donde ubiqué la casa.

—La casa, no obstante, aún no está construida —dijo Lopaka.

—No, ni lo estará —dijo Keawe—, pues aunque mi tío tenía algo de café, ava y plátanos, alcanzará para mantenerme sin más, porque el resto de la tierra es de lava negra.

—Vayamos a ver al abogado —dijo Lopaka—. Tengo una idea en mente.

Cuando fueron a ver al abogado, resultó que el tío de Keawe se había vuelto monstruosamente rico en los últimos días y dejaba gran cantidad de dinero.

—¡He aquí el dinero para la casa! —exclamó Lopaka.

—Si está pensando en una nueva casa —dijo el abogado—, esta es la tarjeta de un arquitecto nuevo del que me han dicho maravillas.

—¡Cada vez mejor! —exclamó Lopaka—. Todo se entiende. Sigamos obedeciendo órdenes.

Así que fueron a visitar al arquitecto que tenía bocetos de casas en la mesa.

—¿Quiere algo extraordinario? —preguntó el arquitecto—. ¿Qué le parece ésta?

Y le entregó un boceto a Keawe.

Cuando Keawe vio el dibujo, soltó una exclamación, porque era el dibujo exacto de lo que había imaginado.

"Quiero esta casa —pensó—, aunque no me guste nada la manera en que me hice de ella, la quiero ahora, y más me vale tomar lo bueno junto con lo malo".

Así que le dijo al arquitecto todo lo que quería, y como tenía que amueblar la casa, los cuadros en las paredes y los adornos en las mesas, y le preguntó sin rodeos cuánto cobraría por todo.

El arquitecto hizo muchas preguntas y cogió su pluma e hizo muchos cálculos; cuando terminó, dijo su precio que era la misma suma que Keawe había heredado.

Lopaka y Keawe se miraron y asintieron.

"Es un hecho —pensó Keawe— que he de tener esta casa, sea como sea. Viene del diablo y me temo que nada bueno saldrá de ello; y si de algo estoy seguro, es que no desearé nada más mientras tenga esta botella. Con la casa, no hay marcha atrás y más me vale tomar lo bueno junto con lo malo."

Así que establecieron los términos con el arquitecto y firmaron un contrato. Keawe y Lopaka se embarcaron otra vez y zarparon a Australia, pues acordaron que no intervendrían en absoluto y dejarían al arquitecto y al diablo de la botella construir y decorar la casa como quisieran.

Fue un buen viaje, sólo que, mientras duró, Keawe contuvo la respiración porque había jurado que no formularía más deseos ni aceptaría más favores del diablo. El plazo había concluido cuando volvieron. El arquitecto les dijo que la casa estaba lista y Keawe y Lopaka compraron boletos en el *Hall* y fueron a Kona a ver la casa y corroborar que todo se había hecho de acuerdo a la idea de Keawe.

La casa estaba en la ladera de la montaña, visible desde los barcos. Por encima, el bosque se perdía en las nubes de lluvia, debajo la lava negra caía en riscos, donde los reyes de antaño estaban enterrados. Un jardín florecía alrededor de la casa con flores de todos los colores, y había una huerta de papayas de un lado y una huerta de árboles de pan del otro, y delante, hacia el mar, se alzaba el mástil de un barco con una bandera. En cuanto a la casa, tenía tres pisos, con grandes habitaciones y amplios balcones en cada uno. Las ventanas eran de vidrio, tan fino que era claro como el agua y reluciente como el día. Todo tipo de muebles adornaba las habitaciones. Cuadros con marcos dorados colgaban de las paredes, pinturas de barcos, de hombres luchando y de las mujeres más hermosas y de lugares maravillosos.

En ninguna otra parte del mundo hay cuadros de colores tan vivos como los que Keawe encontró en las paredes de su casa. En cuanto a los adornos, eran de una calidad extraordinaria: relojes con carillón y cajas de música, hombrecillos que movían la cabeza, libros llenos de ilustraciones, armas finas de todas las partes del mundo, y los rompe-cabezas más elegantes para ocupar el ocio de un hombre solitario. Y como nadie querría vivir en aquellas habitaciones, tan sólo recorrer-las y admirarlas, los balcones eran tan amplios que un pueblo entero hubiera podido vivir en ellos deleitándose; y Keawe no sabía qué pre-ferir, si el porche trasero, donde se sentía la brisa de tierra adentro y se miraban las huertas y las flores, o el balcón del frente, donde se embebía el aire del mar y se miraba la ladera empinada de la montaña y se veía el *Hall* pasar una vez a la semana o así entre Hookena y las colinas de Pele, o los goletas recorriendo la costa en busca de madera, ava y plátanos.

Cuando terminaron de admirarlo todo, Keawe y Lopaka se senta-ron en el porche.

—Bien —preguntó Lopaka—, ¿está todo como lo pediste?

—Las palabras no alcanzan —dijo Keawe—. Es mejor de lo que soñé y estoy más que complacido.

—Sólo hay algo que debes considerar —dijo Lopaka—, esto puede haber sucedido de manera natural sin que el diablo de la botella tuviera nada que ver. Si compro la botella y no consigo mi goleta después de todo, habré puesto mi mano al fuego por nada. Te di mi palabra, lo sé, pero creo que no me negarás una prueba más.

—Juré no pedir más favores —dijo Keawe—. Ya bastante compro-metido estoy.

—No estoy pensando en un favor —respondió Lopaka—. Sólo quiero ver al diablo de la botella. No hay nada que ganar con ello, y por lo tanto nada de qué avergonzarse. Pero aún así, si lo llegara a ver, estaría completamente convencido. Así que compláceme en esto y déjame ver al diablo; tengo el dinero en la mano y compraré la botella.

—Hay algo que me preocupa —dijo Keawe—, el diablo debe ser muy feo y si tus ojos lo vieran, puede que ya no quieras la botella.

—Soy un hombre de palabra —dijo Lopaka— y aquí está el dinero en la mesa, entre los dos.

—Muy bien —respondió Keawe—, yo también tengo curiosidad. Así que hagámoslo: déjanos mirarte, señor Diablo.

En cuanto pronunció aquellas palabras, el diablo se asomó fuera de la botella y enseguida, veloz como una lagartija, se volvió a meter. Y ahí sentados, Keawe y Lopaka, quedaron petrificados. Se hizo de noche, antes de que a cualquiera se le ocurriera algo que decir o encontrara la voz para decirlo, y entonces Lopaka deslizó el dinero hacia Keawe y tomó la botella.

—Soy un hombre de palabra —dijo—, es cierto porque de otra manera no tocaría la botella ni con el pie. Bien, conseguiré mi goleta y uno que otro dólar para mi bolsillo, y luego me desharé de este diablo, tan pronto como pueda. Porque, a decir verdad, mirarlo me ha abatido.

—Lopaka —dijo Keawe—, no tengas peor opinión de mí si lo puedes. Sé que es de noche y que los caminos son malos, y que el desfiladero por las tumbas es un mal lugar para recorrerlo tan de noche, pero he de decir que desde que vi aquel pequeño rostro, no podré comer ni dormir ni dejar de rezar hasta que se aleje de mí. Te daré una linterna y una canasta para guardar la botella, y cualquier cuadro u adorno de esta casa que desees, pero vete ya, y duerme en Hookena con Nahinu.

—Keawe —dijo Lopaka—, muchos tomarían esto a mal; sobre todo cuando te estoy haciendo un favor de amigos, cumpliendo mi palabra y comprando la botella; y por ello, la noche y la oscuridad, y el desfiladero por las tumbas, deben ser diez veces más peligrosos para un hombre con un pecado en su conciencia y semejante botella bajo el brazo. Pero como yo también tengo tanto miedo, no tengo corazón para recriminarte. Me voy, pues, y ruego a Dios que seas feliz en tu casa y yo afortunado con mi goleta y que ambos vayamos al cielo al final a pesar del diablo y de su botella.

Así que Lopaka descendió por la montaña y Keawe permaneció en el balcón escuchando el sonido de las herraduras del caballo y mirando la linterna brillar y alejarse por el desfiladero entre los riscos de las cuevas donde yacen los muertos de antaño, y mientras temblaba, retorcía las manos y rezaba por su amigo y daba gracias a Dios por haber escapado de aquel peligro.

Pero el día siguiente amaneció muy hermoso, y aquella nueva casa suya era tan encantadora que olvidó sus terrores. Un día siguió a otro y Keawe vivía ahí continuamente feliz. Le gustaba estar en el porche trasero; ahí comía y vivía y leía las noticias de los diarios de Honolulu, y cuando alguien venía, entraba y admiraba las habitaciones y los cuadros. Y la fama de la casa corrió por el ancho mundo. Se llamaba *Ka-Hale Nui,* la Casa Grande, en toda Kona, y a veces la Casa Resplandeciente, ya que Keawe tenía a su servicio a un chino que se pasaba el día quitando el polvo y sacando brillo a los metales; el cristal y el oro, las telas finas y los cuadros brillaban tan claros como la mañana. En cuanto a Keawe, no podía dejar de cantar cuando entraba a las habitaciones, su corazón henchido de felicidad. Y cuando los barcos zarpaban sobre el mar, izaba su bandera por el mástil.

Así transcurría el tiempo, hasta que un día Keawe fue a visitar a unos amigos hasta Kailua. Ahí lo agasajaron y, en cuanto pudo, a la mañana siguiente, se fue y cabalgó de prisa pues estaba impaciente por admirar su hermosa casa, y además la noche que venía era la noche en que los muertos de antaño recorren los alrededores de Kona, y habiendo tratado con el diablo, poco quería encontrarse con los muertos. Delante de Honaunau, a lo lejos, divisó a una mujer bañándose a la orilla del mar. Parecía una muchacha hermosa, pero no le prestó importancia. Entonces vio su camisa blanca ondear mientras se la ponía y su *holoku* rojo; cuando la alcanzó, había terminado de asearse y, alejándose del mar; esperaba con su *holoku* rojo junto al camino, fresca por el baño, los ojos brillantes y llenos de amabilidad. En cuanto la vio, Keawe jaló las riendas.

—Pensé que conocía a todos por aquí —dijo Keawe—. ¿Cómo es que a ti no te conozco?

—Soy Kokua, la hija de Kiano —dijo la muchacha—, y acabo de volver de Oahu. ¿Quién eres tú?

—Te lo diré pronto —dijo Keawe, desmontando del caballo—, pero por ahora no. Porque tengo una idea en mente y si te dijera quién soy tal vez hayas oído hablar de mí y no me darías una respuesta sincera. Pero antes, dime algo: ¿Estás casada?

Al oírlo, Kokua se rió.

—Eres tú quien anda haciendo preguntas —dijo—. ¿Tú estás casado?

—Verdad que no lo estoy —contestó Keawe—, y nunca pensé estarlo hasta este momento. He aquí la pura verdad. Te encontré aquí junto al camino y cuando vi tus ojos como estrellas, mi corazón voló hacia ti, tan ligero como un pájaro. Entonces si no quieres saber nada de mí, dilo y me iré a casa, pero si no te parezco peor que cualquier otro joven, dilo también y me detendré a pasar la noche en casa de tu padre y mañana hablaré con él.

Kokua no dijo palabra, miraba al mar y se reía.

—Kokua —dijo Keawe—, si no dices nada, tomaré tu silencio como una respuesta favorable, así que vamos a casa de tu padre.

Caminó delante de él, sin hablar, volteando la mirada de vez en cuando y volviéndola al frente, mientras sujetaba las cintas de su sombrero en la boca.

Cuando llegaron a la puerta, Kiano salió a la veranda, saludó por su nombre a Keawe y le dio la bienvenida. Entonces, la muchacha se volteó a mirarlo, pues había oído de aquella casa y, sin duda, era una gran tentación. Toda la tarde, se divirtieron juntos y la muchacha mostró un gran atrevimiento ante sus padres y se burló de Keawe, porque tenía una mente viva. Al día siguiente, Keawe habló con Kiano, y después halló a la muchacha sola.

—Kokua —le dijo—, te burlaste de mí toda la tarde y aún puedes pedirme que me vaya. No quise decirte quién era porque tengo una casa tan magnífica que temía que pensaras demasiado en la casa y poco en el hombre que te quiere. Ahora lo sabes todo y si deseas no verme más, dilo enseguida.

—No —dijo Kokua, aunque esta vez no se rió ni Keawe le preguntó nada más.

Así fue el noviazgo de Keawe; las cosas sucedieron muy rápido, pero así vuela la flecha y más rápido aún la bala del rifle y ambas, sin embargo, dan en el blanco. Las cosas habían sucedido rápido, pero también habían llegado lejos y el recuerdo de Keawe llenaba la cabeza de la muchacha. Escuchaba su voz cuando el oleaje reventaba en la lava y por este muchacho, al que había visto tan sólo dos veces, hubiera dejado a su padre y a su madre y las islas donde nació. En cuanto a Keawe, su caballo voló cuesta arriba por el sendero de la montaña bajo el risco de las tumbas; y el sonido de los cascos y la voz de Keawe, cantando de felicidad, retumbaban en las cuevas de los muertos. Cuando llegó a la Casa Resplandeciente, seguía cantando. Se sentó y comió en el amplio balcón, y el sirviente chino se asombró de ver a su amo cantar entre bocados. El sol se hundió en el mar y vino la noche. Keawe se paseó por los balcones, bajo la luz de las lámparas en lo alto de las montañas y el sonido de su canto sorprendía a los marineros en sus barcos.

"Heme aquí en este lugar tan alto —se dijo—. Puede que la vida nunca sea mejor. Ésta es la cima de la montaña y todo alrededor mío se inclina hacia lo peor. Por primera vez, iluminaré las habitaciones y me bañaré en la fina bañera con agua caliente y fría, y dormiré solo en la cama de mi cuarto nupcial.

De manera que llamó al sirviente chino, que tuvo que levantarse y encender las calderas, y mientras trabajaba abajo, cerca de la lumbre, escuchaba a su amo cantar y alegrarse en las habitaciones luminosas. Cuando el agua estuvo caliente, el sirviente chino le gritó a su amo; y Keawe entró al baño, y el sirviente chino lo escuchó cantar mientras llenaba la bañera de mármol, y lo escuchó cantar y escuchó el canto interrumpirse mientras se desvestía, hasta que de repente, el canto cesó. El sirviente chino escuchó y escuchó; llamó a la habitación para ver si Keawe estaba bien y Keawe contestó "Sí" y le ordenó que se fuera a dormir. Pero ya no hubo canto en la Casa Resplandeciente y durante toda la noche, el sirviente chino escuchó en los balcones las pisadas de su amo caminar interminablemente en círculos.

Lo que sucedió fue esto: mientras Keawe se desvestía para bañarse, descubrió sobre su cuerpo una mancha como la marca del liquen sobre la roca, y entonces dejó de cantar. Porque sabía qué era aquella mancha y sabía que tenía el Mal Chino: la lepra.

Para cualquiera, es triste contraer esta enfermedad. Y sería triste para cualquiera dejar una casa tan hermosa y cómoda, y despedirse de todos sus amigos rumbo a la costa norte de Molokai entre el gran acantilado y los rompientes. ¿Pero qué era eso para Keawe, que había conocido a su amada apenas ayer y la había conquistado aquella misma mañana, y ahora veía todas sus esperanzas hacerse añicos, en un instante, como se hace añicos un pedazo de vidrio?

Durante un tiempo, permaneció sentado en el borde de la bañera, hasta que se levantó de golpe y, gritando, corrió hacia fuera: iba y venía en el balcón como quien desespera.

"Me sería fácil irme de Hawaii, el hogar de mis antepasados —pensaba Keawe—. Sin ningún pesar dejaría mi casa en lo alto, con las muchas ventanas, aquí en las montañas. Con valentía iría a Molokai, a Kalaupapa por los acantilados para vivir entre los afligidos y dormir ahí, lejos de mis antepasados. ¿Pero qué mal he hecho, qué pecado pesa sobre mi alma, para encontrar a Kokua emergiendo fresca del mar en el atardecer? ¡Kokua, que me hechizó! ¡Kokua, la luz de mi vida! A ella a quien nunca podré desposar, a ella a quien no podré contemplar más; a ella a quien no podré tocar con mis manos amorosas y es por esto, es por ti, ¡oh Kokua!, que vierto mis lamentos".

Habrán de notar qué clase de hombre era Keawe, pues hubiera podido quedarse a vivir en la Casa Resplandeciente durante años, y nadie hubiera sabido nada de su enfermedad; pero ni lo consideró si debía perder a Kokua. Y también hubiera podido casarse con Kokua, tal y como estaba, como muchos lo hubieran hecho, porque tienen almas de cerdos, pero Keawe amaba a la muchacha con hombría y nunca le haría daño ni la haría correr peligro alguno.

A la mitad de la noche, le vino a la mente el recuerdo de aquella botella. Fue al porche trasero y recordó el día cuando el diablo se asomó de la botella: el recuerdo le heló la sangre en las venas.

"Aquella botella es algo atroz —pensó Keawe— y atroz es el diablo, y aún más atroz es arriesgarse a arder en el infierno. ¿Pero qué otra esperanza tengo de curarme de esta enfermedad y casarme con Kokua? ¡Qué! ¿Me habré atrevido a encarar al diablo una vez para conseguirme una casa y no lo enfrentaré de nuevo para ganarme a Kokua?

Entonces recordó que al día siguiente el *Hall* pasaría de vuelta de Honolulu. "Ahí debo ir en primer lugar —pensó—, y debo ver a

Lopaka, pues mi mayor esperanza es encontrar aquella botella de la que me deshice con tanto gusto."

No pudo conciliar nunca el sueño; la comida se le atragantaba, pero le mandó una carta a Kiano y cuando el vapor estaba por llegar, se encaminó por el risco de las tumbas. Llovía, el caballo avanzaba con dificultad; miró las bocas oscuras de las cuevas y envidió a los muertos que ahí dormían sin ninguna preocupación, y recordó cómo había galopado por ahí el día anterior y se asombró. Así que llegó a Hookena donde como de costumbre estaba reunida toda la gente esperando el vapor. Estaban sentados en el cobertizo frente al almacén y bromeaban y comentaban las novedades; pero Keawe se sentía incapaz de hablar; se sentó con ellos y observó la lluvia caer sobre las casas y el oleaje estallar contra las rocas mientras los suspiros henchían su garganta.

—Keawe de la Casa Resplandeciente está abatido —se dijeron el uno al otro. Ciertamente lo estaba y con razón.

Entonces llegó el *Hall* y embarcó en el ballenero. La parte posterior del barco estaba llena de *haoles* que habían ido a visitar el volcán como es su costumbre, en el centro se amontonaban los *kanakas* y, en la parte delantera, había toros salvajes de Hilo y caballos de Kau, pero Keawe se sentó lejos de todos en su desdicha y buscó la casa de Kiano. Ahí estaba, en la orilla del mar entre las rocas negras, bajo la sombra de las palmeras y junto a la puerta se veía un *holoku* rojo del tamaño de una mosca, yendo y viniendo como una mosca atareada. "Oh, reina de mi corazón —exclamó—, arriesgaré mi alma querida para tenerte".

Poco después, anocheció y encendieron las luces en las cabinas y los *haloes* se sentaron a jugar cartas y bebieron whisky como acostumbran, mientras Keawe paseó toda la noche sobre la cubierta; a lo largo del día siguiente, mientras navegaban a sotavento de Maui y de Molokai, caminó en círculos como un animal enjaulado.

En la tarde, rebasaron Diamond Head y llegaron al muelle de Honolulu. Keawe descendió entre la multitud y empezó a preguntar por Lopaka. Tal parece que era el dueño de una goleta, la mejor de las islas, y había zarpado en busca de aventura tan lejos como Pola Pola o Kahiki, así que no podía esperar ayuda de Lopaka. Keawe recordó a un amigo de Lopaka, un abogado del pueblo (no debo revelar su nombre) y preguntó por él. Le dijeron que, de repente, se había hecho rico y que tenía una casa nueva y hermosa en la costa de Waikiki; esto hizo cavilar a Keawe y alquiló un coche y se encaminó a la casa del abogado.

La casa era enteramente nueva, y los árboles del jardín del tamaño de un bastón; y cuando el abogado salió tenía el aire de un hombre satisfecho.

—¿En qué puedo ayudarle?—preguntó el abogado.

—Usted es amigo de Lopaka —contestó Keawe— y Lopaka me compró un objeto que esperaba me pudiera usted ayudar a rastrear.

El rostro del abogado se ensombreció.

—No voy a fingir que no lo entiendo, señor Keawe —dijo—, pero este es un asunto sórdido en el que se inmiscuye. Tenga la seguridad que no sé nada, pero sospecho que si pregunta en cierta parte de la ciudad, le darán noticias.

Y citó un nombre, que de nuevo haré bien en no mencionar. Así, durante varios días, Keawe fue de una persona a otra, y en todas partes encontraba atuendos y coches nuevos, casas elegantes y por doquier hombres muy satisfechos, aunque cuando hacía alusión al motivo de sus pesquisas sus rostros se ensombrecían.

"De seguro estoy sobre la pista correcta", pensó Keawe. "Estos atuendos nuevos y estos coches son todos regalos del pequeño diablo, y aquellos rostros satisfechos son los rostros de hombres que supieron obtener su provecho y deshacerse con seguridad del objeto maldito. Cuando vea mejillas pálidas y escuche suspiros, sabré que estoy cerca de la botella."

Finalmente, le recomendaron que fuera a ver a un *haole* en la calle de Beritania. Cuando se acercó a la puerta, a la hora de la cena, distinguió las señas habituales: la casa nueva, el joven jardín y la luz eléctrica reluciendo a través de las ventanas; y cuando se presentó el dueño, un estremecimiento de esperanza y de miedo sacudió a Keawe, pues se hallaba ante un hombre joven, pálido como un cadáver, con negras ojeras, el pelo escaso y la apariencia de quien está a punto de subir al patíbulo.

"Aquí es, sin duda", pensó Keawe, así que fue directo al grano.

—Vine a comprar la botella —dijo.

Al escucharlo, el joven *haole* de la calle de Beritania se apoyó contra la pared.

—¡La botella! —se ahogó— ¡Viene a comprar la botella! —entonces pareció sofocarse y, cogiendo a Keawe por el brazo, lo llevó a una habitación y llenó dos copas de vino.

—A su salud —dijo Keawe, que antaño había frecuentado asiduamente a los *haoles*—. Sí —añadió—, vine a comprar la botella. ¿Cuál es su precio ahora?

Al escuchar aquellas palabras, el joven dejó que la copa se escurriera por sus dedos y miró a Keawe cual a un fantasma.

—¡El precio! —dijo— ¡El precio! ¿No sabe cuál es el precio?

—Por eso le estoy preguntando —respondió Keawe—. ¿Pero por qué le preocupa tanto? ¿Hay algo malo con el precio?

—Ha disminuido mucho el precio desde entonces, señor Keawe —tartamudeó el joven.

—Bien, bien, tendré que pagar menos por ella entonces —dijo Keawe—. ¿Cuánto le costó?

El joven estaba blanco como la pared:

—Dos centavos —dijo.

—¡Qué! —exclamó Keawe—. ¿Dos centavos? Entonces, sólo la puede vender por uno. Y quien la compre...

Las palabras se apagaron en la lengua de Keawe: quien la comprara jamás lograría venderla; y la botella y el diablo de la botella se quedarían junto a él hasta el día de su muerte, y el día de su muerte, lo llevarían con ellos hasta el rojo fondo del infierno.

El joven de la calle de Beritania cayó de rodillas.

—Por amor de Dios, cómprela —lloró—. Puede quedarse también con mi fortuna. Estaba loco cuando la compré a ese precio. Cometí un fraude en el almacén donde trabajaba; estaba perdido, iba a ir a la cárcel si no.

—Pobre criatura —dijo Keawe—, estuvo dispuesto a arriesgar su alma en una aventura tan desesperada para evitar el castigo que merecía por su propia deshonra y piensa que yo dudaré cuando frente a mí está el amor. Deme la botella, y el cambio, que sin duda tiene a la mano. Tenga esta moneda de cinco centavos.

Fue como lo supuso Keawe, el joven tenía el cambio listo en un cajón; la botella cambió de manos y en el momento en que sus dedos se cerraron sobre su cuello, Keawe deseó ser un hombre limpio. Y, ciertamente, cuando llegó a su cuarto y se desnudó ante el espejo, su piel estaba inmaculada como la de un niño. Algo extraño sucedió entonces: en cuanto constató este milagro, su mente se transformó y ya no le importó la lepra y poco le importó Kokua; sólo un pensamiento le importó: que estaba ligado al diablo de la botella por todos los tiempos y por toda la eternidad y no tenía más esperanza que la de ser eternamente una ceniza en las llamas del infierno. Las vio arder frente a él en su imaginación, y su alma se encogió y la oscuridad apagó la luz.

Cuando Keawe se recuperó un poco, se percató que esa noche una orquesta tocaba en el hotel. Fue a escucharla pues tenía miedo de estar solo, y ahí, entre rostros alegres, caminó de un lado a otro, y escuchó las melodías ascender y descender, y vio a Berger marcando el compás, pero todo el tiempo escuchó las llamas crepitando y vio el fuego rojo arder en el pozo sin fondo del infierno. De pronto, la banda tocó *Hiki-Ao-Ao*, una canción que había cantado con Kokua y con la tonada, recuperó el valor.

"Está hecho —pensó—, y otra vez, más me vale tomar lo bueno junto con lo malo."

Así que retornó a Hawaii con el primer barco y, en cuanto pudo, se casó con Kokua y la llevó por la ladera de la montaña a la Casa Resplandeciente.

Las cosas entre ambos eran de tal manera que, cuando estaban juntos, el corazón de Keawe se apaciguaba, pero en cuanto estaba solo, se abismaba en la melancolía y escuchaba las llamas crepitar y veía el fuego rojo arder en el pozo sin fondo. La muchacha se había entregado totalmente a él; su corazón se arrebataba cuando lo veía, su mano sujetaba la suya, y estaba torneada de tal manera desde las uñas de los pies hasta la cabellera en la cabeza que nadie podía verla sin alegrarse. Kokua era de un natural agradable. Siempre tenía una palabra amable. Cantaba sin cesar y cuando iba por la Casa Resplandeciente, gorjeando como un pájaro, era lo más hermoso de sus tres pisos. Keawe la miraba y la escuchaba con deleite, y luego se encogía en un rincón y lloraba y gemía pensando en el precio que había pagado por ella; después se secaba los ojos y se lavaba la cara, e iba y se sentaba a su lado en los amplios balcones, cantando con ella y, con el alma destrozada, correspondía a sus sonrisas.

Llegó el día en que sus pisadas se tornaron pesadas y sus canciones se hicieron menos frecuentes, y ahora no sólo Keawe se apartaba a llorar, pues ambos se alejaban el uno del otro y se sentaban en balcones opuestos con la ancha Casa Resplandeciente de por medio. Keawe estaba tan hundido en la desesperación que apenas notó el cambio, y se alegró tan solo por tener más horas para rumiar su destino sin sentirse obligado a enmascarar con un rostro sonriente su corazón enfermo. Pero un día, mientras deambulaba silencioso por la casa, escuchó los sollozos de un niño, y ahí estaba Kokua, su rostro sobre el suelo del balcón, llorando como quien está perdido.

—Haces bien en llorar en esta casa, Kokua —le dijo— y, sin embargo, daría la vida para que (por lo menos) fueras feliz.

¡Feliz! —gritó—. Keawe, cuando vivías solo en la Casa Resplandeciente, en boca de todos se comentaba en la isla que eras un hombre feliz, tu boca desbordaba de risas y canciones y tu rostro resplandecía como la mañana. Después te casaste con la pobre de Kokua, y sabrá Dios qué pasa con ella, pero desde aquel día dejaste de sonreír. Oh —lloró—, ¿qué me pasa? Pensé que era hermosa y sabía que amaba a mi esposo. ¿Qué me pasa que así lo ensombrezco?

—Pobre Kokua —dijo Keawe. Se sentó junto a ella y le tomó la mano, pero ella la retiró—. Pobre Kokua —dijo de nuevo—, mi pobre niña, mi hermosura. Y todo este tiempo creí que te estaba protegiendo. Bien, pues lo sabrás todo. Así, por lo menos, te apiadarás del pobre de Keawe, entonces comprenderás cuánto te amó, que arriesgó el infierno por tenerte, y cuánto te ama aún (el pobre condenado) que aún puede sonreír cuando te mira. Y luego, le contó toda la historia desde el principio.

—¿Hiciste todo esto por mí? —exclamó—. Ah, entonces ¿qué me importa? —y lo abrazó y lloró sobre su hombro.

—Ah, niña —dijo Keawe—, y sin embargo, cuando pienso en el fuego del infierno, ¡sí que me importa!

—Nunca digas que alguien puede condenarse por amar a Kokua si no ha cometido ninguna otra falta —dijo ella—. Te digo, Keawe, te salvaré con estas manos o moriré contigo. ¿Qué?, me amaste hasta entregar tu alma y ¿crees que no moriría por salvarte de vuelta?

—Oh, amor mío. ¡Aunque mueras cien veces, qué diferencia hará! —exclamó—, excepto que me dejarás solo esperando la hora de mi condena.

—No sabes nada —dijo ella—. Me eduqué en un colegio de Honolulu. No soy una muchacha cualquiera. Y te lo digo, salvaré a mi amante. ¿Qué es esto que dices de un centavo? No todo el mundo es americano. En Inglaterra existe una moneda que llaman un *farthing*, que vale medio centavo. ¡Oh, qué pena! —exclamó—, no lo hace mucho mejor, pues quien la compre ha de condenarse, y no hallaremos a nadie tan valiente como mi Keawe. Y también está Francia, ahí hay una pequeña moneda que llaman un céntimo, y cinco céntimos valen un centavo, más o menos. No encontraremos nada mejor. Vamos, Keawe, vayamos a las islas francesas, vayamos a Tahití, tan rápido como nos lleven las naves. Ahí tenemos cuatro céntimos, tres céntimos, dos céntimos, un céntimo; cuatro ventas posibles que podemos intentar. Y somos dos para negociar el trato. Ven, mi Keawe, bésame y olvida tu preocupación. Kokua te defenderá.

—Regalo de Dios —exclamó—. No creo que Dios me castigue por desear algo tan bueno. Que sea lo que quieras, entonces, llévame donde gustes. Pongo mi vida y mi salvación en tus manos.

Temprano a la mañana siguiente, Kokua empezó los preparativos. Cogió el baúl de marinero de Keawe y, primero, colocó la botella en un rincón y luego empacó sus mejores ropas y los adornos más hermosos de la casa.

—Debemos parecer gente rica —dijo ella— o si no ¿quién creerá en la botella?

Durante los preparativos estuvo tan alegre como un pájaro, pero cuando miraba a Keawe, sus ojos se anegaban de lágrimas y corría a besarlo. En cuanto a Keawe, se había quitado un peso de encima, ahora que compartía su secreto y que alguna esperanza se dibujaba frente a él; parecía un hombre nuevo, sus pasos iban ligeros sobre la tierra y su aliento había recobrado su buen sabor. Sin embargo, el terror seguía ahí, y una y otra vez, como el viento apaga una vela, la esperanza moría en él y ante sus ojos las llamas se agitaban y el fuego rojo ardía en el infierno.

Corrieron la voz en la región que viajarían por placer a los Estados Unidos, lo que parecía extraño, aunque menos extraño que la realidad, si alguien hubiera podido adivinarla. Así que zarparon para Honolulu en el *Hall*, y luego en el *Umatilla* rumbo a San Francisco con un grupo de *haoles*, y en San Francisco compraron boletos para el bergantín correo, el *Tropic Bird*, rumbo a Papeete, la mayor ciudad de los franceses en las islas del Sur. Llegaron tras un viaje placentero, un día hermoso, cuando soplaban los vientos alisios, y vieron el arrecife donde el oleaje se estrellaba, y Motuiti con sus palmeras, y la goleta navegando junto a ellos, y las casas blancas de la ciudad en la orilla del mar entre árboles verdes, y por encima, las montañas y las nubes de Tahití, la isla del viento.

Consideraron que lo más conveniente sería alquilar una casa y eligieron una frente a la del cónsul británico, para ostentar su dinero a lo grande, y llamar la atención con sus coches y sus caballos. Esto era muy fácil, mientras tuvieran la botella en su posesión, pues Kokua era más atrevida que Keawe y, cuando se le ocurría, le pedía al diablo veinte o cien dólares. Con semejante tren, pronto los notaron en la ciudad; y los extranjeros de Hawaii, sus paseos a caballo y en coche, sus *holokus* elegantes y los finos encajes de Kokua fueron la comidilla.

Enseguida dominaron la lengua de Tahití que es similar al hawaiano con algunas letras cambiadas. En cuanto la hablaron con soltura, empezaron a ofrecer la botella. Deben considerar que no era un tema fácil de abordar. No era fácil convencer a la gente de su seriedad cuando ofrecían por cuatro céntimos la fuente de bienestar y riquezas inagotables. Además era necesario explicar los peligros de la botella y entonces, o la gente no les creía nada y se reía, o se percataba del contenido siniestro de la botella, se ponía seria y se alejaba de Keawe y de Kokua, como de quien tiene tratos con el diablo. Así que en vez de aventajar terreno, ambos descubrieron que los evitaban en la ciudad. Los niños se alejaban de ellos gritando, lo que Kokua no soportaba. Los católicos se persignaban a su paso y todos, de común acuerdo, empezaron a evitar su frecuentación.

La depresión se apoderó de su ánimo. Durante la noche, se sentaban en su casa nueva, tras el cansancio del día, sin intercambiar palabra, o el silencio se rompía con los sollozos repentinos de Kokua. A veces rezaban juntos, a veces colocaban la botella en el piso y pasaban la tarde viendo la sombra temblar en su centro. En aquellas ocasiones, temían ir a descansar. Pasaba largo rato antes de que les llegara el sueño y, si alguno se dormía, era sólo para despertar y descubrir al otro, llorando silenciosamente en la oscuridad o si no, despertaba solo porque el otro había huido de la casa y de la cercanía de la botella para pasear bajo los bananos en el jardincillo o para deambular por la playa bajo la luz de la luna.

Así sucedió una noche, cuando Kokua despertó. Keawe se había ido. Tocó la cama y su lado estaba frío. El miedo se apoderó de ella y se sentó en la cama. Una tenue luz de luna se filtraba por las persianas. Había suficiente claridad en el cuarto para que lograra distinguir la botella en el suelo. Afuera el viento soplaba, los grandes árboles de la avenida parecían llorar y las hojas caídas sonaban en la veranda. En medio de esto, Kokua percibió otro sonido: si era una bestia o un hombre, no lo sabía, pero era tan triste como la muerte y le desgarró el alma. Se levantó sin hacer ruido, entreabrió la puerta y se asomó al jardín que la luna iluminaba. Ahí, bajo los bananos, yacía Keawe, la boca pegada a la tierra, y así como estaba, gemía.

El primer pensamiento de Kokua fue correr a consolarlo; su segundo pensamiento la contuvo con fuerza. Keawe se había comportado ante su mujer como un hombre valiente; no le correspondía avergonzarlo en este momento de debilidad. Con este pensamiento, volvió a la casa.

"¡Santo cielo —pensó—, qué descuidada he sido, qué débil! Es él, y no yo, quien corre este peligro eterno. Fue él, y no yo, quien aceptó la maldición de su alma. Fue por mí, y por el amor a esta criatura de tan poca valía y tan poca ayuda, que ahora ve tan de cerca las llamas del infierno, sí, y hasta huele el humo, mientras yace afuera en el viento bajo la luz de la luna. Soy tan torpe que, hasta ahora, nunca me di cuenta de mi deber, ¿o acaso me di cuenta y rehuí de él? Pero ahora, al fin, alzo mi alma entre las manos entrelazadas de mi afecto, ahora me despido de los peldaños blancos del cielo y los rostros expectantes de mis amigos. Amor por amor, y que el mío valga tanto como el de Keawe. Alma por alma, y que la mía sucumba.

Era una mujer de manos hábiles y pronto estuvo lista. Cogió el cambio, los preciosos céntimos que siempre tenían a la mano, pues esta moneda se usa poco y habían ido a aprovisionarse a la oficina del

Gobierno. Mientras avanzaba por la avenida, el viento trajo las nubes y la luna se escondió. La ciudad dormía y no sabía adónde ir hasta que oyó a alguien toser entre la sombra de los árboles.

—Anciano —dijo Kokua—, ¿qué hace usted afuera en esta noche fría?

El anciano apenas podía hablar de tanto que tosía, pero Kokua se enteró que era viejo, pobre y era un extranjero en la isla.

—¿Me haría un favor?—dijo Kokua—, de un extranjero a otro, y de un anciano a una joven, ¿ayudaría usted a una hija de Hawaii?

—Ah —dijo el anciano—. Así que usted es la bruja de las Ocho Islas y hasta mi alma vieja quiere enredar. He oído hablar de usted y no temo su maldad.

—Siéntese aquí —dijo Kokua—, y déjeme contarle un cuento.

Y le contó la historia de Keawe de principio a fin.

—Y ahora —dijo ella—, soy su esposa, a quien obtuvo a cambio de la salvación de su alma. ¿Y qué puedo hacer? Si me presento ante él y le ofrezco comprar la botella, se negará. Pero si va usted, la venderá con gusto. Yo lo esperaré aquí. Usted la comprará por cuatro céntimos, y yo se la compraré por tres. ¡Y que el Señor dé fuerzas a una pobre muchacha!

—Si hiciera usted trampa —dijo el anciano—, creo que Dios la fulminaría.

—Lo haría —exclamó Kokua—, tenga la seguridad de que lo haría. No podría ser tan falsa, Dios no lo toleraría.

—Deme los cuatro céntimos y espéreme aquí —dijo el anciano.

Cuando Kokua se quedó sola en la calle, su valor se acabó. El viento rugía entre los árboles y a ella le parecía el rugido de las llamas del infierno. Las sombras surgían a la luz de las farolas y le parecían a ella las manos arrebatadoras de los demonios. Si hubiera tenido las fuerzas, hubiera huido, y si hubiera tenido el aliento, hubiera gritado, pero en verdad nada podía hacer y permaneció temblando en la avenida, como un niño asustado.

Entonces vio al anciano volver con la botella en la mano.

—Cumplí con su encargo —dijo él—. Dejé a su esposo llorando como un niño. Esta noche dormirá en paz—. Y estiró la botella hacia ella.

—Antes de que me la dé —jadeó Kokua— tome lo bueno junto con lo malo y pida que su tos desaparezca.

—Soy un anciano —le contestó—, y estoy demasiado cerca de la tumba para pedirle un favor al diablo. ¿Pero qué pasa? ¿Por qué no toma la botella? ¿Acaso duda?

—¡No dudo! —exclamó Kokua—. Sólo soy débil. Deme un momento. Mi mano se resiste, mi carne se encoje ante el objeto maldito. Sólo un momento.

El anciano la miró bondadosamente.

—Pobre muchacha —dijo—. Tiene miedo, su alma duda. Entonces, me quedaré con ella. Soy viejo y ya no seré feliz en este mundo, y en cuanto al otro...

—Démela —exhaló Kokua—. Aquí está su dinero. ¿Acaso me cree tan ruin? Deme la botella.

—Dios la bendiga, hija mía —dijo el anciano.

Kokua escondió la botella bajo su *holoku*, se despidió del anciano y recorrió la avenida, sin importar hacia dónde, pues ahora para ella todos los caminos eran iguales y todos, por igual, llevaban al infierno. A veces caminaba y otras corría, a veces gritaba en la oscuridad de la noche y a veces se tumbaba en el polvo a un lado del camino y lloraba. Recordaba todo lo que había oído del infierno, veía las llamas arder, olía el humo y su carne se marchitaba en las brasas.

Antes del amanecer, recobró la calma y volvió a casa. Tal como había dicho el anciano, Keawe dormía como un niño. Kokua se detuvo a mirar su rostro.

—Ahora, esposo mío —dijo—, te toca a ti dormir. Cuando despiertes, te tocará cantar y reír. Y la pobre de Kokua, que nunca hizo daño, la pobre de ella ya no dormirá, ni cantará, ni se divertirá, en la tierra o en el cielo.

Luego, se recostó en la cama junto a él y su dolor era tan grande que enseguida cayó en un sueño profundo.

Al final de la mañana, su esposo la despertó y le dio la buena noticia. Parecía estar tonto de alegría, pues no notó su dolor, por mal que lo disimulara. Aunque las palabras se atragantaron en su boca, no lo notó, Keawe se encargaba de hablar. No probó bocado, pero ¿quién se daría cuenta?, porque Keawe limpió su plato. Kokua lo miraba y escuchaba como algo extraño en un sueño; por momentos, olvidaba o dudaba y se llevaba las manos a la frente; saberse condenada mientras su esposo parloteaba le parecía monstruoso.

Keawe no dejaba de comer y conversar y planeaba el momento de su regreso, le agradecía que lo hubiera salvado, la abrazaba y decía que era ella su verdadera salvadora después de todo. Después, se rió del anciano que había sido tan tonto como para comprar la botella.

—Parecía un anciano respetable —dijo Keawe—, aunque no se puede juzgar por las apariencias. Pues ¿para qué querría aquel réprobo la botella?

—Esposo mío —dijo Kokua—, su intención pudo haber sido buena.

Keawe se rió muy enojado.

—¡Jajá! —exclamó Keawe—. Un viejo tramposo, te digo, y además, tonto. Ya era difícil vender la botella por cuatro céntimos, por tres será imposible. El margen es demasiado estrecho y la cosa huele a quemado. Brrr —dijo estremeciéndose—. Es cierto que yo la compré por un centavo cuando ignoraba que había monedas de menos valor. Mis penas me hicieron perder la razón, pero no habrá quien haga lo mismo. Quien sea el propietario de la botella ahora, se la llevará a la tumba.

—Oh, esposo mío —dijo Kokua—, ¿no es horrible salvarse uno a cambio de la condena eterna de otro? Me parece que yo no podría reírme, me sentiría llena de humildad y de melancolía. Rezaría por su triste propietario.

Keawe, dándose cuenta de la verdad de sus palabras, se enojó aún más.

—¡Tonterías! —exclamó—. Puedes sentirte llena de melancolía si lo quieres. No es la actitud que corresponde a una buena esposa. Si pensaras tan solo un poco en mí, te debería dar vergüenza.

Luego salió y Kokua se quedó sola.

¿Qué posibilidades tenía de vender la botella por dos céntimos? Ninguna, lo sabía. Y si acaso tenía alguna, ahí estaba su esposo apresurándose a llevársela a un país donde no había ninguna moneda inferior a un centavo. Y ahí estaba su esposo que la abandonaba y la recriminaba a la mañana siguiente de su sacrificio.

Ni siquiera intentó aprovechar el tiempo que le quedaba: se quedaba sentada en casa y, a veces, sacaba la botella y la contemplaba con indecible horror y otras con odio y la volvía a esconder de su vista.

Al poco tiempo, Keawe volvió y quiso que dieran un paseo en coche.

—Esposo mío, estoy enferma —dijo—, no tengo ánimos. Discúlpame, pero no me divertiría.

Entonces Keawe se enojó más que nunca con ella, pues creía que aún se entristecía por el caso del anciano, y consigo mismo, pues pensaba que Kokua tenía razón y se avergonzó de sentirse tan feliz.

—Eso piensas —exclamó— y eso sientes por mí. Tu esposo acaba de salvarse de la condena eterna que aceptó por amor a ti, y tú no puedes divertirte. Kokua, tu corazón es desleal.

Salió de nuevo, furioso, y deambuló por la ciudad durante el día entero. Se encontró con unos amigos y estuvieron bebiendo juntos. Alquilaron un coche para ir al campo, y ahí siguieron bebiendo. El día entero, Keawe se sintió mal, porque se divertía mientras su esposa estaba triste y porque en el fondo sabía que ella tenía razón, y saber que tenía ella la razón lo hacía beber aún más.

Había un *haole* viejo y violento bebiendo con él, que había sido contramaestre en un barco ballenero, un prófugo, buscador de oro y presidiario en varias cárceles. Tenía una mente ruin y una boca sucia; le gustaba beber y ver borrachos a los demás, y se empeñaba en que Keawe apurara una copa tras otra. Pronto, la compañía se quedó sin dinero.

—Oye, tú —dijo el contramaestre—, siempre andas diciendo que eres rico. Que tienes una botella o no sé qué tontería.

—Sí —dijo Keawe—, soy rico. Iré a casa a pedirle dinero a mi mujer, que ella lo guarda.

—Pésima idea, compañero —dijo el contramaestre—. Nunca confíes tu dinero a una mujer. Todas son falsas. Vigílala.

Aquellas palabras impresionaron a Keawe, pues la bebida le enturbiaba las ideas. "No me extrañaría que fuera falsa —pensó—. Si no ¿por qué estaría tan abatida con mi liberación? Le voy a mostrar que a mí no me engaña. La sorprenderé en el acto".

De manera que, cuando volvieron a la ciudad, Keawe le pidió al contramaestre que lo esperara en la esquina, cerca de la vieja cárcel, y avanzó solo por la avenida hasta llegar a la puerta de su casa. Se había hecho de noche. Una luz brillaba en el interior, pero no se oía ruido alguno. Keawe dio la vuelta a la casa sigilosamente, abrió la puerta trasera sin hacer ruido y se asomó.

Kokua estaba sentada en el suelo, la lámpara a su lado. Frente a ella había una botella de un color lechoso, panzona y con el cuello largo, y mientras la contemplaba, Kokua se retorcía las manos.

Keawe se quedó mucho tiempo en la puerta mirando. Al principio, se quedó idiotizado y luego tuvo miedo de que el trato hubiera salido mal y creyó que la botella había vuelto a él como sucedió en San Francisco, de manera que sus rodillas se doblaron bajo su peso y los vapores del vino se esfumaron de su cabeza, como la neblina del río en la mañana. Luego, se le ocurrió otro pensamiento, un pensamiento extraño que hizo que sus mejillas ardieran.

—Debo estar seguro —pensó.

Así que entornó la puerta y sin hacer ruido, dio de nuevo vuelta a la casa y entró haciendo ruido, como si acabara de llegar. Pero cuando abrió la puerta principal, no había botella a la vista. Kokua estaba sentada en una silla y se sobresaltó como quien se despierta.

—He estado bebiendo y divirtiéndome todo el día —dijo Keawe—. Me he topado con buenos amigos y sólo he vuelto por dinero, para seguir bebiendo y divirtiéndome con ellos.

Su rostro y su voz eran adustos, pero Kokua estaba demasiado afligida para notarlo.

—Haces bien en usar tu dinero, esposo mío —dijo ella con voz temblorosa.

—Hago bien en todo —dijo Keawe, y fue directo al baúl y cogió el dinero; miró en el rincón donde guardaban la botella pero no estaba ahí.

Entonces, el baúl se meció como una alga en el fondo del mar y la casa giró a su alrededor como una humareda, pues se dio cuenta que estaba perdido y que no había salida. "Es lo que temía —pensó—, la compró ella".

Luego, se recobró un poco y se irguió, pero el sudor le escurría por el rostro, tan abundante como un chorro de lluvia y tan frío como el agua del pozo.

—Kokua —dijo él—, hoy te dije por qué me enojé. Ahora voy a seguir festejando con mis amigos —y se rió suavemente—. Tendrá mejor sabor el vino si me perdonas.

Un momento después, Kokua abrazaba sus rodillas y las besaba mientras las lágrimas escurrían por su rostro.

—Sólo quería que me dijeras una palabra amable —exclamó ella.

—Nunca debemos pensar mal el uno del otro —dijo Keawe y salió de la casa.

El dinero que Keawe tomó era parte de aquella reserva de céntimos que consiguieron cuando llegaron. Sin duda no tenía la menor gana de seguir bebiendo. Su esposa había entregado su alma por él, y ahora le tocaba a él entregar la suya por ella. Era incapaz de pensar otra cosa.

En la esquina, junto a la vieja cárcel, el contramaestre esperaba.

—Mi esposa tiene la botella —dijo Keawe—, y a menos de que me ayudes a recuperarla, no habrá más dinero ni alcohol esta noche.

—¿Me estás diciendo que hablas en serio de esa botella? —exclamó el contramaestre.

—Vayamos bajo el farol —dijo Keawe—. ¿Acaso parece que estoy bromeando?

—En efecto —dijo el contramaestre—, se te ve tan serio como un fantasma.

—Entonces —dijo Keawe—, he aquí dos céntimos; debes presentarte con mi esposa y ofrecerle estos a cambio de la botella, que (si no me equivoco) te entregará enseguida. Tráemela aquí y te la compraré por un céntimo, pues tal es la ley de la botella: ha de venderse por menos de lo que se la compró. Pero haga lo que haga, nunca le digas que vas de mi parte.

—Compañero, me pregunto si no estarás burlándote de mí —dijo el contramaestre.

—Aunque lo estuviera, ningún daño te hará —contestó Keawe.

—Cierto, compañero —dijo el contramaestre.

—Si dudas de mí —añadió Keawe—, haz la prueba. En cuanto salgas de la casa, desea que tu bolsillo se llene de dinero o pide una botella del mejor ron, o lo que quieras, y enseguida comprobarás el poder de la botella.

—Muy bien, *kanaka* —dijo el contramaestre—, haré la prueba, pero si te estás divirtiendo a costa mía, yo me divertiré a costa tuya con una barra de hierro.

Así que el ballenero se alejó por la avenida mientras Keawe esperó. Era cerca del mismo lugar donde Kokua había esperado la noche anterior, pero Keawe estaba más decidido y no dudó en su empeño. Mientras su alma se llenaba de la amargura de la desesperación.

Le pareció que llevaba largo rato esperando cuando escuchó una voz cantando en la oscuridad de la avenida. Reconoció enseguida la voz del contramaestre, pero era extraño que sonara mucho más borracha que antes.

Poco después, el contramaestre en persona se tambaleaba bajo la luz de la farola. Llevaba la botella del diablo guardada en el saco y otra botella en la mano, que tuvo el tiempo de llevarse a la boca mientras se acercaba.

—Veo que la conseguiste —dijo Keawe.

—¡No la toques! —gritó el contramaestre, retrocediendo—. Si das un paso más, te rompo la boca. Pensaste que ibas a engañarme como a un niño, ¿verdad?

—¿Qué dices?

—¿Qué digo? —gritó el contramaestre—. Esta botella es extraordinaria, eso es lo que digo. Cómo la conseguí por dos céntimos, no lo entiendo, pero lo seguro es que tú no la obtendrás a cambio de uno.

—¿Estás diciendo que no la venderás? —jadeó Keawe.

—¡No señor! —gritó el contramaestre—. Pero si quieres, te doy un trago de ron.

—Tienes que saber —dijo Keawe— que quien sea dueño de esa botella se irá al infierno.

—Como sea, me parece que para ahí voy de cualquier manera —contestó el marinero—, y esta botella es la mejor compañía que me he encontrado hasta ahora para ir ahí. No, señor —gritó de nuevo—, ésta es mi botella y puedes ir a buscarte otra.

—¿Será cierto? —exclamó Keawe—. Por tu propio bien, te imploro que me la vendas.

—No me importa nada de lo que dices —le contestó el contramaestre—. Pensaste que yo era un bobo, pero resulta que no lo soy, y no hay más. Si no quieres un trago de ron, yo sí lo quiero. A tu salud y que tengas buenas noches.

Y desapareció por la avenida en dirección de la ciudad y, con él, desapareció la botella de esta historia.

Pero Keawe corrió a ver a Kokua, ligero como el viento, y grande fue su alegría aquella noche, y grande, desde entonces, ha sido la paz de sus días en la Casa Resplandeciente.

Apia, Upolu, Islas de Samoa, 1889.

Nota del autor: Cualquier estudiante de aquel producto tan poco literario —el drama inglés de principios de siglo—, reconocerá aquí el título y la idea principal de una obra que popularizó el admirable O. Smith. La idea principal está aquí y es idéntica y, sin embargo, espero haber hecho algo nuevo. Y que el hecho de que el cuento haya sido escrito para un público polinesio le brinde un interés extranjero más cercano a casa. R. L. S.

Traducción de Lucía Segovia Forcella.

SI QUIERES, LEE MÁS DE STEVENSON

- *La isla del tesoro / Cuentos de los mares del sur*, Porrúa, México, 1998.
- *Secuestrado*, Losada, Buenos Aires, 1999.
- *El extraño caso del Dr. Jekyll y Mr Hyde*, Edaf, Madrid, 1999.
- *La isla del tesoro*, Norma, Bogotá, 1999.
- *El Club de los Suicidas / El diamante del rajá*, Valdemar, Madrid, 2007.
- *La flecha negra*, Terramar, Buenos Aires, 2007.
- *Memoria para el olvido. Ensayos*, FCE/Siruela, México, 2008.
- *Edimburgo: notas pintorescas*, Abada Editores, Madrid, 2012.
- *El diablo de la botella y otros cuentos*, Alianza, Madrid, 2013.
- *Cuentos completos*, Valdemar, Madrid, 2013.

MARCEL SCHWOB

Marcel Schwob es el seudónimo de André Mayer. Nació en Chaville, París, en 1867, y murió en la capital francesa en 1905. Narrador, ensayista y traductor es, sobre todo, un cuentista excepcional y un cultivador de la mejor fantasía. Su amplio conocimiento sobre las literaturas antiguas y las lenguas modernas, así como su gran interés por la historia medieval lo llevan a recrear universos plenos de imaginación y a crear un subgénero de originales biografías que él denominó "vidas imaginarias". Exploró y actualizó mitos y evocó el mundo de lo más puramente fantástico con un lenguaje lírico y excepcional.

"Arachné" es un cuento donde estas virtudes resplandecen extraordinariamente, pues recrea el mito de la bordadora al que una diosa, enfurecida al ver su maestría, la convierte en araña y, junto con esta recreación, introduce los elementos inquietantes de la locura y el crimen en un cuento maravilloso y poético que se vuelve inolvidable.

Arachné

Her waggon-spokes made of long spinnis'llegs:
The cover, of the wings of grasshoppers ;
Her traces of the smallest spiders's web ;
Her collars of the moonshine's watery beams...

SHAKESPEARE, *Romeo and Juliet.**

USTEDES ME LLAMAN LOCO y me han encerrado, pero yo me río de sus recelos y sus miedos. Puedo ser libre cuando yo lo quiera, y escaparé lejos de sus vigilantes y de sus puertas selladas por medio de un hilo de seda que me ha tendido Arachné. Pero la hora no ha llegado aún —está cerca, sin embargo; mi corazón se va apagando y mi sangre empalidece. Ustedes, que me creen loco, pronto tendrán que creerme muerto, y entonces yo estaré pendiendo del hilo de Arachné más allá de las estrellas.

Si estuviera loco, no sabría con tanta claridad lo que ha pasado; no recordaría con tanta precisión lo que ustedes llaman mi crimen, ni los argumentos de sus abogados ni la sentencia de su juez rojizo. Si estuviera loco no me reiría de los informes de sus médicos ni vería a través del techo de mi celda la cara lampiña, el saco negro y la corbata blanca del imbécil que me ha declarado inimputable. No..., no los vería —pues los locos no tienen ideas puntuales; en cambio, yo sigo mis argumentos con una lógica precisa y una claridad tan extraordinaria que yo mismo debo sorprenderme. Y, además, los locos sufren dolores en la parte superior del cráneo; los pobres desgraciados, los locos, creen que columnas de humo, arremolinándose, les brotan del occipucio. En cambio mi cerebro es tan ligero que a menudo me parece tener la cabeza vacía. Las novelas que he leído, y que me gustaban en el pasado, ahora las capturo de un sólo golpe de vista y las juzgo en su exacto valor, descubriendo cada uno de sus múltiples defectos —en cambio, la simetría de mis invenciones es tan perfecta que ustedes caerían pasmados si se las expusiera.

Pero es tal mi desprecio por ustedes, que estoy seguro que no entenderían nada. Por ello, sólo les dejo estas líneas como testimonio final de la burla que me inspiran y para que vean su propia locura cuando encuentren mi celda vacía.

Ariane, la pálida Ariane con quien he sido encontrado, era bordadora. Y ésta fue la causa de su muerte, y ésta también la causa de mi salvación. Yo la amaba con una gran pasión. Era morena, y ágil con los dedos. Sus besos eran pinchazos de agujas; sus caricias, bordados excitantes. Pero las bordadoras llevan una vida estéril y pueden ser tan inconstantes que le pedí que abandonara su oficio. Ella se resistió, y yo me encolericé al ver a los jóvenes pretenciosos que la acechaban al salir del taller. Mi rabia era tan grande que me impuse regresar de lleno a los estudios que en otro tiempo me habían hecho feliz.

Me forcé a revisar el volumen XIII de las *Asiatic Researches*, publicado en Calcuta en 1820. Febrilmente comencé por leer un ensayo sobre los Phânsigâr, el cual me llevó, a su vez, a los Thugs, acerca de los cuales el capitán Sleeman escribió muy extensamente, mientras que el coronel Meadows Taylor reveló el secreto de esta asociación. Es así como hoy sabemos que los Thugs estaban unidos por vínculos misteriosos y que se contrataban en el servicio doméstico de las casas de campo. Al caer la noche, drogaban a los amos con una decocción de cáñamo, y luego trepaban por las paredes y se deslizaban a través de las ventanas abiertas a la luna y, silenciosamente, estrangulaban a todos los habitantes de la casa. Las cuerdas que utilizaban eran también de cáñamo, con un gran nudo a la altura de la nuca, para asesinar más rápidamente.

Así, con el cáñamo, los Thugs anudaban el sueño a la muerte. La planta que da el hachís, conque los ricos los idiotizaban —al igual que con el alcohol y con el opio—, era el medio que usaban para vengarse de ellos. Por eso, a mí se me ocurrió que escarmentando con la seda a mi bordadora Ariane, la ataría a mí para siempre en la muerte y más allá de la muerte. Y esta idea, de lógica innegable, se convirtió en el punto más lúcido de todos mis pensamientos. No pude resistirme por mucho tiempo. Cuando ella apoyó la cabeza en mi cuello para dormir, le pasé alrededor de la garganta, con gran cuidado, el cordón de seda que había tomado de su costurero y, apretando lentamente, bebí su último aliento en su último beso.

Así nos encontraron: boca contra boca. Y han dictaminado que yo estoy loco y que ella está muerta. Pero lo que no saben es que ella está siempre conmigo, eternamente fiel, pues es la ninfa Arachné. Todos los días, aquí en mi blanca celda, ella se me aparece tomando la forma de la araña que teje su tela sobre mi cama: pequeña, morena y de patas ágiles.

La primera noche, descendió hasta mí por medio de un hilo y quedó suspendida sobre mis ojos, bordando en mis pupilas un encaje sedoso y oscuro con reflejos tornasolados y brillantes flores púrpuras. Entonces, sentí junto a mí el cuerpo nervioso y rollizo de Ariane. Besó mi pecho, a la altura del corazón, y sentí en su beso la quemadura y grité de dolor. Luego nos abrazamos y nos besamos largo rato, sin pronunciar palabra.

La segunda noche, ella puso sobre mí un velo fosforescente bordado de estrellas verdes y círculos amarillos, lleno de puntos brillantes que aumentaban y decrecían titilando en la lejanía. Y entonces, arrodillada sobre mi pecho, me cubrió la boca con la mano y, con un prolongado beso en el corazón, me mordió la carne y chupó mi sangre hasta conseguir mi desvanecimiento.

La tercera noche me cubrió los ojos con un manto de seda de Maratha, en el que danzaban arañas multicolores de brillantísimos ojos. Me oprimió la garganta con un hilo interminable y, violentamente, llevó mi corazón a sus labios y lo atravesó con su mordedura. Luego se deslizó en mis brazos y susurró en mi oído: "Yo soy la ninfa Arachné".

Por supuesto, es falso que yo esté loco, pues de inmediato comprendí que mi bordadora Ariane era una diosa de la muerte, y supe que fui elegido por el destino para liberarla, por medio de su hilo de seda, del laberinto humano. Y la ninfa Arachné me agradece que la haya liberado de su crisálida humana. Con infinito cuidado envolvió mi corazón, mi pobre corazón, en su hilo untuoso, enlazándolo con mil nudos. Cada noche aprieta más las costuras entre las que el corazón humano se deseca como el cadáver de una mosca. Yo quedé eternamente atado a Ariane cuando la estrangulé con su hilo de seda. Y ahora Arachné me enlazó a ella para siempre al atarme el corazón.

Por este misterioso puente visito a medianoche el Reino de las Arañas, cuya reina es Arachné. Debo cruzar ese infierno para poder mecerme luego bajo el fulgor de las estrellas.

Las Arañas de los Bosques caminan ahí con ampollas luminosas en las patas. Las Migalas tienen ocho ojos terribles y brillantes; y con sus pelos erizados se abalanzan sobre mí en los recodos del camino. En los pantanos, donde tiemblan las Arañas del Agua, sobre sus largas patas, soy arrastrado a los bailes del vértigo que danzan las Tarántulas. Las Epeiras me acechan desde el centro de sus círculos grises atravesados de rayos; fijan en mí las innumerables facetas de sus ojos, hechizándome como en un juego de espejos para atrapar alondras. Al recorrer los bosquecillos, las telarañas viscosas me hacen cosquillas en la cara, y monstruos peludos de rápidas patas me esperan, agazapados en los arbustos.

La reina Mab es menos poderosa que mi reina Arachné, pues ésta tiene el poder de transportarme en su maravilloso carro que corre a lo largo de un hilo. Su tórax está hecho de la dura cáscara de una gigantesca Migala, enjoyada de cabujones de mil facetas en sus ojos de diamante negro. Sus patas son las extremidades de una tremenda Araña Zancuda. Sus alas transparentes, cruzadas por nervaduras rosáceas, la elevan golpeando el aire con rítmico batir. Nos mecemos durante horas, y después me desvanezco, agotado por la herida de mi pecho en la que Arachné hurga sin cesar con sus filosos labios. En mi pesadilla veo, inclinados sobre mí, vientres constelados de ojos innumerables, y huyo de patas rugosas cargadas de finísimas telarañas.

Ahora siento deslizarse perfectamente, sobre mi pecho, las rodillas de Arachné, y escucho el gorgoteo de mi sangre que asciende hasta su boca. Mi corazón pronto estará vacío, y quedará envuelto en su prisión de blancos hilos, y yo escaparé, a través del Reino de las Arañas, hacia el entramado deslumbrante de las estrellas. Por el hilo de seda que me tendió Arachné, escaparé con ella, dejándoles a ustedes —pobres locos—, un exangüe cadáver con un mechón de pelo rubio que el viento de la mañana agitará.

*"Los rayos de la rueda de su carro son hechos de largas patas de araña zancuda; el fuelle de alas de cigarra; el correaje de la más fina telaraña; las colleras de húmedos rayos de un claro de luna".

SHAKESPEARE, *Romeo y Julieta*.

Traducción de Juan Domingo Argüelles.

SI QUIERES, LEE MÁS DE SCHWOB

- *Viaje a Samoa*, Valdemar, Madrid, 1996.
- *Mimos / Espicilegio / Vidas imaginarias*, Siruela, Madrid, 1997.
- *Corazón doble*, Siruela, Madrid, 2001.
- *Vidas imaginarias / La cruzada de los niños*, Valdemar, Madrid, 2003.
- *El rey de la máscara de oro*, Abraxas, Madrid, 2003.
- *Ensayos y perfiles*, Fondo de Cultura Económica, México, 2006.
- *El terror y la piedad*, Libros del Zorzal, Buenos Aires, 2006.
- *La estrella de madera*, Sequitur, Madrid, 2009.
- *El deseo de lo único. Teoría de la ficción*, Páginas de Espuma, Madrid, 2012.
- *El libro de Monelle y otros relatos*, Grupo Editorial Tomo, México, 2013.

Horacio Quiroga

Horacio Quiroga nació en Salto, Uruguay, en 1879, y murió en Buenos Aires, Argentina, en 1937. Es quizá el cuentista fantástico más dotado que haya dado la literatura hispanoamericana, con un mundo propio y una originalidad que lo hacen comparable a los mejores autores del género de terror, la fantasía especulativa y el análisis psicológico de las conductas patológicas. Introduce también en sus narraciones el paisaje selvático y el ambiente salvaje de Sudamérica, ámbitos que conoció muy bien, producto de sus viajes, estancias y expediciones.

"El almohadón de plumas" es uno de los cuentos emblemáticos de su producción literaria, en el cual combina lo sobrenatural con la posibilidad científica, en una protagonista que muere entre delirios y alucinaciones por una causa misteriosa que al final encuentra una explicación no menos sorprendente.

El almohadón de plumas

Su luna de miel fue un largo escalofrío. Rubia, angelical y tímida, el carácter duro de su marido heló sus soñadas niñerías de novia. Ella lo quería mucho, sin embargo, a veces con un ligero estremecimiento cuando volviendo de noche juntos por la calle, echaba una furtiva mirada a la estatura de Jordán, mudo desde hacía una hora. Él, por su parte, la amaba profundamente, sin darlo a conocer.

Durante tres meses —se habían casado en abril— vivieron una dicha especial. Sin duda hubiera ella deseado menos severidad en ese rígido cielo de amor, más expansiva e incauta ternura; pero el impasible semblante de su marido la contenía siempre.

La casa en que vivían influía un poco en sus estremecimientos. La blancura del patio silencioso —frisos, columnas y estatuas de mármol— producía una otoñal impresión de palacio encantado. Dentro, el brillo glacial del estuco, sin el más leve rasguño en las altas paredes, afirmaba aquella sensación de desapacible frío. Al cruzar de una pieza a la otra, los pasos hallaban eco en toda la casa, como si un largo abandono hubiera sensibilizado su resonancia.

En ese extraño nido de amor, Alicia pasó todo el otoño. Había concluido, no obstante, por echar un velo sobre sus antiguos sueños, y aún vivía dormida en la casa hostil, sin querer pensar en nada hasta que llegaba su marido.

No es raro que adelgazara. Tuvo un ligero ataque de influenza que se arrastró insidiosamente días y días; Alicia no se reponía nunca. Al fin, una tarde pudo salir al jardín apoyada del brazo de su marido. Miraba indiferente a uno y otro lado. De pronto, Jordán, con honda ternura, le pasó muy lento la mano por la cabeza, y Alicia rompió en sollozos, echándole los brazos al cuello. Lloró largamente todo su espanto callado, redoblando el llanto a la más leve caricia de Jordán. Luego los sollozos fueron retardándose, y aún quedó largo rato escondida en su cuello, sin moverse ni pronunciar una palabra.

Fue ese el último día en que Alicia estuvo levantada. Al día siguiente amaneció desvanecida. El médico de Jordán la examinó con suma atención, ordenándole cama y descanso absoluto.

—No sé —le dijo a Jordán en la puerta de la calle, con la voz todavía baja—. Tiene una gran debilidad que no me explico. Y sin vómitos, nada... Si mañana se despierta como hoy, llámeme enseguida.

Al día siguiente, Alicia amanecía peor. Hubo consulta. Constatóse una anemia de marcha agudísima, completamente inexplicable. Alicia no tuvo más desmayos, pero se iba visiblemente a la muerte. Todo el día el dormitorio estaba con las luces prendidas y en pleno silencio. Pasábanse horas sin que se oyera el menor ruido. Alicia dormitaba. Jordán vivía en la sala, también con toda la luz encendida. Paseábase sin cesar de un extremo a otro, con incansable obstinación. La alfombra ahogaba sus pasos. A ratos entraba en el dormitorio y proseguía su mudo vaivén a lo largo de la cama, deteniéndose un instante en cada extremo para mirar a su mujer.

Pronto Alicia comenzó a tener alucinaciones, confusas y flotantes al principio, y que descendieron luego a ras del suelo. La joven, con los ojos desmesuradamente abiertos, no hacía sino mirar una alfombra a uno y otro lado del respaldo de la cama. Una noche quedó de repente con los ojos fijos. Al rato abrió la boca para gritar, y sus narices y labios se perlaron de sudor.

—¡Jordán! ¡Jordán! —clamó, rígida de espanto, sin dejar de mirar la alfombra.

Jordán corrió al dormitorio, y al verlo aparecer Alicia lanzó un alarido de horror.

—¡Soy yo, Alicia, soy yo!

Alicia lo miró con extravío, miró la alfombra, volvió a mirarlo, y después de largo rato de estupefacta confrontación, se serenó. Sonrió y tomó entre las suyas la mano de su marido, acariciándola por media hora, temblando.

Entre sus alucinaciones más porfiadas, hubo un antropoide apoyado en la alfombra sobre los dedos, que tenía fijos en ella sus ojos.

Los médicos volvieron inútilmente. Había allí delante de ellos una vida que se acababa, desangrándose día a día, hora a hora, sin saber absolutamente cómo. En la última consulta, Alicia yacía en estupor, mientras ellos pulsaban, pasándose de uno a otro la muñeca inerte. La observaron largo rato en silencio, y siguieron al comedor.

—Pst... —se encogió de hombros desalentado su médico—. Es un caso inexplicable... Poco hay que hacer.

—¡Sólo eso me faltaba! —resopló Jordán. Y tamborileó bruscamente sobre la mesa.

Alicia fue extinguiéndose en subdelirio de anemia, agravado de tarde, pero remitía siempre en las primeras horas. Durante el día no avanzaba su enfermedad, pero cada mañana amanecía lívida, en síncope casi. Parecía que únicamente de noche se le fuera la vida en nuevas oleadas de sangre. Tenía siempre al despertar la sensación de estar desplomada en la cama con un millón de kilos encima. Desde el tercer día este hundimiento no la abandonó más. Apenas podía mover la cabeza. No quiso que le tocaran la cama, ni aun que le arreglaran el almohadón. Sus terrores crepusculares avanzaban ahora en forma de monstruos que se arrastraban ante la cama, y trepaban dificultosamente por la colcha.

Perdió luego el conocimiento. Los dos días finales deliró sin cesar a media voz. Las luces continuaban fúnebremente encendidas en el dormitorio y la sala. En el silencio agónico de la casa, no se oía más que el delirio monótono que salía de la cama, y el sordo retumbo de los eternos pasos de Jordán.

Alicia murió, por fin. La sirvienta, cuando entró después a deshacer la cama, sola ya, miró un rato extrañada el almohadón.

—¡Señor! —llamó a Jordán en voz baja—. En el almohadón hay manchas que parecen de sangre.

Jordán se acercó rápidamente y se dobló sobre aquél. Efectivamente, sobre la funda, a ambos lados del hueco que había dejado la cabeza de Alicia, se veían manchitas oscuras.

—Parecen picaduras —murmuró la sirvienta, después de un rato de inmóvil observación.

—Levántelo a la luz —le dijo Jordán.

La sirvienta lo levantó, pero enseguida lo dejó caer y se quedó mirando a aquél, lívida y temblando. Sin saber por qué, Jordán sintió que los cabellos se le erizaban.

—¿Qué hay? —murmuró con voz ronca.

—Pesa mucho —articuló la sirvienta, sin dejar de temblar.

Jordán lo levantó; pesaba extraordinariamente. Salieron con él, y sobre la mesa del comedor Jordán cortó la funda y envoltura de un tajo. Las plumas superiores volaron, y la sirvienta dio un grito de horror con toda la boca abierta, llevándose las manos crispadas a los bandós. Sobre el fondo, entre las plumas, moviendo lentamente las patas velludas, había un animal monstruoso, una bola viviente y viscosa. Estaba tan hinchado que apenas se le pronunciaba la boca.

Noche a noche, desde que Alicia había caído en cama, había aplicado sigilosamente su boca —su trompa mejor dicho— a las sienes de aquélla, chupándole la sangre. La picadura era casi imperceptible. La remoción diaria del almohadón sin duda había impedido al principio su desarrollo, pero desde que la joven no pudo moverse la succión fue vertiginosa. En cinco días, en cinco noches, había vaciado a Alicia.

Estos parásitos de las aves, diminutos en el medio habitual, llegan a adquirir en ciertas condiciones proporciones enormes. La sangre humana parece serles particularmente favorable, y no es raro hallarlos en los almohadones de pluma.

SI QUIERES, LEE MÁS DE QUIROGA

- *Los desterrados y otros textos*, Castalia, Madrid, 1990.
- *Anaconda*, Losada, Buenos Aires, 1995.
- *Novelas y relatos completos*, Losada, Buenos Aires, 1998.

- *Síncope blanco y otros cuentos de locura y terror*, Valdemar, Madrid, 1999.
- *Diario de viaje a París*, Losada, Buenos Aires, 2000.
- *Cuentos de la selva*, Época, México, 2004.
- *Cuentos*, Porrúa, México, 2006.
- *El salvaje*, Libros del Zorro Rojo, Madrid, 2007.
- *El almohadón de plumas y otros cuentos*, Alfaguara, Buenos Aires, 2011.
- *Cuentos de amor, de locura y de muerte*, Editores Mexicanos Unidos, México, 2013.

H. P. LOVECRAFT

Howard Phillips Lovecraft nació en Providence, Rhode Island, en 1890, donde también murió en 1937. Heredero de los temas y obsesiones de Edgar Allan Poe, este escritor estadounidense es autor de una vasta obra que incluye novelas, cuentos y poemas, publicados en revistas especializadas, y que sólo después de su muerte vieron la luz coleccionados en libros. A partir de entonces, se convirtió en uno de los escritores más leídos y está considerado como un renovador de la literatura fantástica y terrorífica, que reactualiza el género gótico, la ciencia ficción y las múltiples pesadillas sobre lo extraño y sobrenatural.

"Los gatos de Ulthar" es uno de los cuentos que Lovecraft escribió en su primera época. Es una obra maestra del género, y una de las narraciones preferidas de su autor. Con un manejo excepcional de la tensión narrativa nos ofrece un ambiente sórdido de venganza, en medio del cual los protagonistas son los misteriosos y amigables felinos domésticos.

Los gatos de Ulthar

LA GENTE DICE que en Ulthar, una ciudad localizada más allá del río Skai, ninguna persona tiene permitido matar a un gato; y puedo creer que esto es cierto en tanto contemplo y admiro a ese gato que descansa, ronroneando, junto al fuego. Porque el gato es críptico, misterioso y próximo a todas las cosas extrañas que el hombre es incapaz de ver. El gato es el alma del antiguo Egipto, y el portador de historias de ciudades olvidadas en Meroe y Ophir. Es hermano de los reyes de la selva y heredero de los secretos de la vieja y siniestra África. La Esfinge es su prima, y por eso él habla su idioma; pero es más viejo que la Esfinge y recuerda aquello que ella ha olvidado.

En Ulthar, antes de que la gente prohibiera la matanza de los gatos, vivieron un viejo campesino y su esposa, quienes sentían un especial deleite cuando atrapaban y daban muerte a los gatos de los vecinos. ¿Por qué lo hacían? En realidad, no puedo saberlo, pero sí sé que muchos odian la voz del gato en la noche, y aborrecen que los gatos corran, sigilosos, por patios y jardines cuando comienza a atardecer. Sin embargo, cualquiera que sea la causa, este viejo y su mujer gozaban atrapando y matando a cada gato que se acercara a su cabaña; y, por los ruidos que se escuchaban después del anochecer, los lugareños suponían que la manera de matarlos debió ser horripilante. La verdad es que los aldeanos no se quejaban de estas cosas ante el viejo y su mujer, debido, sobre todo, a las mustias expresiones de sus rostros,

y porque su pequeña cabaña estaba escondida entre la sombra siniestra de unos frondosos robles en un descuidado patio trasero. Lo cierto
es que los dueños de los gatos, odiaban lo mismo que temían a estos
repelentes seres y, en lugar de enfrentarlos por lo que eran, asesinos
brutales, se conformaban conque ninguno de sus queridos gatos se
acercara a la oscura y lejana cabaña. Cuando por algún inevitable
descuido un gato se extraviaba y se escuchaban ruidos en la noche,
el dueño de la mascota sólo podía lamentarse, o se consolaba agrade-
ciendo al Destino que el desaparecido no fuera ninguno de sus hijos,
sino tan sólo su gato, pues la gente de Ulthar era simple y no sabía el
origen sagrado de estos felinos.

Un día, una caravana de extraños visitantes, procedentes del sur,
entró a las estrechas y empedradas calles de Ulthar. Aquellos peregrinos eran oscuros, y muy distintos a otros que vagaban y pasaban por
Ulthar dos veces al año. En el mercado encontraron fortuna a cambio
de plata, y compraron alegres cuentas a los comerciantes. Nadie sabía
cuál era la tierra de estos peregrinos, pero en la ciudad se les vio entre-
gados a extrañas plegarias, y se hizo notar que habían pintado en los
costados de sus carros raras figuras, de cuerpos humanos con cabezas
de gatos, águilas, carneros y leones. Y el líder de la caravana llevaba un
gorro con dos cuernos, con un curioso disco entre ellos.

En esta singular caravana había un pequeño huérfano que se dedicaba a cuidar a un gatito negro. La peste no había sido piadosa con él,
y aunque le había arrebatado a sus padres, le había dejado ese pequeño
y peludo animal para mitigar su dolor; y ya se sabe que cuando uno
es muy joven, puede encontrar un gran alivio en las alegres travesuras
de un gatito negro. De esta forma, el niño, al que la gente oscura llamaba Menes, podía sonreír más frecuentemente de lo que solía llorar,
mientras jugaba con su gracioso gatito en los escalones de un carro que
estaba pintado de extraña manera.

En la tercera mañana que pasaron los peregrinos en Ulthar, Menes
no pudo encontrar a su gatito; y mientras lloraba en el mercado, algunos aldeanos le contaron del viejo y su mujer, y de los ruidos escuchados
por la noche. Al oír esto, el niño pasó de los sollozos a la meditación,
y finalmente a la plegaria. Alzó sus brazos hacia el sol y entonó una

oración en un idioma que ningún habitante de Ulthar pudo entender; aunque tampoco se esforzaron mucho en hacerlo, pues toda su atención se concentró en el cielo, donde las nubes asumieron formas extrañas. Esto era muy singular, pues mientras el niño oraba, parecían formarse arriba las figuras sombrías y nebulosas de cosas exóticas; de criaturas híbridas coronadas con discos astados. La naturaleza está llena de ilusiones que impresionan al imaginativo.

Esa misma noche los peregrinos abandonaron Ulthar y no se les vio nunca más. Pero los habitantes se preocuparon al darse cuenta de que en todo el pueblo no había ningún gato. El gato familiar de cada hogar había desaparecido; los gatos grandes y pequeños, negros, grises, rayados, amarillos y blancos. El viejo Kranon, el burgomaestre, aseguró que la gente oscura se había llevado a los gatos como venganza por la muerte del gatito de Menes, y lanzó una maldición a la caravana y al niño. Pero Nith, el enjuto notario, declaró que el viejo campesino y su esposa eran probablemente los más sospechosos, pues su odio por los gatos era más que sabido por todos. Nadie se quejó ante el siniestro dúo, a pesar de que Atal, el hijo del posadero, juró que había visto a todos los gatos de Ulthar al atardecer en aquel patio maldito bajo los árboles. Según Atal, los gatos caminaban en círculos lenta y solemnemente alrededor de la cabaña, dos en una línea, como realizando algún rito bestial del que nada se ha oído. Los aldeanos no podían creerle todo a un niño tan pequeño, y aunque temían que el malvado par había conducido a los gatos hacia su muerte, preferían no confrontar al viejo de la cabaña y a su esposa hasta encontrárselos afuera de su oscuro y repelente patio.

Fue así como Ulthar se durmió con un frustrante enfado; y cuando la gente despertó al amanecer ¡he ahí que cada gato estaba de vuelta en su acostumbrado fogón! Grandes y pequeños, negros, grises, rayados, amarillos y blancos, ninguno faltaba. Reaparecieron incluso muy brillantes y gordos, y con sonoros ronroneos de satisfacción. Los habitantes comentaban unos con otros sobre el suceso, maravillándose. El viejo Kranon insistió en que era la gente de la caravana la que se los había llevado, puesto que jamás se había sabido de un gato que regresara con vida de la cabaña del viejo y su mujer. Pero todos coincidieron en una cosa: que la negativa de todos los gatos a comer sus porciones de carne o a beber de sus platillos de leche era muy extraña. Y durante dos días enteros los gatos de Ulthar, brillantes y satisfechos, no tocaron su comida; solamente dormitaron ante el fuego o bajo el sol.

Hubo de transcurrir una semana antes de que los habitantes de Ulthar notaran que en la cabaña bajo los árboles no se encendían luces al atardecer. Luego, el flaco Nith recalcó que nadie había visto al viejo y a su mujer desde la noche en que los gatos desaparecieron. Una semana después, el burgomaestre decidió vencer sus temores y llamar a la silenciosa morada, más como un asunto del deber que por otra cosa, aunque fue cuidadoso de llevar consigo, como testigos, a Shang, el herrero, y a Thul, el picapedrero. Cuando echaron abajo la frágil puerta, esto fue lo único que encontraron: dos esqueletos humanos limpiamente descarnados sobre el suelo de tierra, y un gran número de extraños escarabajos arrastrándose por las esquinas sombrías.

Más tarde hubo mucho que comentar entre los habitantes de Ulthar. Zath, el forense, discutió largamente con Nith, el delgado notario; y Kranon y Shang y Thul fueron abrumados con preguntas. Incluso el pequeño Atal, el hijo del posadero, fue minuciosamente interrogado y, como recompensa, le dieron una fruta confitada. Todos hablaron del viejo campesino y su esposa, de la caravana de oscuros peregrinos, del pequeño Menes y de su gatito negro, de la oración que rezó Menes y de los cambios en el cielo durante aquella plegaria, de la actitud de los gatos la noche en que se fue la caravana, y de lo que después se encontró en la cabaña bajo los árboles, en aquel repulsivo patio.

Y, por último, los habitantes aprobaron aquella ley extraordinaria, que es referida por los mercaderes en Hatheg y discutida por los viajeros en Nir; a saber: que en Ulthar ninguna persona puede matar a un gato.

Traducción de Juan Domingo Argüelles.

SI QUIERES, LEE MÁS DE LOVECRAFT

- *La habitación cerrada y otros cuentos de terror*, Alianza, Madrid, 1993.
- *El horror de Dunwich*, Alianza Editorial, Madrid, 1996.
- *Narrativa completa*, Valdemar, Madrid, 2007, 2 volúmenes.
- *Visiones*, Norma, Bogotá, 2007.
- *Las ratas en las paredes*, Fontamara, México, 2008.
- *Hongos de Yuggoth y otros poemas fantásticos*, Valdemar, Madrid, 2010.
- *Relatos completos*, Terramar, Buenos Aires, 2011, 2 volúmenes.
- *El Necromicón*, La Factoría de Ideas, Madrid, 2011.
- *En las montañas de la locura*, Cátedra, Madrid, 2012.
- *Los mitos de Cthulhu*, Grupo Editorial Tomo, México, 2013.

Tristes, crueles y trágicos

Nikolái Gógol

Nikolái Vasílievich Gógol nació en Soróchinsti, Ucrania, en 1809, y murió en Moscú en 1852. Junto con Chéjov, Dostoievski y Tolstói, es uno de los más importantes narradores rusos del siglo xix. Escribió teatro, pero su mayor gloria literaria está en la novela y el cuento, géneros en los que produjo obras maestras del realismo no exentas de tintes fantásticos y, sobre todo, caracterizadas por el profundo conocimiento psicológico del comportamiento humano. Algunos de sus cuentos rompen por completo los esquemas del realismo y se insertan plenamente en la fantasía e incluso en lo estrambótico.

"El capote" es quizá el cuento más famoso de Gógol, aunque no sea el único inolvidable que produjo este gran escritor. De la descripción de la gris realidad burocrática rusa, el narrador traslada a los lectores, con un giro fantástico, al cuento de fantasmas.

El capote

En el Departamento de..., pero es preferible no mencionar el nombre, pues nada hay tan susceptible como los departamentos, los regimientos, los tribunales de justicia y, en una palabra, todas las ramas del servicio público y las diversas clases de funcionarios. Cada individuo piensa, hoy en día, que si se alude a su persona, se insulta a toda la sociedad en su conjunto. Muy recientemente, cierto oficial de policía presentó una denuncia ante un juez de paz en la que lamentaba que todas las instituciones imperiales estuvieran a punto de perecer, ya que el nombre mismo del zar no se respetaba, y como prueba de su reclamo adjuntaba a su queja una voluminosa novela en la cual el autor, a cada diez páginas, hacía aparecer borracho a un capitán de policía. Por lo tanto, con el fin de evitarnos incidentes desagradables, designaremos a este Departamento del que hablamos como un simple departamento.

Pues bien: en cierto departamento, había un funcionario: un funcionario que no tenía nada de especial, pues era bajo de estatura, un poco marcado de viruelas, algo pelirrojo, medio cegatón, calvo, con las mejillas arrugadas y un color de cutis de ese que suele denominarse hemorroidal... El clima de San Petersburgo era en parte responsable de esto. En cuanto a su rango (pues en nuestra patria el rango va siempre por delante) era lo que se llama un consejero titular a perpetuidad, jerarquía de la que, como es bien sabido, algunos escritores se han mofado, afilando mucho su ingenio y burlándose con saña, como ya es su costumbre, de aquellos que no les pueden devolver las burlas.

El apellido de este funcionario era Bashmachkin, que sin duda se derivaba de "bashmak" (zapato). Lo que nadie sabía es en qué momento y de qué manera se produjo la derivación. Su padre y su abuelo, y todos los Bashmachkin, siempre llevaban botas a las cuales les cambiaban únicamente las suelas dos o tres veces al año. Su nombre era Akaki Akakievich. Al lector podría parecerle bastante raro y rebuscado, pero podemos asegurarle que no lo era en absoluto y que las circunstancias en las que se le dio el nombre fueron tales, que hubiera sido imposible darle cualquier otro.

Las cosas ocurrieron del siguiente modo: Akaki Akakievich nació, si mi memoria no me falla, en la noche del 23 de marzo. Su madre, que en paz descanse, esposa de un funcionario del Gobierno, y una muy buena mujer, hizo todos los preparativos de rigor para que el niño fuera bautizado. Aún estaba en cama, convaleciente, frente a la puerta, y a su derecha se encontraban el padrino, Iván Ivanovich Eroshkin, un hombre muy estimable, quien se desempeñó como jefe del Senado, y la madrina, Anna Semionovna Bielobrushkova, esposa de un oficial de policía, y una mujer virtuosa. Los padrinos propusieron a la madre que eligiera entre tres nombres: Mokki, Sossi o Khozdazat, este último el de un mártir. "No —dijo la buena mujer—, todos esos nombres son muy insignificantes. A fin de complacerla, abrieron el calendario en otra página y ahí aparecieron otros tres nombres: Trifili, Dula y Varakhasi. "¡No puede ser! —dijo la madre—. ¡Vaya con esos nombrecitos! Nunca escuché nada igual. Si por lo menos se llamara Varadat o Varuj..., ¡pero no Trifili ni Varakhasi! Otra vez regresaron al calendario, lo abrieron en otra página y encontraron Pavsikaji y Vakhtisi. "Ahora veo claramente —dijo la mujer— que esta es cosa del destino, y siendo así mil veces prefiero ponerle el nombre de su padre. El nombre de su padre era Akaki, y Akaki será también el nombre del hijo" Y de esta manera resultó llamándose Akaki Akakievich. Lo bautizaron, y cuando ello ocurrió se echó a llorar e hizo tales muecas, como si presintiera que iba a ser un consejero titular a perpetuidad.

Así fue como ocurrieron las cosas. Hemos mencionado todo esto a fin de que el lector pueda ver por sí mismo que las cosas resultaron lógicas y que fue absolutamente imposible darle cualquier otro nombre. ¿Cuándo y cómo entró en el departamento, y quién lo nombró? Nadie puede recordarlo. Los directores y jefes de toda clase cambiaron infinidad de veces, pero a él se le veía siempre en el mismo lugar, con la misma actitud y la misma ocupación, de modo que se afirmaba de él que había nacido con el uniforme puesto y con la cabeza calva. En el departamento no se le daba el más mínimo respeto. Los porteros no sólo no se levantaban de sus asientos cuando él pasaba, sino que ni siquiera lo miraban, como si sólo se tratara de una mosca que había volado desde la recepción a la sala. Sus superiores lo trataban de manera despótica y fría. Cualquier subjefe le ponía simplemente los papeles debajo de la nariz sin siquiera decirle: "Cópielos" o bien: "Éste es un asunto importante", o cualquier otra expresión, como es costumbre entre los funcionarios bien educados. Pero él tomaba todo lo que le alargaban, mirando tan sólo el papel, sin observar quién se lo entregaba, y ni siquiera si el que lo hacía tenía derecho a hacerlo. Simplemente lo tomaba y se dedicaba de inmediato a copiarlo.

Los jóvenes oficiales se reían y burlaban de él, hasta donde su pobre ingenio oficinesco se los permitía; referían en su presencia varias historias inventadas acerca de él, y sobre su casera, una anciana setentona; decían que ella le pegaba y le preguntaban cuándo se iban a casar, y le esparcían trozos de papel sobre su cabeza, diciendo que era nieve. Pero Akaki Akakievich no protestaba ni siquiera con una palabra ante todo esto, y reaccionaba lo mismo que si no hubiera nadie delante de él. Estas acciones molestas ni siquiera tenían algún efecto en su trabajo: en medio de todas estas impertinencias no cometía jamás siquiera un error en una carta. Únicamente si la broma se convertía en algo totalmente insoportable, como cuando le empujaban el codo impidiéndole realizar su trabajo, exclamaba: "¡Déjenme! ¿Por qué me lastiman?" Y había algo angustioso en sus palabras y en su voz al pronunciarlas. Había en él algo que movía a la piedad, hasta el punto de que un joven, un recién llegado a la oficina que, imitando a lo demás, se había permitido burlarse de Akaki Akakievich, de repente se detuvo en seco, como si todo a su alrededor se hubiera transformado y presentase un aspecto diferente. Una fuerza invisible lo apartaba de sus colegas a quienes en un principio había tomado por personas decentes y civilizadas. Y, mucho tiempo después, incluso en sus momentos más alegres, se le aparecía en su mente el pequeño funcionario calvo, con su desgarradora súplica: "¡Déjenme! ¿Por qué me lastiman?" Y junto a esta lacerante súplica resonaban otras palabras: "Soy tu hermano". Y entonces, a menudo, el joven oficinista se cubría la cara con las manos, y se estremecía al ver cuánta inhumanidad había en el ser humano, cuánta rudeza salvaje se ocultaba debajo de su refinamiento, su educación y sus sutiles modales, incluso, ¡oh, Dios!, hasta en los hombres a quienes el mundo solía reconocer como nobles y honorables.

Era difícil encontrar en otra parte a un hombre que viviese enteramente entregado a su trabajo. No es suficiente decir que Akaki Akakievich trabajaba con celo, no, él, además, trabajaba con amor. En sus copias, encontraba un mundo especial, amplio y hermoso. El placer se reflejaba en su rostro: algunas letras eran incluso sus favoritas, y cuando las escribía se embelesaba: sonreía, guiñaba los ojos y apretaba los labios, como si cada letra que producía su pluma pudiese leerse en su rostro. Si su salario hubiera estado en proporción a su celo, sería, tal vez, para su gran asombro, un consejero de Estado. Pero en su trabajo, como solían afirmar sus irritantes compañeros, en lugar de condecoraciones o de mejores recompensas pecuniarias, lo único que había ganado en abundancia eran hemorroides.

Por otra parte, tampoco sería justo decir que no se le guardara alguna atención. Un director, hombre de buen corazón, deseando recompensarlo por sus largos servicios, ordenó que le dieran un trabajo más importante que el simple oficio de copista. Así que se le comisionó para redactar un breve informe de un asunto ya concluido para enviarlo a otro departamento, consistiendo la labor simplemente en cambiar el título y modificar algunas palabras de la primera a la tercera persona gramatical. Esto significó para él tanto esfuerzo que sudaba a mares y se frotaba la frente hasta que finalmente dijo: "No, mejor que me den a copiar cualquier cosa". Y desde ese momento se quedó de copista para siempre.

Fuera de estas copias, parecía que, para él, no existía nada. No se preocupaba de su vestimenta, pues su uniforme ya no era verde, como originalmente había sido, sino de un color rojizo semejante a la harina oxidada. El cuello del mismo era tan estrecho y bajo que, a pesar de que él no era en absoluto de largo cogote, daba la impresión de que tenía un pescuezo larguísimo, como el cuello de esos gatos de yeso que menean sus cabezas, y que se venden por docenas en las calles. Y además siempre había algo adherido a su uniforme, ya sea alguna hilacha o alguna brizna de heno, y tenía un talento especial, cuando caminaba por las calles, para pasar debajo de una ventana en el instante preciso en que arrojaban todo tipo de basura: de ahí que siempre llevara sobre el sombrero cosas tan absurdas como cáscaras y pepitas de melón y otros desechos parecidos. Ni una sola vez en su vida le había prestado importancia a lo que ocurría diariamente en la calle, mientras que, como es bien sabido, sus jóvenes compañeros de oficina miraban todo con mucha atención, lanzando sus despiertas e impertinentes miradas hasta encontrar en la acera de enfrente una correa rota en el pantalón de un transeúnte cualquiera, lo que les provocaba escandalosas risas y sonrisas maliciosas. Pero Akaki Akakievich, aunque mirase algo, no tenía ojos sino para ver sus renglones derechos, escritos con esmerada caligrafía, y únicamente cuando un caballo, salido de cualquier parte, le ponía su hocico encima de sus hombros y le resoplaba en el cuello, caía entonces en cuenta de que no estaba en medio de una página, sino en medio de la calle.

Al llegar a su casa, se sentaba de inmediato a la mesa, cenaba su sopa de col y engullía rápidamente un trozo de carne de res con cebolla, sin paladear en absoluto y más bien tragando que comiendo, con moscas y con todo lo que Dios le enviara en ese momento. Una vez que sentía el estómago repleto, se levantaba de la mesa, sacaba un tintero y se ponía a copiar los papeles que había llevado de la oficina. Cuando no había tales papeles que implicasen una tarea, tomaba a propósito cualquier escrito y lo copiaba para su íntima satisfacción, sobre todo si el documento era notable no tanto por la belleza de su estilo, sino sobre todo por estar dirigido a una persona importante o distinguida.

A la hora en que el cielo gris de San Petersburgo se apaga totalmente, y toda la población de empleados ya ha cenado según sus posibilidades y de acuerdo con su salario y su particular gusto; cuando todos han abandonado las faenas departamentales y han dejado de correr de aquí para allá con los deberes propios y ajenos y la gran cantidad de tareas que el individuo inquieto se impone excediéndose incluso en sus oficios; cuando los funcionarios se apresuran a dedicar al placer el tiempo que les queda; unos más audaces que otros van al teatro o salen a la calle a recrearse la mirada bajo ciertos sombreritos, otros pasan la tarde en una tertulia prodigando elogios a una linda muchacha —estrella de un pequeño círculo oficial—, y los más se encaminan simplemente a un tercer o cuarto piso donde algún colega tiene un par de pequeñas habitaciones con su antesala y su cocina y algunas cosillas con pretensiones de lujo (una lámpara o alguna cosa parecida) que le ha costado más de un sacrificio y muchas renuncias a comidas y recreos; en una palabra, a la hora en que todos los funcionarios se dispersan por las pequeñas viviendas de sus amigos, a jugar al whist, beber té y comer galletas de a un kópek, aspirando el humo de largas pipas y contándose, mientras barajan y dan las cartas, algunos chismes puestos en circulación por la alta sociedad y a los cuales no puede renunciar un ruso bajo ninguna circunstancia, o cuando no hay nada más que hablar, repitiendo anécdotas eternas, como aquella referida al comandante a quien habían mandado a decir que la cola del caballo del monumento a Pedro el Grande había sido cortada; pues bien, hasta cuando todos procuraban divertirse y olvidar el trabajo departamental, Akaki Akakievich no se permitía ningún tipo de distracción. Nadie podía decir que lo había visto jamás en cualquier tipo de fiesta por la noche. Después de copiar cuanto podía, se acostaba a dormir, sonriendo de sólo pensar en el día siguiente: ¿Qué le enviaría Dios para copiar mañana?

Así transcurría la vida pacífica de este hombre que, con un sueldo de cuatrocientos rublos anuales, estaba contento con su suerte, y que hubiera tal vez proseguido hasta una edad muy avanzada de no haber sido por las desgracias que no sólo caen sobre los consejeros titulares a lo largo de su existencia, sino también sobre los consejeros secretos, efectivos y de todo tipo, e incluso sobre aquellos que no dan ni piden ningún consejo.

Existe en San Petersburgo un poderoso enemigo de todos los que reciben un sueldo de cuatrocientos rublos al año, más o menos. Este enemigo no es otro que el frío del Norte, aunque por lo demás se diga de él que es muy saludable. Minutos antes de las nueve de la mañana, a la misma hora en que las calles están llenas de hombres con destino a las distintas dependencias oficiales, el frío comienza a repartir aletazos tan fuertes y punzantes en todas las narices, y con tal imparcialidad, que los funcionarios pobres realmente no saben dónde dejarlas. A una hora en que hasta a los más altos funcionarios les duele la cabeza por el intenso frío y las lágrimas aparecen en sus ojos, los pobres consejeros titulares se encuentran realmente indefensos. Su única salvación consiste en correr lo más rápidamente posible envueltos en sus delgados capotes, cinco o seis calles, y luego, cuando han llegado a la portería de la oficina, calentar sus pies dando fuertes zapatazos en el suelo, hasta que de este modo se deshielen todos los talentos y aptitudes para el servicio oficial que se habían congelado en el camino.

Akaki Akakievich había sentido desde hace tiempo que su espalda y sus hombros sufrían con especial intensidad, a pesar del hecho de que él trataba de salvar las distancias en las calles con la mayor rapidez posible. Comenzó finalmente a preguntarse si el culpable de todo esto no sería su capote. Lo examinó cuidadosamente en casa y descubrió que en dos o tres lugares, y especialmente en la espalda y en los hombros, la tela se había convertido en una especie de gasa delgada; a tal punto estaba desgastada la tela por el uso en esas partes que se podía ver a través de ella y el forro se había desgarrado dejando al descubierto grandes partes. Es importante decir que el capote de Akaki Akakievich servía también de objeto de bromas de los demás funcionarios, que hasta le quitaron el noble nombre de capote calificándolo simplemente de capucha. En efecto, tenía un aspecto muy peculiar: el cuello disminuía año con año, cada vez más, porque buenas tiras de él servían para remendar el resto. Quien hubiese llevado a cabo tales remiendos no mostraba por lo visto gran destreza, pues el capote entero cada vez presentaba más desgarbo y fealdad. Al ver esto, Akaki Akakievich decidió que sería necesario llevar el capote a Petrovich, un sastre con el rostro todo marcado de viruelas, que vivía en un cuarto piso al que se accedía por medio de una oscura escalera, y que, a pesar de que era bizco, se ocupaba con bastante habilidad de la reparación de los pantalones y abrigos de los funcionarios y otras gentes, aunque, es importante decir, que únicamente cuando estaba sobrio y no tenía ninguna otra idea en la cabeza.

No es necesario decir demasiado sobre este sastre, pero como ya se hizo costumbre definir, en las narraciones, el carácter de cada personaje, no habrá más remedio que ocuparnos del tal Petrovich. En un principio se llamaba simplemente Grigori, y era un hombre fuerte que servía de criado de un señor. Comenzó a llamarse Petrovich desde el momento en que recibió sus documentos de libertad, y además comenzó a beber en exceso todos los días festivos, en un primer momento en los grandes festejos y, más tarde, sin discriminación ninguna, en todo tipo de festividades religiosas, es decir en donde hubiera alguna cruz en el calendario. En este punto era fiel a la costumbre de sus antepasados, y solía reñir con su mujer, a la que llamaba pecadora y tudesca. Y dado que ya hemos mencionado a su esposa, será necesario decir una o dos palabras acerca de ella. Desafortunadamente, nada se sabe de ella más allá del hecho de que era la mujer de Petrovich, que llevaba una cofia y no una mantilla en la cabeza, que no era precisamente bella y que, a lo sumo, nadie más que los soldados de la guardia, quizá alguna vez, la habrán mirado por debajo de su gorro al tiempo que hacían muecas o guiños con el bigote.

Subiendo la escalera que conducía a la casa de Petrovich —que, a decir verdad, estaba toda empapada de agua y apestaba con ese olor espirituoso que hace arder los ojos y que, como todo el mundo sabe, es característica inevitable de todos los pisos interiores y oscuros de San Petersburgo—, subiendo la escalera, decimos, a la casa de Petrovich, Akaki Akakievich meditaba cuánto pretendería cobrarle el sastre y, mentalmente, resolvió no darle más de dos rublos. La puerta estaba abierta, porque su mujer, en la cocina, preparaba un poco de pescado y había levantado tal humareda que no se podía ver ni siquiera a las cucarachas. Akaki Akakievich pasó junto a la cocina sin ser siquiera notado por la mujer, y entró a la habitación donde encontró a Petrovich sentado en una ancha mesa de madera sin pintar, con las piernas cruzadas como un pachá turco y con los pies descalzos, como era costumbre de los sastres cuando estaban trabajando. Y lo que más llamaba

la atención era su pulgar, perfectamente conocido por Akaki Akakievich, con la uña destrozada y gruesa como caparazón de tortuga. Sobre
el cuello de Petrovich colgaba una madeja de hilo de seda, y sobre sus
rodillas se podían ver retazos de trapos viejos. Hacía tres minutos que
intentaba, sin éxito, enhebrar su aguja, y por eso maldecía de la oscuridad y del mismo hilo, gruñendo en voz baja: "No pasa el imbécil; me
vuelve loco este bribón".

Akaki Akakievich se sintió desalentado por haber llegado en el
momento preciso en que Petrovich estaba de tan mal humor, pues
prefería hacer sus encargos cuando el sastre estaba un poco borracho
o, para decirlo con las palabras de su mujer, "cuando ese diablo tuerto
estaba tan ebrio como una cuba". En tales circunstancias, Petrovitch
generalmente rebajaba con mucha facilidad sus precios y hasta daba
las gracias y hacía reverencias. Después, como era natural, su esposa
lloriqueaba ante los clientes, quejándose de que su marido estaba borracho cuando había fijado el precio demasiado barato, y añadía que con
agregar al precio unos diez kópeks, con eso se arreglaba el asunto. Pero
ahora parecía que Petrovich estaba sobrio y, por lo tanto, áspero y taciturno, e inclinado a poner precios diabólicos. Por ello, Akaki Akakievich decidió emprender la retirada, y ya se disponía a darse la vuelta
cuando Petrovich le clavó la mirada con su ojo bueno, y Akaki Akakievich, hecho un lío, dijo casi sin querer:

—¡Muy buenos días, Petrovich!

—Buenos días también para usted, señor —dijo Petrovich, dirigiendo su mirada ciclópea hacia las manos de Akaki Akakievich para
ver qué clase de botín le llevaba.

—Pues verá, usted, Petrovich, este, he venido a su casa, este...

Y es que conviene decir que Akaki Akakievich se expresaba las más
de las veces de una forma muy desordenada, con preposiciones, adver-
bios y partículas que no tenían ningún sentido. Si el asunto era algo
complicado, tenía la costumbre de ni siquiera terminar sus frases, de
modo que, con frecuencia, después de haber empezado una frase con
las palabras: "Esto, de hecho, es bastante...", después guardaba silencio sin enunciar el resto de lo que quería decir, pero imaginando que
ya lo había dicho.

—¿Qué cosa me trae? —preguntó Petrovich, escudriñando con su único ojo el uniforme de Akaki Akakievich, desde el cuello hasta los puños, sin ignorar la espalda, los faldones y los ojales, todo ello bien conocido por él, ya que se trataba de su propia obra. Tal es la costumbre de los sastres: lo primero que hacen es examinar el vestido del que llega.

—Pues yo..., aquí, este..., Petrovich, el capote..., la tela, ya lo ves; en casi todas las partes es muy fuerte, pero un poco polvoriento y parece viejo..., pero es nuevo; sólo un poco por aquí está algo..., este..., algo gastado en la espalda y este..., algo en el hombro..., pero es todo... El trabajo, este..., no es mucho...

Petrovich tomó el capote, lo extendió en primer lugar sobre la mesa, lo miró fijamente largo rato, movió la cabeza en sentido negativo y alargó el brazo hacia el alféizar de la ventana para tomar su tabaquera —una tabaquera adornada con el retrato de un general al que ya era imposible identificar, pues en el sitio donde debía estar su cara, la lámina estaba hundida como producto de un apretón con la mano, además de estar recubierta con un remiendo cuadrado de papel—, y luego de aspirar una pizca de rapé, levantó el capote y lo inspeccionó contra la luz, denegando una vez más con la cabeza. Después volteó el capote por el forro e hizo el mismo movimiento de cabeza; levantó nuevamente la tapa de su tabaquera adornada con el general remendado, y llevándose otra porción de rapé a la nariz, la cerró, la guardó y dijo finalmente:

—No. No tiene reparación. Es una prenda muy vieja. Es imposible repararla.

El corazón de Akaki Akakievich dio un vuelco al oír tales palabras.

—¿Por qué es imposible, Petrovich? —dijo casi con la voz suplicante de un niño—. Pero si lo único que está maltratado está en los hombros. Usted, este..., debe tener por ahí, este..., algún retazo...

—Precisamente por eso no puede repararse. Retazos tengo yo a montones —respondió el sastre—, pero no hay ningún lugar sobre esta prenda para coserlos. El paño está completamente podrido, y apenas lo toque con la aguja se desgarrará de nuevo.

—Pues que se desgarre; le pones otra vez un remiendo.

—Ése es el problema: que no hay un sólo sitio donde se pueda poner otro remiendo; no hay dónde sujetarlo; el paño está podrido. De paño ya sólo tiene el nombre; un día, cualquier soplo de viento lo deshace.

—Pero, Petrovich, tú sabes cómo; ya conseguirás que el remiendo se sujete... Refuérzalo..., este..., tú sabes..., sí puedes...

—No —dijo terminantemente Petrovich—. No hay nada que hacer con él. Este capote no tiene arreglo posible. Más te vale, sobre todo cuando ya tenemos casi encima el frío del invierno, hacerte unas *onuchkas* con él, ya que las medias no abrigan; las medias son sólo un invento de los alemanes con el fin de hacer más dinero —a Petrovich le gustaba aprovechar cualquier ocasión para insultar a los alemanes—. Está muy claro que debes mandarte a hacer un nuevo capote.

Al escuchar la palabra "nuevo", todo se oscureció ante los ojos de Akaki Akakievich, y todo en la habitación empezó a dar vueltas. Lo único que veía claramente era al general con la cara remendada de papel en la tapa de la tabaquera de Petrovich.

—¿Uno nuevo? —dijo, como si aún estuviera en un sueño—. ¿Pero cómo? No tengo dinero para eso.

—Sí, uno nuevo —reiteró Petrovich, con brutal tranquilidad.

—Bueno, y si fuera nuevo, ¿cómo sería, este...?

—¿Quieres decir que cuánto costaría?

—Sí.

—Pues te costaría un poco más de ciento cincuenta rublos —dijo Petrovich, y frunció los labios de manera significativa. Le gustaba producir efectos fuertes, le agradaba desconcertar de repente y echar una mirada de soslayo para ver la expresión de susto que ponía el afectado luego de sus palabras.

—¡Ciento cincuenta rublos por un capote! —exclamó, aturdido, el pobre Akaki Akakievich, dando quizá el primer grito en su vida desde que nació, ya que su voz siempre se había distinguido por ser apagada.

—¡Sí, señor! —dijo Petrovich— Y eso dependiendo del tipo de capote. Si usted quiere uno con piel de marta en el cuello o con capucha forrada de seda, entonces podría subir a doscientos.

—¡Pero, Petrovich, por Dios! —imploró Akaki Akakievich, tratando de no escuchar las palabras de Petrovich, y haciendo caso omiso de sus golpes de efecto—. Puedes hacerle a éste algunas reparaciones con el fin de que me sirva un poco más.

—No, de ningún modo; eso sólo sería una pérdida de tiempo y de trabajo y, por supuesto, de dinero —dijo Petrovich.

Y después de escuchar estas duras palabras Akaki Akakievich se fue completamente desolado. Pero Petrovich aún permaneció de pie por algún tiempo después de su partida, con los labios apretados de manera significativa, y sin reanudar su trabajo, orgulloso por haber mantenido la dignidad y no haber traicionado el honor de su oficio.

Akaki Akakievich salió a la calle como si estuviera en un sueño. "¡Este asunto —se dijo— no lo hubiese imaginado! No pensaba, este... que fuera tal..." Y luego, tras una pausa, siguió: "¡Así que así es! A lo que ha llegado esto... ¡Nunca me imaginé que fuera tan!..." Luego siguió otro largo silencio, tras el cual repitió: "¡Así que así es! ¡He aquí algo de veras inesperado! ¡No podría nunca imaginármelo! ¡Vaya un asunto!" Diciendo esto, en lugar de ir a su casa, tomó la dirección exactamente opuesta sin siquiera darse cuenta. En el camino, un deshollinador chocó contra él y le ennegreció el hombro, y sobre su sombrero cayeron escombros y basura desde la parte superior de una casa que estaban construyendo. Él no se dio cuenta de nada, y sólo recobró una escasa conciencia cuando tropezó con un guardia municipal que había colocado su alabarda a un costado para, con mano temblorosa por el frío, poner un poco de rapé de su tabaquera en su callosa mano, y que, enfurecido, lo increpó: "¿Por qué te metes casi en mis narices? ¿No tienes más acera?" Esto lo hizo mirar a su alrededor, y volver sobre sus pasos hacia su casa.

Sólo entonces comenzó a ordenar sus pensamientos y pudo ver con cierta claridad su situación; empezó a hablar consigo mismo ya sin incoherencias, lógica y francamente, como si le contara a un amigo confiable, a un confidente sensato, sus asuntos íntimos y personales. "No —concluyó Akaki Akakievich—. Ahora es imposible razonar con Petrovich. Es evidente que hoy su esposa le habrá dado una paliza. Lo mejor será que vaya a verle el domingo por la mañana, ya que después de la noche del sábado, luego de la borrachera, andará guiñando el ojo y estará medio dormido y necesitará curarse la resaca, y como su esposa no le dará ningún dinero para ello, será el momento ideal para deslizar en su mano una moneda de diez kópeks que lo pondrá de mejor humor para razonar sobre el arreglo del capote, sí, eso..." De este modo, confiado en dichos razonamientos, Akaki Akakievich recuperó su coraje, y esperó hasta el domingo, y cuando vio desde lejos que la esposa de Petrovich salía de la casa, fue directo hacia él. La mirada de Petrovich estaba en efecto muy torcida después del sábado: se le veía somnoliento y con la cabeza gacha, difícil de mantenerla erguida, pero apenas supo de qué se trataba el asunto y qué era lo que llevaba a Akaki Akakievich a buscarlo tan temprano en domingo, como empujado por el mismo demonio dijo:

—¡Imposible! Mándese hacer un capote nuevo.

Entonces, en ese preciso momento, Akaki Akakievich le puso en su mano la moneda de diez kópeks.

—Gracias, señor, ahora podré vigorizarme un poco bebiendo un par de tragos a su salud —dijo Petrovich—, pero en cuanto al capote, no se preocupe más por él, no sirve para nada. Le haré uno nuevo, el mejor que se haya visto nunca, uno que dará gloria verlo; me esmeraré, puede creerme.

Akaki Akakievich todavía trató de convencerlo para que lo reparase, pero Petrovich no quiso oír nada de ello, y le dijo:

—Hay que hacer uno nuevo; confíe en mí. Pondré en su confección todo mi esfuerzo. Incluso puedo hacérselo a la moda, con broches de plata en las solapas.

Entonces Akaki Akakievich vio que era imposible seguir adelante en su intento de convencer al sastre sobre la compostura de su viejo capote, y sus ánimos se derrumbaron. ¿Un capote nuevo? ¿Con qué dinero podía mandárselo hacer? Era cierto que él podría contar con el aguinaldo que le darían en las Navidades, pero también era verdad que ese dinero ya lo tenía distribuido y comprometido de antemano. Debía adquirir unos pantalones nuevos y saldar una deuda con el zapatero, que le había puesto nuevas suelas a sus viejas botas, y debía encargar a la costurera tres camisas y un par de piezas de esa ropa interior que la decencia literaria impide nombrar en letras de molde. En resumen, todo el dinero estaba asignado, e incluso admitiendo que el director fuera tan magnánimo de darle en vez de cuarenta rublos de aguinaldo, cuarenta y cinco o incluso cincuenta, el sobrante sería casi nada, sólo una gota en el océano del capital que necesitaba para mandarse hacer un capote nuevo. Sabía que a Petrovich a menudo le daba la locura de fijar precios escandalosos e inauditos por sus trabajos, que incluso su propia mujer no podía contenerse y exclamaba: "¿Has perdido el juicio, imbécil? ¡Otras veces trabajas de balde, y otras pides un precio que ni tú mismo vales!", pero también sabía que podía conseguir que, en el momento oportuno, y éste lo era, el sastre rebajara sus precios y hacerle el capote hasta por ochenta rublos. Pero aun si Petrovich se comprometiera a hacérselo por ochenta rublos, ¿de dónde los iba a sacar? Podía arreglárselas para juntar la mitad, sí, ¿pero de dónde podría sacar la otra parte? Pero, antes, debe saber el lector el medio por el cual Akaki Akakievich juntaría esa mitad. Nuestro empleado tenía la costumbre de poner, por cada rublo que gastaba, una monedita de medio kópek en un cofrecillo cerrado con candado y con una ranura en la parte superior para introducir el dinero. Al final de cada semestre, contaba el montón de monedas de cobre y cambiaba la suma por monedas de plata. Esto lo había venido haciendo durante mucho tiempo y al cabo de varios años había reunido una cantidad superior a los cuarenta rublos. De modo que la mitad para la confección del nuevo capote la tenía en sus manos, ¿pero de dónde iba a sacar la otra mitad?, ¿de dónde iba a obtener otros cuarenta rublos? Akaki Akakievich pensaba y pensaba, y llegó a la conclusión de que sería necesario reducir sus gastos ordinarios durante un año por lo menos: prescindir del té por la tarde, no encender la vela por la noche y, si debía copiar algo, ir a la habitación de su casera, y trabajar a la luz de la vela de ella; en la calle debería andar con el paso más ligero que de costumbre y como con precaución, casi de puntillas, como si anduviera sobre piedras, para no desgastar tan rápidamente las suelas de sus botas; debería dar a la lavandera la ropa blanca con la menor frecuencia posible y, a fin de que no se gastase, debería quitársela tan pronto como llegara a casa y quedarse únicamente con su batín de algodón, ya bastante viejo pero resistente al paso de los años.

A decir verdad, fue un poco difícil para él, al principio, acostumbrarse a estas privaciones, pero luego se habituó a ellas y, al fin, todo marchó sobre ruedas. Incluso se acostumbró a pasar hambre por la noche, pero lo compensó con el alimento espiritual, por así decirlo, que le daba la ilusión del futuro capote. A partir de ese momento su existencia pareció adquirir mayor plenitud, algo así como si se hubiera casado y alguna persona lo acompañara en su existencia; como si no estuviera solo, como si una agradable compañía hubiese consentido en recorrer con él el camino de su vida, y esa compañía no era otra que el capote mismo, perfectamente guateado y con un sólido forro inmune al desgaste. Akaki Akakievich se tornó más animoso e incluso su carácter adquirió cierta firmeza, como la de un hombre que se ha fijado una meta. De su rostro y de sus actos desaparecieron la duda y la indecisión, y todos los rasgos vacilantes e imprecisos desaparecieron de su carácter. Sus ojos brillaban en ocasiones y por su mente llegaban a pasar las ideas más audaces y atrevidas acerca del capote: ¿Por qué no, por ejemplo, ponerle piel de marta en el cuello? Esta idea estuvo a punto de volverlo un descuidado. Una vez, mientras copiaba un texto, estuvo a un paso de cometer un error, por lo que exclamó casi en voz alta: "¡Uf!", y se persignó. Una vez al mes, por lo menos, visitaba a Petrovich para hablar sobre el tema del capote: por ejemplo, dónde sería mejor comprar la tela, luego de determinar el color, y dónde conseguir el mejor precio. Y aunque sus preocupaciones no lo abandonaban del todo, siempre volvía a casa contento, pensando que por fin, más pronto que tarde, llegaría el momento de adquirir la tela y mandar hacer el nuevo capote.

Las cosas se aceleraron incluso más de lo que esperaba, pues contra todas sus esperanzas y pronósticos el director lo premió con un aguinaldo no de cuarenta ni de cuarenta y cinco rublos sino de sesenta. Quizá sospechara que Akaki Akakievich necesitaba un nuevo capote o simplemente así se dieron las cosas por mera casualidad; sea como fuere, tenía, en todo caso, veinte rublos adicionales con los que antes no contaba. Esta circunstancia apresuró las cosas. Luego de dos o tres meses más de pasar hambres, Akaki Akakievich logró reunir los ochenta rublos. Su corazón, por lo general muy tranquilo, comenzó a palpitar violentamente. En la primera oportunidad se fue de compras en compañía de Petrovich. Adquirieron una tela buenísima, y por un precio muy razonable, todo lo cual era lógico, pues tenían analizando el asunto más de medio año, y era raro el mes en que no habían acudido a las tiendas para estar al tanto de los precios y de la calidad del paño. El mismo Petrovich dijo que no había tela mejor que la que compraron. Para el forro eligieron percalina, pero tan resistente y de tan buena calidad que Petrovich aseguró que era mejor incluso que la seda, y más bonita y brillante. Renunciaron a comprar la piel de marta, porque ciertamente era muy cara y, en vez de ella, escogieron la mejor piel de gato que se podría encontrar en la tienda y que, de hecho, hasta podía pasar por marta sin la menor dificultad.

Petrovich trabajó en el capote dos semanas enteras, pues era necesario pespuntear mucho; de lo contrario hubiera terminado antes. Le cobró por la hechura doce rublos; menos, hubiera sido imposible. Todo el capote estaba cosido con hilo de seda, con pequeñas costuras dobles, a cada una de las cuales el sastre le dio un repaso con sus propios dientes, estampando así su firma. Un día... —es difícil precisar la fecha, pero seguramente fue el día más glorioso y solemne en la vida de Akaki Akakievich— Petrovich, por fin, le llevó a su casa el capote. Se presentó por la mañana, justo antes de la hora en que el consejero titular se disponía a salir hacia el departamento. Nunca un capote había llegado en momento tan preciso, pues, por cierto, el frío ya comenzaba a intensificarse y amenazaba con hacerse cada vez más severo. Petrovich llevó él mismo el capote como correspondía a un buen sastre. En su rostro había una expresión tan solemne como jamás la había visto en él Akaki Akakievich. Era la expresión de quien sentía plenamente que su obra no era una insignificancia, y evidenciaba el abismo que separa a los buenos sastres (los que confeccionan prendas nuevas) de quienes sólo ponen forros y hacen remiendos. Sacó el capote del amplio paño en que lo traía envuelto (el paño estaba recién lavado, lo dobló cuidadosamente y luego de lo guardó en el bolsillo para darle otros usos) y lo descubrió con solemnidad, lo miró con gran orgullo sosteniéndolo en alto con ambas manos, luego lo colocó hábilmente sobre los hombros de Akaki Akakievich, lo estiró un poco hacia abajo con las manos y, sin abotonarlo, lo ajustó con destreza alrededor de su cliente. Éste, como el hombre maduro que era, quiso probarse las mangas. Petrovich le ayudó con ellas, nada más para comprobar que también las mangas le quedaban a la perfección. En otras palabras, el capote no sólo era perfecto, sino también de lo más oportuno. Petrovich no dejó pasar la ocasión de decirle que si le había cobrado un precio tan bajo era porque su taller no tenía rótulo y se encontraba en una calle estrecha, y porque, además, conocía de hace mucho tiempo a Akaki Akakievich, pero que si él tuviese su negocio en el bulevar Nevski hubiera podido cobrarle hasta setenta y cinco rublos únicamente por la hechura. Akaki Akakievich no quiso discutir este punto con Petrovich, pues se aterrorizaba sólo de oír las sumas astronómicas que solía mencionar el sastre para aturdir a sus clientes. Le pagó, le dio las gracias y acto seguido partió al departamento enfundado en su nuevo capote. Petrovich salió tras él y se quedó mirándole mientras se alejaba; le pareció que a su cliente el capote le sentaba muy bien de espaldas; después se metió por una calle lateral y luego por un callejón sinuoso hasta desembocar de nuevo en la calle por donde iba caminando Akaki Akakievich para verlo una vez más desde otra perspectiva, ahora de frente, y su trabajo lo llenó de orgullo.

Ignorando todo esto, Akaki Akakievich caminaba con festivo alborozo. Era consciente, a cada segundo, que tenía sobre sus hombros un capote nuevo, y varias veces se sonrió con íntima satisfacción. El capote tenía dos ventajas evidentes: la primera era sin duda el calor que le proporcionaba, y la segunda era la belleza misma de la prenda. Ni siquiera se fijó mucho en el camino y, cuando se dio cuenta, ya estaba en el departamento. En la portería se quitó su nuevo capote, lo examinó con cuidado, y le pidió al ujier que tuviera especial cuidado con él. No se sabe cómo se enteraron todos tan rápidamente en el departamento que Akaki Akakievich tenía un capote nuevo, y que la vieja "capucha" que antes usaba ya no existía más. Todos se precipitaron al mismo tiempo a la portería para inspeccionar y admirar el nuevo capote. Lo felicitaron, le dijeron cosas gratas, de modo tal que al principio sonrió y luego se avergonzó un poco. Pero cuando todos lo rodearon y le dijeron que había que celebrar y "bautizar" el nuevo capote, diciéndole que debía invitar por lo menos a una velada en su casa, Akaki Akakievich perdió la cabeza por completo y no sabía dónde estaba ni qué responder ni cómo escapar de esta situación. Se puso de pie sonrojándose durante varios minutos y, en su simplicidad, les aseguraba que no se trataba en realidad de un nuevo capote, sino de uno viejo que había mandado a arreglar. Luego de tanto alboroto, uno de los funcionarios, probablemente un subjefe de sección, tal vez para demostrar que no era en absoluto soberbio y que estaba en buenos términos con sus inferiores, dijo:

—¡Anda, hombre! No hay problema: en lugar de Akaki Akakievich yo daré la velada; los invito a todos a tomar el té conmigo esta noche en mi casa, pues precisamente hoy es mi cumpleaños.

Naturalmente, los oficinistas acudieron al instante a felicitar al subjefe de sección, al tiempo que le agradecían y aceptaban la invitación que les había hecho a todos. Akaki Akakievich intentó rehusar la invitación, ofreciendo varios y vanos pretextos, pero todos le dijeron que sería muy descortés de su parte no acudir y, más aún, que no sólo sería visto como una grosería, sino como una gran desconsideración, de tal forma que ya no pudo rechazar la invitación en forma alguna. Además, la idea terminó por agradarle cuando pensó que ésta sería una buena oportunidad para lucir por la noche su nuevo capote.

Todo ese día fue realmente festivo y triunfal para Akaki Akakievich. Regresó a su casa con un extraordinario humor, se quitó el capote y lo colgó cuidadosamente en la pared, volviendo a embelesarse ante la tela y el forro. Luego sacó su viejo capote gastado y procedió a compararlo con el nuevo. Al mirar el viejo capote deshilachado no pudo evitar echarse a reír. ¡Era tan grande la diferencia! Y, más tarde, mientras comía, se rió de nuevo durante largo tiempo de sólo pensar en el aspecto que tenía el viejo capote. Comió alegremente, y después, por primera vez en su vida, no copió absolutamente nada, sino que estuvo tirado por un buen rato en la cama, como un sibarita, hasta que oscureció. Luego se vistió sin mayor demora, se puso el capote y salió a la calle. Por desgracia no podemos precisar dónde habitaba el funcionario que había organizado el convite: nuestra memoria empieza a fallarnos bastante, y las casas y las calles de San Petersburgo se nos han mezclado y revuelto en la cabeza, de tal forma que es muy difícil sacar de ella nada en claro. Sea como fuere, lo cierto es que el tal funcionario vivía en la mejor parte de la ciudad y, por lo tanto, no muy cerca de la casa de Akaki Akakievich. Éste se vio obligado primero a atravesar muchas calles desiertas y mal iluminadas, para después, a medida que se acercaba a la residencia del subjefe de sección, pasar por calles animadas, llenas de gente y muy bien alumbradas. El número de transeúntes aumentaba; comenzaron a verse, con más frecuencia, damas elegantemente vestidas, y los hombres llevaban cuellos de piel de nutria en sus abrigos; se hicieron menos frecuentes los cocheros, con sus trineos de madera agujereada con adornos de clavitos dorados, mientras que, por otra parte, se veían más y más los elegantes y arrogantes cocheros con gorras de terciopelo rojo sobre trineos lacados, con asientos cubiertos de piel de oso; carrozas finamente adornadas y de pescante plegado pasaban raudas por las calles, haciendo rechinar la nieve bajo sus ruedas. Akaki Akakievich admiraba todo esto como una novedad. Hacía varios años que no salía a la calle por la noche. Lleno de curiosidad se detuvo ante un escaparate para mirar un cuadro que representaba a una hermosa mujer quitándose un zapato y que de este modo descubría una de sus bellas piernas, mientras que detrás de ella, por una puerta de la habitación, asomaba la cabeza un hombre con patillas y con atractiva barba estilo español. Akaki Akakievich movió la cabeza, riendo, y luego siguió su camino. ¿Por qué se reía? Ya sea porque se había encontrado con una cosa totalmente desconocida de lo que, no obstante, todo hombre siempre conserva alguna intuición, o bien porque imitando a los funcionarios pasó por su cabeza el siguiente pensamiento: "¡Vaya con estos franceses! ¡Hay que verlos cuando algo se les mete en la cabeza!..." Pero quizá tampoco pensara esto. La verdad es que resulta imposible penetrar en el alma de una persona y saber qué es lo que piensa.

Akaki Akakievich llegó por fin a la casa del subjefe de sección. Éste vivía a lo grande: la escalera estaba iluminada por una lámpara y su apartamento se encontraba en el segundo piso. Al entrar al vestíbulo, Akaki Akakievich contempló largas hileras de chanclos en el suelo. En el centro de la habitación había un samovar despidiendo nubes de vapor. De las paredes colgaban todo tipo de abrigos y capotes, entre las cuales había incluso algunos con cuellos de castor o solapas de terciopelo. Más allá, el murmullo de las conversaciones era audible, y las voces cobraron muy clara sonoridad al abrirse la puerta y salir un sirviente con una bandeja llena de vasos vacíos, un jarro con leche y un cesto de pasteles, lo que hacía evidente que los funcionarios llevaban tiempo reunidos, y ya habían terminado con su primer vaso de té.

Akaki Akakievich, después de haber colgado él mismo su capote, entró al salón. Ante él resplandecieron las velas y se encontró de frente con los funcionarios, las pipas, las mesas de juego, y se vio desconcertado por el rumor confuso de la conversación y el ruido que produjo el movimiento de las sillas. Se detuvo muy torpemente en el centro del salón, preguntándose qué debía hacer. Pero ya todos se habían fijado en él. Lo recibieron con gritos de alborozo y todos a la vez se agolparon en la antesala para ver de nuevo su capote. Akaki Akakievich estaba un tanto confuso, pero como hombre limpio de corazón, no pudo menos que alegrarse al escuchar cómo todo el mundo alababa su capote nuevo. Luego, por supuesto, todos regresaron a sus sitios para seguir jugando al whist y lo abandonaron a él y a su capote.

Todo esto —el ruido, la charla, y la algarabía de la multitud— era bastante abrumador para Akaki Akakievich. Simplemente no sabía qué hacer, o dónde poner las manos, los pies y todo el cuerpo. Luego de un rato, se sentó junto a los jugadores, miró las cartas, contempló los rostros de cada uno, y muy pronto empezó a bostezar, sintiendo que se aburría, tanto más cuanto que ya había pasado con mucho la hora en que, por lo general, solía ir a la cama. Quiso despedirse del anfitrión, pero éste y lo demás funcionarios no lo dejaron ir, diciéndole que no podía dejar de beber una copa de champán en honor a su nuevo traje. Una hora más tarde sirvieron la cena, que consistió en ensalada de verduras, ternera fría, pasteles, tartas y el champán. Akaki Akakievich hubo de beber dos copas de champán, después de las cuales sintió que la habitación se alegraba más vivamente. Aun así no podía olvidar que eran las doce y, por consiguiente, muy tarde para ir a casa. A fin de evitar que el anfitrión encontrara otra excusa para detenerlo, abandonó la sala sin ser visto, buscó en la portería su capote, el cual, para su consternación, encontró tirado en el suelo, lo sacudió, le quitó todas las pelusas, se lo puso, y descendió por las escaleras hasta la calle.

En la calle aún había luces. Algunas tiendas pequeñas —esos clubes nocturnos para porteros y gente de este tipo— todavía estaban abiertas. Los demás negocios estaban cerrados, pero mostraban rayos de luz por entre las rendijas, lo que indicaba que todavía estaban concurridas y que, con seguridad, las sirvientas y los lacayos hilaban historias y conversaciones acerca de sus amos, en tanto éstos, ausentes, ignoraban por completo lo que se decía de ellos. Akaki Akakievich caminaba sin perder su feliz estado de ánimo e incluso comenzó a correr, sin saber por qué, tras una dama que pasó volando como un relámpago. Sin embargo, luego se detuvo en seco, y siguió caminando con lentitud, preguntándose —y sorprendiéndose él mismo— de dónde había sacado ese impulso que lo había hecho correr. Pronto se extendieron ante él las calles desiertas, donde no se notaba ninguna alegría durante el día y menos aún durante la noche. Ahora eran todavía más oscuras y solitarias: la luz de los faroles era cada vez más escasa, señal de que el aceite ahí se suministraba con menos frecuencia. Luego aparecieron las casas y vallas de madera, y adonde quiera que se volteara no se veía ni un alma: sólo la nieve brillaba en las calles, y tétricamente las cabañas bajas con sus persianas cerradas arrojaban negras sombras que hacían más triste el panorama. Se acercó al lugar donde la calle quedaba separada por una gran plaza con casas apenas visibles en su extremo más lejano, parecido a un terrible desierto.

A lo lejos —sólo Dios sabe dónde— brillaba la pálida luz de alguna garita que parecía estar en el confín del mundo. La alegría de Akaki Akakievich disminuyó notablemente en este punto. Entró en la plaza, no sin una sensación involuntaria de miedo, como si su corazón le advirtiese de algún mal. Miró hacia atrás y hacia los lados: aquello se parecía propiamente a un oscuro mar en derredor suyo. "No. Es mejor no mirar", pensó, y caminó entrecerrando los ojos. Cuando los abrió, para ver qué tan cerca estaba del extremo de la plaza, vio de pronto frente a él, ante sus propias narices, a un par de individuos bigotudos a los que no alcanzaba precisamente a distinguir. Todo se oscureció ante sus ojos y su corazón palpitó violentamente.

—¡Pero si este capote es mío! —exclamó uno de ellos con voz fiera, tomándolo por el cuello.

Akaki Akakievich quiso gritar: "¡Guardia!" en dirección a la garita, pero un segundo hombre le puso en la boca su puño tan grande como su cabeza y le advirtió: "¡Atrévete a gritar!"

Akaki Akakievich sintió cómo lo despojaban de su capote y le daban un rodillazo que lo derribó de espaldas sobre la nieve. Y no sintió más. Algunos minutos después, cuando recuperó el conocimiento y se puso de pie, no había nadie allí. Sintió mucho frío y notó que no tenía su capote. Comenzó a gritar, pero su voz no parecía llegar al otro extremo de la plaza. Desesperado, no con un grito ya sino con un extraordinario alarido, echó a correr por la plaza, en línea recta hacia la garita, junto a la que el vigilante, apoyado en su alabarda, parecía contemplarlo con la curiosidad de quien se pregunta por qué demonios venía corriendo y gritando, desde lejos, ese hombre hacia él. Jadeando, Akaki Akakievich llegó hasta él y, con voz sollozante, lo acusó de estar durmiendo en vez de estar vigilando, que ni siquiera se dio cuenta de que había sido asaltado y robado. El guardia respondió que por supuesto no dormía, pero que no había visto nada parecido a un asalto y a un robo, que únicamente había notado que dos hombres lo detenían en medio de la plaza, pero que supuso que eran amigos suyos y que, en lugar de regañarle en vano, debía mejor ir a la policía al día siguiente para que se iniciara una búsqueda de quienes lo habían asaltado y, con ello, a no dudarlo, dar con los culpables del robo del capote.

Akaki Akakievich corrió a su casa en completo desorden: desgreñado el poco cabello que tenía en las sienes y en la nuca, y el pantalón y los brazos cubiertos de nieve. La anciana casera, al oír el tremendo golpear en la puerta, saltó a toda prisa de la cama y, poniéndose tan sólo un zapato, corrió a abrir la puerta, sosteniendo pudorosamente la manga de su camisa contra su pecho. Pero apenas abrió, retrocedió espantada al contemplar el estado en el que se encontraba Akaki Akakievich. Cuando éste le contó lo sucedido, se llevó las palmas de las manos al rostro y le dijo que tenía que ir directamente con el jefe de distrito de la policía, porque su subordinado, el inspector del barrio que no hacía más que alardear, tan sólo le prometería y le daría largas al asunto. Lo mejor, le insistió, era ir con el capitán, a quien ella conocía muy bien, porque la finlandesa Anna, su ex cocinera, ahora era niñera en su casa, y ella misma lo veía pasar con mucha frecuencia en su carruaje por delante de su casa, y todos los domingos iba a la iglesia a oír misa, pero al mismo tiempo miraba alegremente a todo el mundo, por lo que, concluía la anciana, debía ser un hombre de bien a juzgar por todas las apariencias. Después de haber escuchado tal recomendación, Akaki Akakievich se arrastró tristemente a su habitación, y nadie que no sea capaz de ponerse en el lugar de otro puede imaginar realmente cómo pasó la noche.

A la mañana siguiente, muy temprano, Akaki Akakievich fue a ver al capitán de policía del distrito, pero le dijeron que el funcionario aún dormía. Volvió sobre sus pasos y regresó de nuevo a las diez y otra vez le dijeron que seguía dormido. Cuando una hora más tarde volvió de nuevo le informaron que acababa de salir de casa. Akaki Akakievich no se dio por vencido y regresó a la hora de la comida, pero sus asistentes no le permitieron verle y le pidieron que les informara a ellos cuál era el asunto que quería tratar. Harto, por una vez en su vida Akaki Akakievich se armó de carácter y, mostrando decisión, les dijo secamente a los asistentes que era preciso tratar personalmente el tema con el capitán y que no se atrevieran a negarle la entrada porque venía del departamento de justicia para un asunto oficial y que se vería obligado a presentar una queja contra ellos en caso de que le impidieran entrevistarse con el funcionario. ¡Ya verían entonces lo que podía pasar!

Ante esta demostración de carácter, los empleados no se atrevieron a decir nada más, y uno de ellos fue a anunciarle con su jefe, que al fin lo recibió y que escuchó, no sin extrañeza, la historia del robo capote. En vez de dirigir su atención al tema central, el robo, que le exponía Akaki Akakievich, comenzó a cuestionarle: ¿Por qué volvía tan tarde a casa? ¿Estaba habituado a ello, o no será que había estado bebiendo y en un prostíbulo? Frente a este comportamiento del capitán, Akaki Akakievich estaba completamente confundido, y cuando abandonó la casa del funcionario dudaba realmente si el asunto de su capote seguiría el curso debido.

Por primera vez en su vida, Akaki Akakievich no se presentó a trabajar en el departamento. Al día siguiente hizo su aparición, muy pálido, y enfundado en su viejo capote que se había vuelto aún más lamentable. La noticia del robo del capote conmovió a muchos en el departamento aunque hubo algunos funcionarios presentes que no dejaron pasar la oportunidad de ridiculizar al pobre Akaki Akakievich. Los más sensibles decidieron hacer una colecta a su favor, pero la mayoría de los funcionarios había gastado bastante de su dinero sobrante en la suscripción para un retrato del director y en la adquisición de cierto libro, a propuesta del jefe del departamento, que era amigo del autor, por lo que la suma resultó insignificante.

Uno de sus colegas, movido por la compasión, decidió ayudar a Akaki Akakievich con un buen consejo ya que no lo podía hacer con otra cosa. Le dijo que no fuera a ver al inspector del barrio, porque aunque pudiera suceder que, para quedar bien con la superioridad, encontrase el capote, éste sería retenido de todos modos en la oficina de policía hasta que el dueño, o sea él, presentase pruebas legales de que el capote era suyo: por ello, lo mejor sería que se dirigiera a "una alta personalidad", para que ésta intercediera por él o le diera la instrucción a la autoridad correspondiente y de este modo se agilizara el asunto. Fue así como Akaki Akakievich decidió dirigirse a la "alta personalidad". Pero quién era esta "alta personalidad" y cuáles eran sus funciones es algo de lo que no se tiene noticias. Es importante decir que esta "alta personalidad" hacía poco que había ascendido y que hasta entonces era perfectamente desconocida. Pero, además, su posición no era una de las más altas, comparadas con otras de mayor relevancia. Por ello, esta "alta personalidad", deseosa de tener el más alto reconocimiento, se esforzaba en conseguir el más elevado nivel, por lo menos a la vista de los demás, a través de algunos medios extravagantes y bastante caprichosos. Estableció la disposición de que los funcionarios inferiores le esperasen en la escalera cuando llegaba a su oficina, y que nadie se atreviera a presentarse directamente a él, sino que las cosas se dieran de manera estricta en el siguiente orden: el registrador debía entregar la petición al secretario, el secretario al titular o a quien correspondiese según la jerarquía y lo estatuido, hasta que los expedientes llegaran a él. Y es que en nuestra santa Rusia todo se halla infectado de imitación y cada cual remeda e imita a la superioridad. Incluso se cuenta que cierto consejero titular, cuando lo ascendieron a director en una oficinilla, dispuso al instante levantar una pared para separar una especie de habitación insignificante a la que dio el nombre de "Jefatura" y colocó a la entrada a dos ujieres con cuello rojo y galones que se encargaban de abrir el picaporte a los visitantes previamente anunciados, aunque en la tal "Jefatura" no cupiera más que una pequeñísima mesa de escritorio, y ello con mucha dificultad. En cuanto a los modales y usos de la "alta personalidad", éstos eran graves y majestuosos, pero bastante ridículos. La severidad era el fundamento de su sistema. "Severidad, severidad... y severidad", acostumbraba decir de manera impostada, y al repetir por tercera vez la palabra "severidad", miraba muy fijamente a quien se dirigía, aunque por lo demás no viniera siquiera a cuento, pues los ocho o diez empleados que constituían todo el personal de esa oficina estaban ya, de por sí, lo suficientemente atemorizados, pues apenas lo veían llegar, a lo lejos, dejaban inmediatamente lo que estuvieran haciendo y se ponían de pie, en posición de firmes, cuadrándose de este modo hasta que el jefe entraba en su oficina. Su trato diario con los subalternos estaba siempre impregnado de severidad y su conversación se componía casi exclusivamente de estas tres frases: "¿Pero cómo se atreve usted?", "¿Sabe usted con quién está hablando?", "¿Entiende usted a quien tiene delante?" Por lo demás, en el fondo, tenía buen corazón, atento con los compañeros y servicial, pero la categoría de general le había hecho perder la cabeza. Cuando le fue notificado su nombramiento, perdió completamente el piso y, lleno de indecisión, no sabía cómo comportarse. Si trataba con sus iguales, era todavía un hombre normal y correcto, decente y en muchos aspectos nada tonto, pero en cuanto se encontraba en un medio donde hubiese gente de menor rango que el suyo, aunque sólo fuese por un grado, su trato era imposible: no soltaba palabra y su situación provocaba lástima, más aún porque él mismo se daba cuenta de que hubiera podido pasarla muchísimo mejor. Sus ojos revelaban, a veces, un intenso deseo de participar en la conversación dentro de algún corrillo interesante, pero él mismo se lo impedía, pensando que aquel acto de familiaridad con los inferiores equivalía a rebajar su dignidad y a menoscabar su jerarquía. Y como consecuencia de tal razonamiento se mantenía en soledad, eternamente callado, con la misma actitud de emitir de vez en cuando algún monosílabo, y conquistando con ello la fama del más aburrido de todos los hombres.

Pues bien: ante esta "alta personalidad" se presentó Akaki Akakievich, y lo hizo precisamente en el momento más inoportuno: es decir, en el momento más desfavorable para él, pero más favorable para la "alta personalidad". La "alta personalidad" estaba en su gabinete, conversando alegremente con un viejo conocido y compañero de su infancia a quien no había visto desde hacía varios años, cuando le anunciaron que un tal Bashmachkin pedía verlo. Él preguntó bruscamente: "¿Quién es él?" A lo que le respondieron que "cierto funcionario". "¡Bueno, entonces que me espere, ahora estoy ocupadísimo!", dijo enérgicamente la "alta personalidad".

Conviene hacer notar aquí que la "alta personalidad" mentía con descaro, pues ya había conversado con su amigo todo lo que tenía que conversar y, desde hacía mucho rato, agotados los temas, se producían largos silencios que cada uno resolvía con alguna palmadita en la rodilla del otro con frases tan vacías como las siguientes: "Pues así es, Iván Abramovich", "Sí, así es, Stepan Varlamovich!". No obstante, ordenó que el funcionario que preguntaba por él se mantuviera en espera, con el fin de ostentar ante su amigo —un hombre que ya no estaba activo en el servicio desde hacía tiempo y que vivía retirado en su casa de campo— las largas antesalas que tenían que realizar los funcionarios para llegar a su presencia.

Por fin, cansados ya de hablar de sí mismos y, más que nada, hartos de hilar tantos silencios, y después de fumarse sendos cigarros, repantigados en sus mullidos sillones, la "alta personalidad" pareció recordar de repente que tenía a alguien en espera y le dijo a su secretario, que acababa de aparecer a la puerta con unos papeles para informe:

—Si mal no recuerdo, creo que hay un funcionario esperando para verme. Dígale que puede entrar.

Al darse cuenta del modesto semblante de Akaki Akakievich y de su desgastado y viejo uniforme, con excesiva brusquedad le preguntó:

—¿Qué es lo que quiere?

Su voz era tajante y dura, y la había ensayado expresamente, a solas en su casa, delante del espejo, durante toda la semana anterior a su nombramiento como general. Akaki Akakievich, que de antemano ya iba cohibido, se turbó muchísimo, pero en su confusión, de la mejor manera que pudo y que le permitió su atemorizada lengua, explicó, usando más que nunca la partícula "este", que su capote recién estrenado le había sido robado de manera inhumana y que acudía a él para que tomara cartas en el asunto, ya que si él intercedía ante el inspector general de policía o a quien correspondiese, seguramente podría recuperar su querida prenda. Por alguna razón, del todo explicable, esta conducta le pareció a la "alta personalidad" demasiado familiar y en exceso atrevida.

—¡Pero, señor mío! —lo atajó bruscamente la "alta personalidad"—, ¿no conoce usted el reglamento? ¿Ignora usted en dónde se encuentra? ¿No sabe cómo se maneja el orden en estos asuntos? La primera instancia a la que debió dirigirse es a la cancillería, para que de ahí el asunto se turnara a manos del jefe de sección, y de éste al jefe de departamento, quien lo delegaría al secretario que bien hubiera podido, siguiendo este orden, presentármelo a mí.

—Pero, excelencia —dijo Akaki Akakievich, tratando de reunir toda su escasa presencia de espíritu, al tiempo que sudaba de un modo terrible—, yo, yo, excelencia, este..., me he atrevido a molestarlo a usted porque los secretarios, este..., no son gente, este... de mucho fiar.

—¿Qué, qué, qué? —retumbó la voz de la "alta personalidad"—. ¿De dónde saca usted esa osadía? ¿De dónde ha sacado usted esas temerarias ideas? ¡Qué descaro, qué desacato hacia sus jefes, qué rebeldía se extiende hoy entre la juventud contra sus superiores! —la "alta personalidad", aparentemente, no había observado que Akaki Akakievich ya se encontraba en los cincuenta años; de modo que llamarle joven sólo tenía sentido en relación con alguien de setenta u ochenta años—. ¿Sabe usted con quién está hablando? ¿Se da cuenta usted a quién tiene delante? ¿Lo comprende? ¿Comprende lo que le estoy preguntando?

Y en este punto la "alta personalidad" golpeó violentamente el suelo con el pie y alzó la voz en un tono tan alto que habría atemorizado no sólo a Akaki Akakievich, sino incluso a otro hombre que no fuese tan débil de carácter. Akaki Akakievich se quedó helado, se tambaleó, temblaba de pies a cabeza y, si los ujieres no hubieran acudido en su auxilio, para sostenerlo, se hubiera desplomado. Lo sacaron de ahí casi inerte. Y la "alta personalidad", satisfecha de que el efecto que quería crear hubiera incluso superado sus propias expectativas, y muy orgulloso de comprobar que su palabra podía hacer que un hombre se desmayara, miró de reojo a su amigo para ver qué le había parecido su comportamiento y percibió, no sin satisfacción, que incluso su amigo se hallaba en un estado indefinible y hasta podía decirse que él mismo parecía bastante asustado.

Akaki Akakievich ni siquiera podía recordar cómo bajó las escaleras ni cómo consiguió salir a la calle. No sentía ni los brazos ni las piernas. Nunca en su vida había sufrido tan grande reprimenda y humillación de un jefe que ni siquiera era el suyo. Boquiabierto, y tambaleándose en la acera, caminó en medio de la tormenta de nieve. Como es habitual en San Petersburgo, el viento ululaba por todas partes y desde todos los callejones. En un abrir y cerrar de ojos atrapó un resfrío y la garganta se le inflamó; cuando llegó a su casa no podía siquiera articular una palabra. Con la garganta completamente hinchada, se dejó caer en la cama. ¡Tan contundentes pueden ser, a veces, los efectos de una reprimenda oficial en toda forma! Al día siguiente, sufrió una fiebre altísima. Gracias a la generosa ayuda del clima de San Petersburgo, la enfermedad progresó con mayor rapidez de lo normal, y cuando el doctor llegó, le tomó el pulso al enfermo y halló que no había nada que hacer excepto prescribir un fomento, con el único propósito de que el paciente no quedara del todo sin la ayuda benéfica de la medicina, pero, al mismo tiempo, pronosticó que no viviría más de treinta y seis horas. Después de esto se dirigió a la casera y le dijo: "En cuanto a usted, no pierda el tiempo con él: vaya encargando desde ahora el ataúd, y le sugiero que sea de pino, ya que uno de roble será demasiado costoso. No sabemos si Akaki Akakievich pudo escuchar esta fatídica sentencia, y ni siquiera podemos saber si —en caso de haberla escuchado— haya producido en él algún efecto aterrador. ¿Se habrá acongojado al saber que ya se despedía, para siempre, de su amarga existencia? No lo sabemos; lo único que sabemos es que todo el tiempo fue presa de la fiebre y el delirio. Lo asaltaban sin cesar extrañas visiones. En unas veía a Petrovich y le encargaba un capote con trampas para atrapar a los ladrones, que estaban escondidos debajo de la cama, e imploraba a cada momento a la casera para que sacara a uno de estos ladrones que se había metido incluso debajo de la colcha. En sus delirios preguntaba por qué su viejo capote estaba colgado siendo que él tenía uno nuevo. También creía hallarse ante la "alta personalidad" oyendo la más severa reprimenda y murmurando: "Perdón, Excelencia". Y ya, por último, blasfemaba y maldecía, profiriendo las palabras más horribles, al extremo de que su vieja casera se persignaba, pues nunca en su vida había oído nada semejante, tanto más cuanto que esas palabras iban inmediatamente después de la frase: "Su Excelencia". Después pasó a decir completos disparates que era imposible comprender: tan sólo podía deducirse que aquellas palabras y aquellos pensamientos incoherentes tenían que ver siempre con el robo del capote.

Por fin, el pobre Akaki Akakievich falleció. No sellaron su habitación ni sus bienes, en primer lugar porque no tenía herederos y, en el segundo, porque lo que dejaba era muy poca cosa: un manojo de plumas de ganso, una resma de papel blanco oficial, tres pares de calcetines, dos o tres botones desprendidos del pantalón y el viejo capote ya conocido por el lector. Sólo Dios sabe quién se quedó con eso. Por mi parte, confieso que el narrador de este relato ni siquiera se interesó en dicho asunto. Se llevaron a Akaki Akakievich y lo sepultaron.

Y San Petersburgo se quedó sin Akaki Akakievich, como si nunca hubiera existido allí. Desapareció un ser a quien nadie había protegido, a quien nadie había querido, por quien nadie se había interesado y que ni siquiera atrajo la atención de algún naturalista, de esos que no pierden oportunidad de ensartar en un alfiler a una mosca común y ordinaria para examinarla bajo el microscopio; un ser que soportó con mansedumbre las burlas oficinescas, y que se fue a la tumba sin haber realizado nada extraordinario, pero a quien, sin embargo, al final de su vida, se le apareció un luminoso espíritu en la figura de un capote, que momentáneamente reanimó su miserable existencia y sobre quien cayó, a partir de entonces, la mayor de las desgracias, como cae también, a veces, sobre los más poderosos de la tierra.

Pocos días después de su muerte, se presentó a su casa un mensajero del departamento donde prestara sus servicios, llevando la orden expresa de que se presentase de inmediato ante el jefe superior. Pero el mensajero regresó con la respuesta de que Akaki Akakievich ya no volvería al trabajo. Y al preguntarle por qué, respondió: "Bueno, porque ya está muerto. Lo enterraron hace cuatro días". Fue así como se enteraron en el departamento de la muerte Akaki Akakievich, y al día siguiente un nuevo funcionario se sentó en su lugar: un poco mayor de estatura y con una caligrafía no tan derecha, sino más bien torcida y ladeada.

Pero ¿quién hubiera podido imaginar que este no sería realmente el final de Akaki Akakievich, sino que aún después de muerto, estaba destinado a levantar una conmoción y a vivir ruidosamente, como en compensación por su vida completamente insignificante? Pero así sucedió, y nuestra pobre historia gana inesperadamente un final fantástico. En San Petersburgo pronto se extendió el rumor de que, por las noches, un hombre muerto se aparecía junto al puente Kalinkin y sus alrededores, bajo la figura de un funcionario que buscaba su capote que le habían robado y que, con el pretexto de que cualquiera podía ser el suyo, arrebataba a todo el mundo —sin distinción de rango o profesión— los más diversos capotes de los hombros de los transeúntes, ya fueran con forro de piel de gato, castor, zorro, oso, o cualquier otro todo tipo de piel o cuero que los hombres hubiesen adoptado para cubrir el suyo. Uno de los funcionarios del departamento vio al muerto con sus propios ojos y de inmediato reconoció en él a Akaki Akakievich. Esto, sin embargo, le produjo tanto terror que se fue corriendo con todas sus fuerzas, y por lo tanto fue incapaz de observar atentamente al muerto de cerca, viendo únicamente cómo éste le amenazaba desde lejos con su dedo. Constantes quejas llegaron de todos los sectores de que las espaldas y los hombros no sólo de los consejeros titulares sino hasta de los consejeros de la corte, quedaban completamente expuestos al peligro de un resfriado a causa de los más que frecuentes despojos de sus capotes.

En el departamento de policía se dio la orden de atrapar al cadáver —vivo o muerto—, para castigarlo ejemplarmente y de este modo escarmentar a otros que quisieran imitarlo. Y, en efecto, muy poco faltó para que esta disposición tuviera un cumplimiento exitoso, porque un vigilante, guardia municipal en las callejuelas de Kirushkin, logró agarrar al cadáver por el cuello en el mismo escenario de sus malas obras, justamente cuando intentaba arrebatarle el capote a un músico retirado, que en sus buenos tiempos había tocado la flauta. Habiéndolo atrapado por el cuello, llamó a gritos a dos de sus compañeros, a quienes les encargó que lo sujetasen mientras él metía la mano a su bota con el fin de sacar su tabaquera y echarse un poco de rapé para reconfortar su congelada nariz. Pero el tabaco del guardia era de tal calidad que ni siquiera un cadáver podía soportarlo. El vigilante tomó el rapé y se taponó la fosa nasal derecha con el dedo, y apenas se estaba llevando una pizca a la izquierda cuando el cadáver estornudó con tal violencia que los salpicó y los cegó a los tres. Mientras ellos se restregaban los ojos, el muerto desapareció sin dejar rastro, de modo que llegaron incluso a dudar de que lo hubieran tenido realmente en su poder. A partir de entonces, los vigilantes le cobraron un inmenso terror a los muertos a grado tal que no se atrevían siquiera a detener a los vivos, limitándose a gritar desde lejos: "¡Oye, tú, sigue tu camino!" Y el difunto funcionario comenzó a aparecer incluso más allá del puente Kalinkin, causando no poco terror entre las personas más medrosas.

Pero hemos descuidado totalmente a la ya conocida "alta personalidad" que, en rigor, puede ser considerada como la causa del giro fantástico que ha tomado esta historia, por otra parte completamente verídica. En primer lugar, es justo decir que, al poco tiempo de que el humillado Akaki Akakievich abandonó su oficina, después de la descomunal reprimenda, la "alta personalidad" sintió remordimiento. La compasión no le era completamente extraña; su corazón era accesible a muchos buenos impulsos, a pesar del hecho de que su rango a menudo le impedía expresarlos. Tan pronto como su amigo había salido de su gabinete, comenzó a pensar en el pobre Akaki Akakievich. Y desde ese día en adelante, Akaki Akakievich, pálido demudado, incapaz de resistir su reprimenda, se le presentaba en su mente casi todos los días. El pensamiento lo atormentaba hasta el punto de que una semana más tarde resolvió enviar a un funcionario a su casa para saber si realmente podía ayudarlo en algo, y cuando se le informó de que Akaki Akakievich había muerto repentinamente de fiebre, se sobresaltó, escuchó los reproches de su conciencia, y todo el día estuvo inconforme consigo mismo.

Deseoso de desviar de su mente tan desagradable impresión, partió esa noche para una de las casas de sus amigos, donde encontró una gran velada con personalidades muy selectas y, lo que era mejor, casi todos de su mismo rango, por lo que no tenía que sentirse cohibido en lo más mínimo. Esto tuvo un efecto maravilloso en su ánimo. Se mostró expansivo, se hizo ameno y agradable en la conversación y, en definitiva, pasó una noche muy a su gusto. Después de la cena se bebió un par de copas de champán, que como todos saben no es una mala receta para alegrar el alma. El champán le provocó deseos de aventuras y decidió no regresar a casa, sino ir a ver a Karolina Ivanovna, una dama muy conocida de origen alemán con la que, al parecer, mantenía una amistad muy íntima.

Se debe mencionar que la "alta personalidad" ya era un hombre maduro, esposo ejemplar y venerable padre de una familia respetada. Sus dos hijos, uno de los cuales ya era funcionario en una cancillería, y una linda hija de dieciséis años de edad, con una nariz respingona aunque muy graciosa, acudían todas las mañanas a besarle la mano dándole los buenos días en francés: "*Bonjour, papa*". Su esposa, una mujer todavía lozana y nada fea, primero le daba a besar su mano y, luego, invirtiendo el procedimiento, le besaba la suya. Pero la "alta personalidad", aunque estaba perfectamente satisfecha de los afectos familiares, consideraba elegante y correcto tener relaciones íntimas con una amiga en otra parte de la ciudad. Esta amiga no era ni más bonita ni más joven que su esposa, pero tales enigmas existen en el mundo, y no es nuestro asunto juzgarlos. Así, pues, la "alta personalidad" descendió las escaleras, entró en su trineo y le dijo al cochero: "¡A casa de Karolina Ivanovna!" y, envolviéndose lujosamente en su cálido capote, permaneció en ese estado agradable que no es posible imaginarse mejor para un ruso, es decir, cuando no se piensa en nada y, sin embargo, los agradables pensamientos acuden por sí mismos a la cabeza, sin que haya necesidad de seguirlos o buscarlos. Plenamente satisfecho, recordó los momentos más gratos de la velada que acababa de dejar, y todas las palabras que habían hecho reír a carcajadas al pequeño círculo de personalidades selectas, muchas de las cuales repetía en voz baja encontrándolas tan divertida como antes, por lo que no era de extrañar que él mismo riera a mandíbula batiente. Ocasionalmente, sin embargo, le molestaban unas ráfagas de viento que se levantaban, Dios sabe de dónde ni por qué, que le herían el rostro al arrojarle nieve, levantándole el cuello de su capote como si fuera la vela de un barco o, de repente, con fuerza sobrenatural, arrojándoselo y calándoselo a la cabeza, de modo que le daba mucho trabajo desembarazarse de él.

De repente, la "alta personalidad" sintió que alguien le echaba mano al cuello y lo sujetaba con gran fuerza. Volviéndose, vio a un hombre de baja estatura, enfundado en un viejo y desgastado uniforme, reconociendo, con gran terror, a Akaki Akakievich. Aquel espectro estaba blanco como la nieve, y su aspecto era inconfundiblemente el de un muerto. Pero el horror de la "alta personalidad" trascendió todos los límites cuando el muerto abrió la boca y, despidiendo un horrible olor de tumba, le dijo las siguientes palabras: "¡Ah, aquí estás por fin! ¡Ya te eché el guante! ¡Tu capote es justamente lo que necesito! ¡No te interesaste por el mío, y además me humillaste con tu reprimenda oficial, así que ahora dame el tuyo!"

La "alta personalidad" empalideció y por poco se muere del susto. Aunque en la oficina y en presencia de los inferiores era hombre rígido, y aunque su sola figura y aspecto viril hacían exclamar a cualquiera: "¡Oh, qué gran carácter!", en este trance, al igual que les sucede a muchos que a primera vista parecen colosos, experimentó tal terror que, no sin razón, empezó a temer que el corazón le estallara. Arrojó su capote a toda prisa y, con un alarido más que con un grito, le ordenó al cochero: "¡A casa, a toda prisa!" El cochero, al oír ese tono de voz que el general empleaba en casos de emergencia e incluso acompañado de algo más contundente, ocultó la cabeza entre los hombros, restalló el látigo y se volvió como de rayo. No transcurrieron ni siete minutos cuando la "alta personalidad" se halló a la entrada de su casa. Pálido, aterrorizado y sin capote, en lugar de visitar a Karolina Ivanovna, llegó a su habitación, se arrastró como pudo hasta su cama y pasó la noche en la angustia más terrible, por lo que su hija a la mañana siguiente, a la hora del té, le dijo: ¡Qué pálido estás, papá!" Pero papá se mantuvo en silencio, y a nadie dijo una sola palabra de lo ocurrido; ni adónde había estado ni adónde tenía la intención de ir. El incidente le causó una profunda impresión. Incluso ya muy raramente se le escuchó decir: "¿Pero cómo se atreve usted?", "¿Se da usted cuenta a quién tiene delante?, y si acaso alguna vez lo decía ante los funcionarios menores, sólo era después de haber escuchado de qué se trataba el asunto. Pero aún fue más notable que desde aquel día cesaron las apariciones del funcionario muerto. Por lo visto, el capote de la "alta personalidad" le quedó perfectamente; en todo caso no se presentaron más casos de gente a la que le hubieran arrebatado sus capotes de los hombros. Sin embargo, muchas personas aprehensivas y miedosas no querían tranquilizarse por nada del mundo, y afirmaban que en las partes más distantes de la ciudad seguía apareciéndose el funcionario difunto.

De hecho, un vigilante en Kolomna lo vio, con sus propios ojos, salir por detrás de una casa. Pero como el guardia era algo débil de complexión —al grado de que, en cierta ocasión, un cerdo de regular tamaño, que había escapado de una casa particular lo arrastró por tierra provocando la risa de los cocheros ahí estacionados y a los cuales exigió por la mofa, a cada uno, medio kópek para tabaco— no se atrevió a arrestarlo, sino que lo siguió en la oscuridad, hasta que, por fin, el muerto volvió repentinamente la cabeza, se detuvo y le preguntó con una potente voz: "¿Qué quieres?", al mismo tiempo que le mostraba un puño que ya quisieran para sí todos los vivos. El guardia respondió: "Nada", y al instante se echó a correr en dirección contraria. El fantasma esta vez era, sin embargo, demasiado alto, llevaba enormes bigotes y, dirigiendo sus pasos al parecer hacia el puente de Obujov, se desvaneció en las tinieblas de la noche.

Traducción de Juan Enrique Argüelles.

SI QUIERES, LEE MÁS DE GÓGOL

- *Novelas breves petersburguesas*, Porrúa, México, 2000.
- *Mirgorod*, Alba, Barcelona, 2004.
- *El capote y otros relatos*, Lectorum, México, 2006.
- *Almas muertas*, Edaf, Madrid, 2008.
- *El inspector*, Alianza, Madrid, 2009.
- *Vi*, Nórdica, Madrid, 2009.
- *La nariz*, Gadir, Madrid, 2009.
- *El capote*, Nórdica, Madrid, 2011.
- *Cuentos*, Corregidor, Buenos Aires, 2012.
- *Tarás Bulba*, Alianza, Madrid, 2013.

LEOPOLDO ALAS, *CLARÍN*

Leopoldo Alas (Leopoldo García-Alas y Ureña), mejor conocido como *Clarín*, que fue el sobrenombre literario que eli-
gió para firmar sus libros y sus textos periodísticos, nació en
Zamora en 1852 y murió en Oviedo en 1901. Narrador y crítico, *Clarín* cubre toda la segunda mitad del siglo xix español
con una obra estrechamente emparentada con el naturalismo
francés, pero también con ciertas expresiones estéticas que
rebasan, con mucho, la descripción del ambiente social y pro-
fundizan en los sentimientos más íntimos de las personas.
Sus grandes virtudes para capturar y revelar el espíritu del
universo provinciano, además de su lirismo exacto, hacen
que su obra perdure entre lo mejor de las letras españolas.

"¡Adiós, *Cordera!*" es su cuento más célebre, y el que lo repre-
senta en cualquier antología que se precie de incluir lo mejor
del género. Con un lenguaje poético y melancólico, no exento
de crítica social, narra las vicisitudes de dos hermanos y
su relación con un animal entrañablemente humanizado.

¡Adiós, Cordera!

ERAN TRES: ¡siempre los tres! Rosa, Pinín y la *Cordera*.

El *prao* Somonte era un recorte triangular de terciopelo verde tendido, como una colgadura, cuesta abajo por la loma. Uno de sus ángulos, el inferior, lo despuntaba el camino de hierro de Oviedo a Gijón. Un palo del telégrafo, plantado allí como pendón de conquista, con sus *jícaras* blancas y sus alambres paralelos, a derecha e izquierda, representaba para Rosa y Pinín el ancho mundo desconocido, misterioso, temible, eternamente ignorado. Pinín, después de pensarlo mucho, cuando a fuerza de ver días y días el poste tranquilo, inofensivo, campechano, con ganas, sin duda, de aclimatarse en la aldea y parecerse todo lo posible a un árbol seco, fue atreviéndose con él, llevó la confianza al extremo de abrazarse al leño y trepar hasta cerca de los alambres. Pero nunca llegaba a tocar la porcelana de arriba, que le recordaba las *jícaras* que había visto en la rectoral de Puao. Al verse tan cerca del misterio sagrado, le acometía un pánico de respeto, y se dejaba resbalar de prisa hasta tropezar con los pies en el césped.

Rosa, menos audaz, pero más enamorada de lo desconocido, se contentaba con arrimar el oído al palo del telégrafo, y minutos, y hasta cuartos de hora, pasaba escuchando los formidables rumores metálicos que el viento arrancaba a las fibras del pino seco en contacto con el alambre. Aquellas vibraciones, a veces intensas como las del diapasón, que, aplicado al oído, parece que quema con su vertiginoso latir, eran para Rosa los *papeles* que pasaban, las *cartas* que se escribían por los hilos, el lenguaje incomprensible que lo ignorado hablaba con lo ignorado; ella no tenía curiosidad por entender lo que los de allá, tan lejos, decían a los del otro extremo del mundo. ¿Qué le importaba? Su interés estaba en el ruido por el ruido mismo, por su timbre y su misterio.

La *Cordera*, mucho más formal que sus compañeros, verdad es que, relativamente, de edad también mucho más madura, se abstenía de toda comunicación con el mundo civilizado. Y miraba de lejos el palo del telégrafo como lo que era para ella, efectivamente, como cosa muerta, inútil, que no le servía siquiera para rascarse. Era una vaca que había vivido mucho. Sentada horas y horas, pues, experta en pastos, sabía aprovechar el tiempo, meditaba más que comía, gozaba del placer de vivir en paz, bajo el cielo gris y tranquilo de su tierra, como quien alimenta el alma, que también tienen los brutos; y si no fuera profanación, podría decirse que los pensamientos de la vaca matrona, llena de experiencia, debían de parecerse todo lo posible a las más sosegadas y doctrinales odas de Horacio.

Asistía a los juegos de los pastorcicos encargados de *llindarla*, como una abuela. Si pudiera, se sonreiría al pensar que Rosa y Pinín tenían por misión en el prado cuidar de que ella, la *Cordera*, no se extralimitase, no se metiese por la vía del ferrocarril ni saltara a la heredad vecina. ¡Qué había de saltar! ¡Qué se había de meter!

Pastar de cuando en cuando, no mucho, cada día menos, pero con atención, sin perder el tiempo en levantar la cabeza por curiosidad necia, escogiendo sin vacilar los mejores bocados y, después, sentarse sobre el cuarto trasero con delicia, a rumiar la vida, a gozar el deleite del no padecer, del dejarse existir: esto era lo que ella tenía que hacer, y todo lo demás aventuras peligrosas. Ya no recordaba cuándo le había picado la mosca.

"El *xatu* (el toro), los saltos locos por las praderas adelante... ¡todo eso estaba tan lejos!"

Aquella paz sólo se había turbado en los días de prueba de la inauguración del ferrocarril. La primera vez que la *Cordera* vio pasar el tren, se volvió loca. Saltó la sebe de lo más alto del Somonte, corrió por prados ajenos, y el terror duró muchos días, renovándose, más o menos violento, cada vez que la máquina asomaba por la trinchera vecina. Poco a poco se fue acostumbrando al estrépito inofensivo. Cuando llegó a convencerse de que era un peligro que pasaba, una catástrofe que amenazaba sin dar, redujo sus precauciones a ponerse en pie y a mirar de frente, con la cabeza erguida, al formidable monstruo; más adelante no hacía más que mirarle, sin levantarse, con antipatía y desconfianza; acabó por no mirar al tren siquiera.

En Pinín y Rosa la novedad del ferrocarril produjo impresiones más agradables y persistentes. Si al principio era una alegría loca, algo mezclada de miedo supersticioso, una excitación nerviosa, que les hacía prorrumpir en gritos, gestos, pantomimas descabelladas, después fue un recreo pacífico, suave, renovado varias veces al día. Tardó mucho en gastarse aquella emoción de contemplar la marcha vertiginosa, acompañada del viento, de la gran culebra de hierro, que llevaba dentro de sí tanto ruido y tantas castas de gentes desconocidas, extrañas.

Pero telégrafo, ferrocarril, todo eso, era lo de menos: un accidente pasajero que se ahogaba en el mar de soledad que rodeaba el *prao* Somonte. Desde allí no se veía vivienda humana; allí no llegaban ruidos del mundo más que al pasar el tren. Mañanas sin fin, bajo los rayos del sol a veces, entre el zumbar de los insectos, la vaca y los niños esperaban la proximidad del mediodía para volver a casa. Y luego, tardes eternas, de dulce tristeza silenciosa, en el mismo prado, hasta venir la noche, con el lucero vespertino por testigo mudo en la altura. Rodaban las nubes allá arriba, caían las sombras de los árboles y de las peñas en la loma y en la cañada, se acostaban los pájaros, empezaban a brillar algunas estrellas en lo más oscuro del cielo azul, y Pinín y Rosa, los niños gemelos, los hijos de Antón de Chinta, teñida el alma de la dulce serenidad soñadora de la solemne y seria Naturaleza, callaban horas y horas, después de sus juegos, nunca muy estrepitosos, sentados cerca de la *Cordera*, que acompañaba el augusto silencio de tarde en tarde con un blando son de perezosa esquila.

En este silencio, en esta calma inactiva, había amores. Se amaban los dos hermanos como dos mitades de un fruto verde, unidos por la misma vida, con escasa conciencia de lo que en ellos era distinto, de cuanto los separaba; amaban Pinín y Rosa a la *Cordera*, la vaca abuela, grande, amarillenta, cuyo testuz parecía una cuna. La *Cordera* recordaría a un poeta la *zavala* del Ramayana, la vaca santa; tenía en la amplitud de sus formas, en la solemne serenidad de sus pausados y nobles movimientos, aires y contornos de ídolo destronado, caído, contento con su suerte, más satisfecha con ser vaca verdadera que dios falso. La *Cordera*, hasta donde es posible adivinar estas cosas, puede decirse que también quería a los gemelos encargados de apacentarla.

Era poco expresiva; pero la paciencia con que los toleraba cuando en sus juegos ella les servía de almohada, de escondite, de montura, y para otras cosas que ideaba la fantasía de los pastores, demostraba tácitamente el afecto del animal pacífico y pensativo.

En tiempos difíciles, Pinín y Rosa habían hecho por la *Cordera* los imposibles de solicitud y cuidado. No siempre Antón de Chinta había tenido el prado Somonte. Este regalo era cosa relativamente nueva. Años atrás, la *Cordera* tenía que salir *a la gramática*, esto es, a apacentarse como podía, a la buena ventura de los caminos y callejas de las rapadas y escasas praderías del común, que tanto tenían de vía pública como de pastos. Pinín y Rosa, en tales días de penuria, la guiaban a los mejores altozanos, a los parajes más tranquilos y menos esquilmados, y la libraban de las mil injurias a que están expuestas las pobres reses que tienen que buscar su alimento en los azares de un camino.

En los días de hambre, en el establo, cuando el heno escaseaba, y el narvaso para estrar el lecho caliente de la vaca faltaba también, a Rosa y a Pinín debía la *Cordera* mil industrias que le hacían más suave la miseria. ¡Y qué decir de los tiempos heroicos del parto y la cría, cuando se entablaba la lucha necesaria entre el alimento y regalo de la *nación* y el interés de los Chintos, que consistía en robar a las ubres de la pobre madre toda la leche que no fuera absolutamente indispensable para que el ternero subsistiese! Rosa y Pinín, en tal conflicto, siempre estaban de parte de la *Cordera*, y en cuanto había ocasión, a escondidas, soltaban el recental que, ciego y como loco, a testaradas contra todo, corría a buscar el amparo de la madre, que le albergaba bajo su vientre, volviendo la cabeza agradecida y solícita, diciendo, a su manera:

—Dejad a los niños y a los recentales que vengan a mí.

Estos recuerdos, estos lazos, son de los que no se olvidan.

Añádase a todo que la *Cordera* tenía la mejor pasta de vaca sufrida del mundo. Cuando se veía emparejada bajo el yugo con cualquier compañera, fiel a la gamella, sabía someter su voluntad a la ajena, y horas y horas se la veía con la cerviz inclinada, la cabeza torcida, en incómoda postura, velando en pie mientras la pareja dormía en tierra.

* * *

Antón de Chinta comprendió que había nacido para pobre cuando palpó la imposibilidad de cumplir aquel sueño dorado suyo de tener un *corral* propio con dos yuntas por lo menos. Llegó, gracias a mil ahorros, que eran mares de sudor y purgatorios de privaciones, llegó a la primera vaca, la *Cordera*, y no pasó de ahí; antes de poder comprar la segunda se vio obligado, para pagar atrasos al *amo*, el dueño de la *casería* que llevaba en renta, a llevar al mercado a aquel pedazo de sus entrañas, la *Cordera*, el amor de sus hijos. Chinta había muerto a los dos años de tener la *Cordera* en casa. El establo y la cama del matrimonio estaban pared por medio, llamando pared a un tejido de ramas de castaño y de cañas de maíz. La Chinta, musa de la economía en aquel hogar miserable, había muerto mirando a la vaca por un boquete del destrozado tabique de ramaje, señalándola como salvación de la familia.

"Cuidadla, es vuestro sustento", parecían decir los ojos de la pobre moribunda, que murió extenuada de hambre y de trabajo.

El amor de los gemelos se había concentrado en la *Cordera*; el regazo, que tiene su cariño especial, que el padre no puede reemplazar, estaba al calor de la vaca, en el establo, y allá, en el Somonte.

Todo esto lo comprendía Antón a su manera, confusamente. De la venta necesaria no había que decir palabra a los *neños*. Un sábado de julio, al ser de día, de mal humor Antón echó a andar hacia Gijón, llevando la *Cordera* por delante, sin más atavío que el collar de esquila. Pinín y Rosa dormían. Otros días había que despertarlos a azotes. El padre los dejó tranquilos. Al levantarse se encontraron sin la *Cordera*. "Sin duda, *mio pa* la había llevado al *xatu*." No cabía otra conjetura. Pinín y Rosa opinaban que la vaca iba de mala gana; creían ellos que no deseaba más hijos, pues todos acababa por perderlos pronto, sin saber cómo ni cuándo.

Al oscurecer, Antón y la *Cordera* entraban por la *corrada* mohínos, cansados y cubiertos de polvo. El padre no dio explicaciones, pero los hijos adivinaron el peligro.

No había vendido, porque nadie había querido llegar al precio que a él se le había puesto en la cabeza. Era excesivo: un sofisma del cariño. Pedía mucho por la vaca para que nadie se atreviese a llevársela. Los que se habían acercado a intentar fortuna se habían alejado pronto echando pestes de aquel hombre que miraba con ojos de rencor y desafío al que osaba insistir en acercarse al precio fijo en que él se abroquelaba. Hasta el último momento del mercado estuvo Antón de Chinta en el Humedal, dando plazo a la fatalidad. "No se dirá, pensaba, que yo no quiero vender: son ellos que no me pagan la *Cordera* en lo que vale." Y, por fin, suspirando, si no satisfecho, con cierto consuelo, volvió a emprender el camino por la carretera de Candás adelante, entre la confusión y el ruido de cerdos y novillos, bueyes y vacas, que los aldeanos de muchas parroquias del contorno conducían con mayor o menor trabajo, según eran de antiguo las relaciones entre dueños y bestias.

En el Natahoyo, en el cruce de dos caminos, todavía estuvo expuesto el de Chinta a quedarse sin la *Cordera*; un vecino de Carrió que le había rondado todo el día ofreciéndole pocos duros menos de los que pedía, le dio el último ataque, algo borracho.

El de Carrió subía, subía, luchando entre la codicia y el capricho de llevar la vaca. Antón, como una roca. Llegaron a tener las manos enlazadas, parados en medio de la carretera, interrumpiendo el paso... Por fin, la codicia pudo más; el pico de los cincuenta los separó como un abismo; se soltaron las manos, cada cual tiró por su lado; Amón, por una calleja que, entre madreselvas que aún no florecían y zarzamoras en flor, le condujo hasta su casa.

* * *

Desde aquel día en que adivinaron el peligro, Pinín y Rosa no sosega-
ron. A media semana se *personó* el mayordomo en el corral de Antón.
Era otro aldeano de la misma parroquia, de malas pulgas, cruel con los
caseros atrasados. Antón, que no admitía reprimendas, se puso lívido
ante las amenazas de desahucio.

El amo no esperaba más. Bueno, vendería la vaca a vil precio, por
una merienda. Había que pagar o quedarse en la calle.

Al sábado inmediato acompañó al Humedal Pinín a su padre. El
niño miraba con horror a los contratistas de carnes, que eran los tira-
nos del mercado. La *Cordera* fue comprada en su justo precio por un
rematante de Castilla. Se la hizo una señal en la piel y volvió a su establo de Puao, ya vendida, ajena, tañendo tristemente la esquila. Detrás
caminaban Antón de Chinta, taciturno, y Pinín, con ojos como puños.
Rosa, al saber la venta, se abrazó al testuz de la *Cordera*, que inclinaba
la cabeza a las caricias como al yugo.

"¡Se iba la vieja!" —pensaba con el alma destrozada Antón el
huraño—. Ella ser, era una bestia, pero sus hijos no tenían otra madre
ni otra abuela".

Aquellos días en el pasto, en la verdura del Somonte, el silencio era
fúnebre. La *Cordera*, que ignoraba su suerte, descansaba y pacía como
siempre, *sub specie aeternitatis*, como descansaría y comería un minuto
antes de que el brutal porrazo la derribase muerta. Pero Rosa y Pinín
yacían desolados, tendidos sobre la hierba, inútil en adelante. Miraban con rencor los trenes que pasaban, los alambres del telégrafo. Era
aquel mundo desconocido, tan lejos de ellos por un lado, y por otro el
que les llevaba su *Cordera*.

El viernes, al oscurecer, fue la despedida. Vino un encargado del
rematante de Castilla por la res. Pagó; bebieron un trago Antón y el
comisionado, y se sacó a la *quintana* la *Cordera*. Antón había apurado
la botella; estaba exaltado; el peso del dinero en el bolsillo le animaba
también. Quería aturdirse. Hablaba mucho, alababa las excelencias de
la vaca. El otro sonreía, porque las alabanzas de Antón eran impertinentes. ¿Que daba la res tantos y tantos *xarros* de leche? ¿Que era noble
en el yugo, fuerte con la carga? ¿Y qué, si dentro de pocos días había de
estar reducida a chuletas y otros bocados suculentos? Antón no quería

imaginar esto; se la figuraba viva, trabajando, sirviendo a otro labrador, olvidada de él y de sus hijos, pero viva, feliz... Pinín y Rosa, sentados sobre el montón de *cucho*, recuerdo para ellos sentimental de la *Cordera* y de los propios afanes, unidos por las manos, miraban al enemigo con ojos de espanto y en el supremo instante se arrojaron sobre su amiga; besos, abrazos: hubo de todo. No podían separarse de ella. Antón, agotada de pronto la excitación del vino, cayó como un marasmo; cruzó los brazos, y entró en el *corral* oscuro. Los hijos siguieron un buen trecho por la calleja, de altos setos, el triste grupo del indiferente comisionado y la *Cordera*, que iba de mala gana con un desconocido y a tales horas. Por fin, hubo que separarse. Antón, malhumorado clamaba desde casa:

—Bah, bah, *neños*, acá vos digo; basta de *pamemes*.

Así gritaba de lejos el padre con voz de lágrimas.

Caía la noche; por la calleja oscura que hacían casi negra los altos setos, formando casi bóveda, se perdió el bulto de la *Cordera*, que parecía negra de lejos. Después no quedó de ella más que el *tintán* pausado de la esquila, desvanecido con la distancia, entre los chirridos melancólicos de cigarras infinitas.

—¡Adiós, *Cordera*! —gritaba Rosa deshecha en llanto—. ¡Adiós, *Cordera* de *mío* alma!

—¡Adiós, *Cordera*! —repetía Pinín, no más sereno.

—Adiós —contestó por último, a su modo, la esquila, perdiéndose su lamento triste, resignado, entre los demás sonidos de la noche de julio en la aldea...

* * *

Al día siguiente, muy temprano, a la hora de siempre, Pinín y Rosa fueron al *prao* Somonte. Aquella soledad no lo había sido nunca para ellos hasta aquel día. El Somonte sin la *Cordera* parecía el desierto.

De repente silbó la máquina, apareció el humo, luego el tren. En un furgón cerrado, en unas estrechas ventanas altas o respiraderos, vislumbraron los hermanos gemelos cabezas de vacas que, pasmadas, miraban por aquellos tragaluces.

—¡Adiós, *Cordera!* —gritó Rosa, adivinando allí a su amiga, a la vaca abuela.

—¡Adiós, *Cordera!* —vociferó Pinín con la misma fe, enseñando los puños al tren, que volaba camino de Castilla.

Y, llorando, repetía el rapaz, más enterado que su hermana de las picardías del mundo:

—La llevan al matadero... Carne de vaca, para comer los señores, los curas... los indianos.

—¡Adiós, *Cordera!*

—¡Adiós, *Cordera!*

Y Rosa y Pinín miraban con rencor la vía, el telégrafo, los símbolos de aquel mundo enemigo, que les arrebataba, que les devoraba a su compañera de tantas soledades, de tantas ternuras silenciosas, para sus apetitos, para convertirla en manjares de ricos glotones...

—¡Adiós, *Cordera!*...

—¡Adiós, *Cordera!*...

* * *

Pasaron muchos años. Pinín se hizo mozo y se lo llevó el rey. Ardía la guerra carlista. Antón de Chinta era *casero* de un cacique de los vencidos; no hubo influencia para declarar inútil a Pinín que, por ser, era como un roble.

Y una tarde triste de octubre, Rosa, en el *prao* Somonte sola, esperaba el paso del tren correo de Gijón, que le llevaba a sus únicos amores, su hermano. Silbó a lo lejos la máquina, apareció el tren en la trinchera, pasó como un relámpago. Rosa, casi metida por las ruedas, pudo ver un instante en un coche de tercera multitud de cabezas de pobres quintos que gritaban, gesticulaban, saludando a los árboles, al suelo, a los campos, a toda la patria familiar, a la pequeña, que dejaban para ir a morir en las luchas fratricidas de la patria grande, al servicio de un rey y de unas ideas que no conocían,

Pinín, con medio cuerpo fuera de una ventanilla, tendió los brazos a su hermana; casi se tocaron. Y Rosa pudo oír entre el estrépito de las ruedas y la gritería de los reclutas la voz distinta de su hermano, que sollozaba, exclamando, como inspirado por un recuerdo de dolor lejano:

—¡Adiós, Rosa!... ¡Adiós, *Cordera!*

¡Adiós, *Pinín!* ¡Pinín de *mío* alma!...

"Allá iba, como la otra, como la vaca abuela. Se lo llevaba el mundo. Carne de vaca para los glotones, para los indianos; carne de su alma, carne de cañón para las locuras del mundo, para las ambiciones ajenas".

Entre confusiones de dolor y de ideas, pensaba así la pobre hermana viendo el tren perderse a lo lejos, silbando triste, con silbido que repercutían los castaños, las vegas y los peñascos...

¡Qué sola se quedaba! Ahora sí, ahora sí que era un desierto el *prao* Somonte.

—¡Adiós, Pinín! ¡Adiós, *Cordera!*

Con qué odio miraba Rosa la vía manchada de carbones apagados; con qué ira los alambres del telégrafo. ¡Oh!, bien hacía la *Cordera* en no acercarse. Aquello era el mundo, lo desconocido, que se lo llevaba todo. Y sin pensarlo, Rosa apoyó la cabeza sobre el palo clavado como un pendón en la punta del Somonte. El viento cantaba en las entrañas del pino seco su canción metálica. Ahora ya lo comprendía Rosa. Era canción de lágrimas, de abandono, de soledad, de muerte.

En las vibraciones rápidas, como quejidos, creía oír, muy lejana, la voz que sollozaba por la vía adelante:

—¡Adiós, Rosa! ¡Adiós, *Cordera!*

SI QUIERES, LEE MÁS DE *CLARÍN*

- *Su único hijo / Doña Bertha / Cuervo*, Porrúa, México, 1988.
- *Cuentos*, Porrúa, México, 1991.
- *Cuentos completos*, Alfaguara, Madrid, 2000, 2 volúmenes.
- *Ensayos y críticas 1881-1901*, Páginas de Espuma, Madrid, 2001.
- *¡Adiós, Cordera! y otros relatos breves*, Castalia, Madrid, 2004.
- *El señor y lo demás, son cuentos*, Espasa-Calpe, Madrid, 2009.
- *Doce cuentos sutiles*, Navona, Barcelona, 2009.

- Narrativa completa, Cátedra, Madrid, 2010, 2 volúmenes.
- *¡Adiós, Cordera! y otros cuentos*, Crítica, Madrid, 2010.
- *La regenta*, Siruela, Madrid, 2012.

LEOPOLDO LUGONES

Leopoldo Lugones nació en Villa María del Río Seco, Córdoba, en 1874, y se suicidó en Buenos Aires en 1938. Narrador, poeta y crítico fue, junto con Rubén Darío, uno de los máximos exponentes del Modernismo. Su talento brilla sobre todo en la poesía y el cuento. En ambos géneros lo que destaca, además de la experimentación con el lenguaje, es su don imaginativo. *Las montañas de oro* (1897), en la poesía, y *Las fuerzas extrañas* (1906) en el relato, son obras precursoras de la mejor lírica y la gran narrativa hispanoamericanas.

"Yzur" es uno de los mejores cuentos fantásticos que se hayan escrito en español. El autor juega con el conocimiento científico y la fantasía al referir el experimento de un hombre que pretende hacer hablar a un mono con el argumento de que los primates poseen un aparato fónico ideal para hablar, y con la especulación de que alguna vez los monos hablaron como los hombres.

Yzur

COMPRÉ EL MONO en el remate de un circo que había quebrado.

La primera vez que se me ocurrió tentar la experiencia a cuyo relato están dedicadas estas líneas, fue una tarde, leyendo no sé dónde, que los naturales de Java atribuían la falta de lenguaje articulado en los monos a la abstención, no a la incapacidad. "No hablan —decían— para que no los hagan trabajar".

Semejante idea, nada profunda al principio, acabó por preocuparme hasta convertirse en este postulado antropológico:

Los monos fueron hombres que por una u otra razón dejaron de hablar. El hecho produjo la atrofia de sus órganos de fonación y de los centros cerebrales del lenguaje; debilitó casi hasta suprimirla la relación entre unos y otros, fijando el idioma de la especie en el grito inarticulado, y el humano primitivo descendió a ser animal.

Claro es que si llegara a demostrarse esto quedarían explicadas desde luego todas las anomalías que hacen del mono un ser tan singular; pero esto no tendría sino una demostración posible: volver el mono al lenguaje.

Entre tanto había corrido el mundo con el mío, vinculándolo cada vez más por medio de peripecias y aventuras. En Europa llamó la atención, y de haberlo querido, llego a darle la celebridad de un cónsul: pero mi seriedad de hombre de negocios mal se avenía con tales payasadas.

Trabajado por mi idea fija del lenguaje de los monos, agoté toda la bibliografía concerniente al problema, sin ningún resultado apreciable. Sabía únicamente, con entera seguridad, *que no hay ninguna razón científica para que el mono no hable.* Esto llevaba cinco años de meditaciones.

Yzur (nombre cuyo origen nunca pude descubrir, pues lo ignoraba igualmente su anterior patrón), Yzur era ciertamente un animal notable. La educación del circo, bien que reducida casi enteramente al mimetismo, había desarrollado mucho sus facultades; y esto era lo que me incitaba más a ensayar sobre él mi en apariencia disparatada teoría.

Por otra parte, sábese que el chimpancé (Yzur lo era) es entre los monos el mejor provisto de cerebro y uno de los más dóciles, lo cual aumentaba mis probabilidades. Cada vez que lo veía avanzar en dos pies, con las manos a la espalda para conservar el equilibrio, y su aspecto de marinero borracho, la convicción de su humanidad detenida se vigorizaba en mí.

No hay a la verdad razón alguna para que el mono no articule absolutamente. Su lenguaje natural, es decir, el conjunto de gritos con que se comunica a sus semejantes, es asaz variado; su laringe, por más distinta que resulte de la humana, nunca lo es tanto como la del loro, que habla sin embargo; y en cuanto a su cerebro, fuera de que la comparación con el de este último animal desvanece toda duda, basta recordar que el del idiota es también rudimentario, a pesar de lo cual hay cretinos que pronuncian algunas palabras. Por lo que hace a la circunvolución de Broca, depende, es claro, del desarrollo total del cerebro; fuera de que no está probado que ella sea *fatalmente* el sitio de localización del lenguaje. Si es el caso de localización mejor establecido en anatomía, los hechos contradictorios son desde luego incontestables.

Felizmente los monos tienen, entre sus muchas malas condiciones, el gusto por aprender, como lo demuestra su tendencia imitativa; la memoria feliz, la reflexión que llega hasta una profunda facultad de disimulo, y la atención comparativamente más desarrollada que en el niño. Es, pues, un sujeto pedagógico de los más favorables.

El mío era joven además, y es sabido que la juventud constituye la época más intelectual del mono, parecido en esto al negro. La dificultad estribaba solamente en el método que se emplearía para comunicarle la palabra.

Conocía todas las infructuosas tentativas de mis antecesores; y está de más decir, que ante la competencia de algunos de ellos y la nulidad de todos sus esfuerzos, mis propósitos fallaron más de una vez, cuando el tanto pensar sobre aquel tema fue llevándome a esta conclusión:

Lo primero consiste en desarrollar el aparato de fonación del mono.

Así es, en efecto, como se procede con los sordomudos antes de llevarlos a la articulación; y no bien hube reflexionado sobre esto, cuando las analogías entre el sordomudo y el mono se agolparon en mi espíritu.

Primero de todo, su extraordinaria movilidad mímica que compensa al lenguaje articulado, demostrando que no por dejar de hablar se deja de pensar, así haya disminución de esta facultad por la paralización de aquélla. Después otros caracteres más peculiares por ser más específicos: la diligencia en el trabajo, la fidelidad, el coraje, aumentados hasta la certidumbre por estas dos condiciones cuya comunidad es verdaderamente reveladora; la facilidad para los ejercicios de equilibrio y la resistencia al marco.

Decidí, entonces, empezar mi obra con una verdadera gimnasia de los labios y de la lengua de mi mono, tratándolo en esto como a un sordomudo. En lo restante, me favorecería el oído para establecer comunicaciones directas de palabra, sin necesidad de apelar al tacto. El lector verá que en esta parte prejuzgaba con demasiado optimismo.

Felizmente, el chimpancé es de todos los grandes monos el que tiene labios más movibles; y en el caso particular, habiendo padecido Yzur de anginas, sabía abrir la boca para que se la examinaran.

La primera inspección confirmó en parte mis sospechas. La lengua permanecía en el fondo de su boca, como una masa inerte, sin otros movimientos que los de la deglución. La gimnasia produjo luego su efecto, pues a los dos meses ya sabía sacar la lengua para burlar. Ésta fue la primera relación que conoció entre el movimiento de su lengua y una idea; una relación perfectamente acorde con su naturaleza, por otra parte.

Los labios dieron más trabajo, pues hasta hubo que estirárselos con pinzas; pero apreciaba —quizá por mi expresión— la importancia de aquella tarea anómala y la acometía con viveza. Mientras yo practicaba los movimientos labiales que debía imitar, permanecía sentado, rascándose la grupa con su brazo vuelto hacia atrás y guiñando en una concentración dubitativa, o alisándose las patillas con todo el aire de un hombre que armoniza sus ideas por medio de ademanes rítmicos. Al fin aprendió a mover los labios.

Pero el ejercicio del lenguaje es un arte difícil, como lo prueban los largos balbuceos del niño, que lo llevan, paralelamente con su desarrollo intelectual, a la adquisición del hábito. Está demostrado, en efecto, que el centro propio de las inervaciones vocales se halla asociado con el de la palabra, en forma tal que el desarrollo normal de ambos depende de su ejercicio armónico; y esto ya lo había presentido en 1785 Heinicke, el inventor del método oral para la enseñanza de los sordomudos, como una consecuencia filosófica. Hablaba de una "concatenación dinámica de las ideas", frase cuya profunda claridad honraría a más de un psicólogo contemporáneo.

Yzur se encontraba, respecto al lenguaje, en la misma situación del niño que antes de hablar entiende ya muchas palabras; pero era mucho más apto para asociar los juicios que debía poseer sobre las cosas, por su mayor experiencia de la vida.

Estos juicios, que no debían ser sólo de impresión, sino también inquisitivos y disquisitivos, a juzgar por el carácter diferencial que asumían, lo cual supone un raciocinio abstracto, le daban un grado superior de inteligencia muy favorable por cierto a mi propósito.

Si mis teorías parecen demasiado audaces, basta con reflexionar que el silogismo, o sea el argumento lógico fundamental, no es extraño a la mente de muchos animales. Como que el silogismo es originariamente una comparación entre dos sensaciones. Si no, ¿por qué los animales que conocen al hombre huyen de él, y no los que nunca le conocieron?...

Comencé, entonces, la educación fonética de Yzur.

Tratábase de enseñarle primero la palabra mecánica, para llevarlo progresivamente a la palabra sensata.

Poseyendo el mono la voz, es decir, llevando esto de ventaja al sor-domudo, con más ciertas articulaciones rudimentarias, tratábase de enseñarle las modificaciones de aquélla, que constituyen los fonemas y su articulación, llamada por los maestros estática o dinámica, según que se refiera a las vocales o a las consonantes.

Dada la glotonería del mono, y siguiendo en esto un método empleado por Heinicke con los sordomudos, decidí asociar cada vocal con una golosina: *a* con papa; *e* con leche; *i* con vino; *o* con coco; *u* con azúcar, haciendo de modo que la vocal estuviese contenida en el nombre de la golosina, ora con dominio único y repetido como en *papa, coco, leche*, ora reuniendo los dos acentos, tónico y prosódico, es decir, como fun-damental: *vino, azúcar*.

Todo anduvo bien, mientras se trató de las vocales, o sea los sonidos que se forman con la boca abierta. Yzur los aprendió en quince días. Sólo que, a veces, el aire contenido en sus abazones les daba una rotun-didad de trueno. La *u* fue lo que más le costó pronunciar.

Las consonantes me dieron un trabajo endemoniado, y a poco hube de comprender que nunca llegaría a pronunciar aquellas en cuya for-mación entran los dientes y las encías. Sus largos colmillos y sus aba-zones, lo estorbaban enteramente.

El vocabulario quedaba reducido, entonces, a las cinco vocales; la *b*, la *k*, la *m*, la *g*, la *f* y la *c*, es decir todas aquellas consonantes en cuya formación no intervienen sino el paladar y la lengua.

Aun para esto no me bastó el oído. Hube de recurrir al tacto como un sordomudo, apoyando su mano en mi pecho y luego en el suyo para que sintiera las vibraciones del sonido.

Y pasaron tres años, sin conseguir que formara palabra alguna. Ten-día a dar a las cosas, como nombre propio, el de la letra cuyo sonido predominaba en ellas. Esto era todo.

En el circo había aprendido a ladrar como los perros, sus compa-ñeros de tarea; y cuando me veía desesperar ante las vanas tentativas para arrancarle la palabra, ladraba fuertemente como dándome todo lo que sabía. Pronunciaba aisladamente las vocales y consonantes, pero no podía asociarlas. Cuando más, acertaba con una repetición de *pes* y *emes*.

CUENTOS INOLVIDABLES PARA AMAR LA LECTURA

Por despacio que fuera, se había operado un gran cambio en su carácter. Tenía menos movilidad en las facciones, la mirada más profunda, y adoptaba posturas meditativas. Había adquirido, por ejemplo, la costumbre de contemplar las estrellas. Su sensibilidad se desarrollaba igualmente; íbasele notando una gran facilidad de lágrimas.

Las lecciones continuaban con inquebrantable tesón, aunque sin mayor éxito. Aquello había llegado a convertirse en una obsesión dolorosa, y poco a poco sentíame inclinado a emplear la fuerza. Mi carácter iba agriándose con el fracaso, hasta asumir una sorda animosidad contra Yzur. Éste se intelectualizaba más, en el fondo de su mutismo rebelde, y empezaba a convencerme de que nunca lo sacaría de allí, cuando supe de golpe que no hablaba porque no quería. El cocinero, horrorizado, vino a decirme una noche que había sorprendido al mono "hablando verdaderas palabras". Estaba, según su narración, acurrucado junto a una higuera de la huerta; pero el terror le impedía recordar lo esencial de esto, es decir, las palabras. Sólo creía retener dos: *cama* y *pipa*. Casi le doy de puntapiés por su imbecilidad.

No necesito decir que pasé la noche poseído de una gran emoción; y lo que en tres años no había cometido, el error que todo lo echó a perder, provino del enervamiento de aquel desvelo, tanto como de mi excesiva curiosidad.

En vez de dejar que el mono llegara naturalmente a la manifestación del lenguaje, llaméle al día siguiente y procuré imponérsela por obediencia.

No conseguí sino las *pes* y las *emes* con que me tenía harto, las guiñadas hipócritas y —Dios me perdone— una cierta vislumbre de ironía en la azogada ubicuidad de sus muecas.

Me encolericé, y sin consideración alguna, le di de azotes. Lo único que logré fue su llanto y un silencio absoluto que excluía hasta los gemidos.

A los tres días cayó enfermo, en una especie de sombría demencia complicada con síntomas de meningitis. Sanguijuelas, afusiones frías, purgantes, revulsivos cutáneos, alcoholaturo de brionia, bromuro —toda la terapéutica del espantoso mal le fue aplicada—. Luché con desesperado brío, a impulsos de un remordimiento y de un temor. Aquél por creer a la bestia una víctima de mi crueldad; éste por la suerte del secreto que quizá se llevaba a la tumba.

Mejoró al cabo de mucho tiempo, quedando, no obstante, tan débil, que no podía moverse de su cama. La proximidad de la muerte habíalo ennoblecido y humanizado. Sus ojos llenos de gratitud, no se separaban de mí, siguiéndome por toda la habitación como dos bolas giratorias, aunque estuviese detrás de él; su mano buscaba las mías en una intimidad de convalecencia. En mi gran soledad, iba adquiriendo rápidamente la importancia de una persona.

El demonio del análisis, que no es sino una forma del espíritu de perversidad, impulsábame, sin embargo, a renovar mis experiencias. En realidad el mono había hablado. Aquello no podía quedar así.

Comencé muy despacio, pidiéndole las letras que sabía pronunciar. ¡Nada! Dejélo solo durante horas, espiándolo por un agujerillo del tabique. ¡Nada! Habléle con oraciones breves, procurando tocar su fidelidad o su glotonería. ¡Nada! Cuando aquéllas eran patéticas, los ojos se le hinchaban de llanto. Cuando le decía una frase habitual, como el "yo soy tu amo" con que empezaba todas mis lecciones, o el "tú eres mi mono" con que completaba mi anterior afirmación, para llevar a un espíritu la certidumbre de una verdad total, él asentía cerrando los párpados; pero no producía sonido, ni siquiera llegaba a mover los labios.

Había vuelto a la gesticulación como único medio de comunicarse conmigo; y este detalle, unido a sus analogías con los sordomudos, hacía redoblar mis preocupaciones, pues nadie ignora la gran predisposición de estos últimos a las enfermedades mentales. Por momentos deseaba que se volviera loco, a ver si el delirio rompía al fin su silencio. Su convalecencia seguía estacionaria. La misma flacura, la misma tristeza. Era evidente que estaba enfermo de inteligencia y de dolor. Su unidad orgánica habíase roto al impulso de una cerebración anormal, y día más, día menos, aquél era caso perdido. Mas, a pesar de la mansedumbre que el progreso de la enfermedad aumentaba en él, su silencio, aquel desesperante silencio provocado por mi exasperación, no cedía. Desde un oscuro fondo de tradición petrificada en instinto, la raza imponía su milenario mutismo al animal, fortaleciéndose de voluntad atávica en las raíces mismas de su ser. Los antiguos hombres de la selva, que forzó al silencio, es decir, al suicidio intelectual, quién sabe qué bárbara injusticia, mantenían su secreto formado por misterios de bosque y abismos de prehistoria, en aquella decisión ya inconsciente, pero formidable con la inmensidad de su tiempo. Infortunios del antropoide retrasado en la evolución cuya delantera tomaba el humano con un despotismo de sombría barbarie, habían, sin duda, destronado a las grandes familias cuadrumanas del dominio arbóreo de sus primitivos edenes, raleando sus filas, cautivando sus hembras para organizar la esclavitud desde el propio vientre materno, hasta infundir a su impotencia de vencidas el acto de dignidad mortal que las llevaba a romper con el enemigo el vínculo superior también, pero infausto, de la palabra, refugiándose como salvación suprema en la noche de la animalidad.

Y qué horrores, qué estupendas sevicias no habrían cometido los vencedores con la semibestia en trance de evolución, para que ésta, después de haber gustado el encanto intelectual que es el fruto paradisíaco de las biblias, se resignara a aquella claudicación de su estirpe en la degradante igualdad de los inferiores; a aquel retroceso que cristalizaba por siempre su inteligencia en los gestos de un automatismo de acróbata; a aquella gran cobardía de la vida que encorvaría eternamente, como en distintivo bestial, sus espaldas de dominado, imprimiéndole ese melancólico azoramiento que permanece en el fondo de su caricatura.

He aquí lo que, al borde mismo del éxito, había despertado mi mal humor en el fondo del limbo atávico. A través del millón de años, la palabra, con su conjuro, removía la antigua alma simiana; pero contra esa tentación que iba a violar las tinieblas de la animalidad protectora, la memoria ancestral, difundida en la especie bajo un instintivo horror, oponía también edad sobre edad como una muralla.

Yzur entró en agonía sin perder el conocimiento. Una dulce agonía a ojos cerrados, con respiración débil, pulso vago, quietud absoluta, que sólo interrumpía para volver de cuando en cuando hacia mí, con una desgarradora expresión de eternidad, su cara de viejo mulato triste. Y la última noche, la tarde de su muerte, fue cuando ocurrió la cosa extraordinaria que me ha decidido a emprender esta narración.

Habíame dormitado a su cabecera, vencido por el calor y la quietud del crepúsculo que empezaba, cuando sentí de pronto que me asían por la muñeca.

Desperté sobresaltado. El mono, con los ojos muy abiertos, se moría definitivamente aquella vez, y su expresión era tan humana, que me infundió horror; pero su mano, sus ojos, me atraían con tanta elocuencia hacia él, que hube de inclinarme de inmediato a su rostro; y entonces, con su último suspiro, el último suspiro que coronaba y desvanecía a la vez mi esperanza, brotaron —estoy seguro—, brotaron en un murmullo (¿cómo explicar el tono de una voz que ha permanecido sin hablar diez mil siglos?) estas palabras cuya humanidad reconciliaba las especies:

—AMO, AGUA, AMO, MI AMO...

SI QUIERES, LEE MÁS DE LUGONES

- *La estatua de sal*, Siruela, Madrid, 1986.
- *Cuentos fantásticos*, Castalia, Madrid, 1988.
- *Lunario sentimental*, Cátedra, Madrid, 1988.
- *El vaso de alabastro y otros cuentos*, Alianza, Madrid, 1995.
- *Las fuerzas extrañas*, Cátedra, Madrid, 1996.
- *Las montañas de oro*, Leviatán, Buenos Aires, 1999.
- *Alas*, Pre-Textos, Valencia, 2001.
- *Cuentos fatales*, Eneida, Madrid, 2010.
- *Antología poética*, Visor, Madrid, 2011.
- *Cuentos*, Diada, Buenos Aires, 2011.

Franz Kafka

Franz Kafka nació Praga en 1883, donde también murió en 1924. Este escritor checo en lengua alemana (Praga entonces era una de las capitales del Imperio Austrohúngaro) es, con mucho, el creador de un universo literario personal que ha influido grandemente a toda la gran literatura universal del siglo XX y el XXI. Su vida atormentada se refleja en una obra llena de fantasía y angustia. Novelista y cuentista por excelencia, también cultivó el aforismo. La mayor parte de su obra es póstuma, lo mismo que su celebridad. En vida publicó muy poco, y sólo después de su muerte su amigo Max Brod dio a conocer la mayor parte de sus escritos que, según se sabe, él pidió destruir.

"Un ayunador" relata la historia de una especie de faquir que decide ayunar hasta la inanición porque, en el fondo, jamás encontró alimento que le gustara. Es la historia irónica y triste, por momentos cómica, de un ayunador profesional, de los que un tiempo abundaron en Europa como espectáculos de feria, que no se conforma con ayunar el término oficial de 40 días, sino que se fija el propósito sobrehumano de rebasar cualquier límite sin probar alimento. En lengua española se hizo famosa la versión de Jorge Luis Borges bajo el título "Un artista del hambre". Héctor Orestes Aguilar, conocedor de Kafka y de la lengua y la literatura alemanas, ha llevado a cabo una nueva y feliz traducción que restituye al cuento su título original y algunos elementos esenciales de la especial ironía kafkiana.

Un ayunador

EL INTERÉS POR LOS AYUNADORES ha disminuido mucho en los últimos decenios. Si bien antes valía la pena presentar grandes espectáculos de este tipo por cuenta propia, hoy es completamente imposible. Eran otros tiempos. Por entonces toda la ciudad se interesaba por el ayunador; cada día de ayuno aumentaba la concurrencia; todos querían ver al ayunador por lo menos una vez al día; durante los últimos días del ayuno había abonados que se sentaban todo el día ante la pequeña jaula; en la noche también recibía visitas, cuya impresión aumentaba a la luz de las antorchas; cuando hacía buen día se sacaba la jaula al aire libre y entonces el ayunador era exhibido especialmente a los niños; mientras que para los adultos él era sólo una diversión, en la que participaban para estar a la moda, los niños, tomados de las manos por razones de seguridad, miraban asombrados y boquiabiertos a aquel hombre pálido de suéter negro, de enormes costillas saltonas, quien, aun desdeñando una silla, se sentaba sobre la paja esparcida, a veces saludando cortésmente o respondiendo con forzada sonrisa las preguntas, sacando además un brazo entre las rejas para hacer sentir su delgadez, pero que después volvía a sumergirse en sí mismo, sin preocuparse por alguien, ni siquiera por el pulso del reloj, para él tan importante, que era el único mueble en la jaula. Sólo se quedaba mirando delante de sí, con ojos entrecerrados, y de vez en cuando bebía de un diminuto vaso de agua para humedecerse los labios.

Además de los variables espectadores, allí también había celadores permanentes elegidos por el público, por lo común carniceros, curiosamente, quienes, siempre tres al mismo tiempo, tenían día y noche la tarea de observar al ayunador para que, acaso de alguna manera velada, no fuese a ingerir alimento. Pero esto era sólo una formalidad adoptada para tranquilidad de las masas, pues los iniciados sabían bien que durante el tiempo de ayuno, bajo ninguna circunstancia, ni siquiera a la fuerza, el ayunador hubiera comido el mínimo alimento; el honor de su arte se lo prohibía. Por supuesto, no todos los celadores podían comprenderlo, a veces había grupos de celadores nocturnos que cumplían su guardia muy relajadamente, se juntaban a propósito en una esquina distante y allí se sumergían en un juego de cartas con la abierta intención de permitirle al ayunador un pequeño refresco, que, en opinión de ellos, él podría sacar de algunas provisiones secretas. Nada le atosigaba tanto al ayunador como aquellos celadores; lo perturbaban; le hacían terriblemente difícil el ayuno; a veces superaba su debilidad y cantaba durante aquella guardia, mientras podía, para mostrar a esa gente lo injusto de sus sospechas. Pero eso ayudaba poco, pues entonces ellos sólo se asombraban ante su habilidad para comer incluso mientras cantaba. Para él eran mucho mejores los celadores que se sentaban estrechamente junto a las rejas y que, no contentándose con la turbia iluminación nocturna de la sala, lo alumbraban con las lámparas de mano que había puesto a su disposición el empresario. La luz deslumbrante no le molestaba para nada, no podía dormir en absoluto y siempre podía dormitar un poco, bajo cualquier iluminación y a cualquier hora, incluso ante una sala ruidosa y con sobrecupo. Él estaba dispuesto, con mucho gusto, a pasar la noche completamente sin dormir con tales celadores; estaba dispuesto a bromear con ellos, contarles historias de su vida vagabunda, escuchar después las suyas, todo sólo para mantenerlos despiertos, para poder mostrarles siempre que él no tenía nada comestible en la jaula y que ayunaba como ninguno de ellos podría. Pero era de lo más feliz cuando llegaba la mañana y por su cuenta le llevaban a los celadores un abundante desayuno, sobre el que se arrojaban con el apetito de hombres briosos después de una laboriosa noche en vela. Incluso había gente que quería ver en este desayuno una indebida tentación a los celadores, pero aquello iba demasiado lejos; y si se les preguntaba si acaso querían asumir la guardia nocturna sin desayuno, sólo por amor a la causa, ponían mala cara; sin embargo, aquella gente conservaba siempre sus sospechas.

Sin embargo, esto ya era parte de las sospechas completamente inseparables del ayuno. Nadie estaba en posición de pasar días y noches como vigilante del ayunador sin interrupción; por tanto, nadie podía saber por experiencia propia si realmente había ayunado sin interrupción ni falla; sólo él podía saberlo, pues era, al mismo tiempo, un espectador de su ayuno completamente satisfecho. Aunque, por otra razón, tampoco lo estaba nunca. Quizá no había adelgazado así debido al ayuno; tanto, que algunos, a su pesar, debían permanecer lejos de las presentaciones, porque no soportaban su apariencia. Había adelgazado así sólo por su insatisfacción consigo mismo. Precisamente sólo él sabía —ningún iniciado lo sabía— lo fácil que era el ayuno. Era la cosa más fácil del mundo. No lo ocultaba, pero no le creían, en el mejor de los casos lo tomaban por modesto, pero las más de las veces lo juzgaban sediento de publicidad o un farsante, para quien el ayuno era cosa fácil porque sabía la manera fácil de hacerlo, y que tenía, además, el descaro de admitirlo a medias. Tenía que soportar todo esto, ya se había acostumbrado a ello en el curso de los años, pero en su interior siempre lo corroía ese descontento y nunca, aun después de ningún periodo de ayuno —había que darle ese reconocimiento—, había abandonado su jaula voluntariamente.

El empresario había fijado cuarenta días como plazo máximo de ayuno, más allá del cual no le permitía ayunar ni siquiera en las metrópolis, y por una buena razón. Por experiencia, aumentando gradualmente la publicidad, se podía incitar cada vez más el interés de una ciudad durante cuarenta días, pero después el público se apartaba, se constataba una disminución sustancial de la asistencia. A este respecto había, por supuesto, pequeñas diferencias entre las ciudades y países, pero por regla general cuarenta días eran el plazo máximo. Por ello, entonces, al cuadragésimo día se abría la puerta de la jaula ornada con flores; un público admirado llenaba el anfiteatro, una banda militar tocaba, dos médicos entraban en la jaula para hacerle las evaluaciones necesarias al ayunador, se informaba a la sala de los resultados a través de un megáfono y, finalmente, llegaban dos jóvenes damas, felices de haber sido elegidas por sorteo, queriendo sacar al ayunador de la jaula y hacerle bajar un par de peldaños, donde una comida de hospital, cuidadosamente escogida, estaba servida sobre una pequeña mesita. En ese momento, el ayunador siempre oponía resistencia. Aún colocaba voluntariamente sus brazos huesudos en las serviciales manos extendidas de las dos damas inclinadas sobre él, pero no quería levantarse. ¿Por qué desistir precisamente después de cuarenta días? Hubiera aguantado todavía más, ilimitadamente más tiempo; ¿por qué desistir precisamente ahora, cuando estaba ayunando tan bien, como nunca antes? ¿Por qué se le quería robar la fama de continuar ayunando y convertirse en el mayor ayunador de todos los tiempos, cosa que probablemente ya era, sino también la de superarse a sí mismo hasta lo inconmensurable, pues para su capacidad de ayuno no sentía ningún límite? ¿Por qué aquella multitud que fingía admirarlo tenía tan poca paciencia con él? Si soportaba seguir ayunando, ¿por qué no querían permitírselo? Además estaba cansado, se sentía bien sentado en la paja y ahora debía levantarse cuan largo era e ir a comer, lo que sólo de pensarlo le causaba náuseas, cuya expresión reprimió trabajosamente sólo por respeto a las damas. Alzó la vista hacia los ojos de las damas, en apariencia tan amables, en realidad tan crueles, y sobre su frágil cuello movió de un lado a otro la cabeza, que pesaba muchísimo. Entonces sucedió lo que siempre sucedía. Llegó el empresario, en silencio —la música imposibilitaba la conversación— alzó los brazos sobre el ayunador como pidiendo al cielo que viera el estado en que se encontraba su obra aquí, sobre la paja, aquel mártir lamentable; algo que, sólo en muy distinto sentido, era el ayunador. Tomó al ayunador de la estrecha cintura, con lo cual quería dar a creer, por su excesiva cautela, que trataba con una cosa como quebradiza, y lo entregó —no sin sacudirlo con disimulo un poco, tanto que el ayunador meneó sin control las piernas y el torso— a las damas, que entretanto se habían puesto mortalmente pálidas.

Entonces el ayunador sufría de todo: la cabeza caída sobre el pecho, como si se hubiera enrollado y sostenido allí sin explicación. El cuerpo estaba vacío. Por instinto de conservación, las piernas se apretaban con firmeza por las rodillas, arañaban el piso como si no fuera el verdadero, buscándolo. Todo el peso del cuerpo, por lo demás muy reducido, caía sobre una de las damas, quien, buscando ayuda con aliento entrecortado —no había imaginado ese cargo honorífico de aquel modo—, en principio estiraba lo más posible el cuello para al menos evitar el contacto del rostro con el ayunador, pero después, como no lo lograba, y su compañera, más afortunada que ella, no acudía en su ayuda, sino que, temblorosa, se contentaba con estrechar el diminuto puñado de huesos de la mano del ayunador, estallaba en llanto ante las entusiastas carcajadas de la sala, y debía ser relevada por un sirviente adiestrado desde tiempo atrás. Después venía la comida, de la que el empresario le daba a ingerir algo al ayunador durante su desvanecida duermevela, en medio de una divertida conversación que debía distraer la atención del estado en que se encontraba el ayunador. Entonces venía un brindis dirigido al público, que supuestamente era susurrado al empresario por el ayunador. La orquesta acentuaba todo mediante un gran trompeteo. Se retiraban y nadie tenía el derecho a estar inconforme con lo sucedido, nadie. Sólo el ayunador. Sólo él, siempre.

Vivió así muchos años, con regulares descansos, en aparente esplendor, honrado por el mundo; sin embargo, por lo general estaba de humor melancólico, que se ponía más melancólico por el hecho de que nadie acertaba a tomarlo en serio. Además, ¿con qué podrían consolarlo? ¿Qué más podría desear? Y si alguna vez aparecía un benévolo que lo compadecía y quería explicarle que su tristeza probablemente provenía del hambre, podía suceder, en especial durante una etapa avanzada del ayuno, que el ayunador respondiera con un ataque de furia y para espanto de todos comenzara a sacudir como un animal los barrotes. Pero para tales ocasiones el empresario tenía un castigo que usaba con gusto. Disculpaba al ayunador ante el público reunido; reconocía que sólo la irritabilidad suscitada por el ayuno, incomprensible en hombres bien alimentados, podía dispensar el comportamiento del ayunador. Después, en relación con eso, mencionaba también la explicación del ayunador sobre que le era posible ayunar mucho más tiempo del que ayunaba; elogiaba la elevada ambición, la buena voluntad, la gran abnegación que sin duda esa afirmación contenía; pero después buscaba refutarla con sólo mostrar unas fotografías, que simultáneamente se vendían, pues en las imágenes se veía al ayunador al cuadragésimo día de ayuno, en la cama, casi extinto de inanición. Aunque bien sabida por el ayunador, esa cada vez más enervante deformación de la verdad era demasiado para él. ¡Lo que era consecuencia del prematuro cese del ayuno se presentaba como la causa! Era imposible luchar contra esa incomprensión, contra aquel mundo de incomprensión. No obstante, de buena fe escuchaba ansiosamente al empresario desde los barrotes, pero al aparecer las fotografías se soltaba siempre de ellos, y gimiendo volvía a hundirse en la paja, y el público, sosegado, podía acercarse de nuevo y examinarlo.

Cuando los testigos de tales escenas pensaban de nuevo en ellas algunos años después, con frecuencia se habían vuelto hasta incomprensibles, pues entre tanto sucedió aquel brusco cambio mencionado; ocurrió casi de repente; debía haber razones profundas para ello, pero ¿a quién le correspondía encontrarlas? En todo caso, un día el mimado ayunador se vio abandonado por la multitud ávida de diversión, que se volcó a otros espectáculos. El empresario recorrió otra vez con él media Europa, para ver si aquí o allá encontraban de nuevo la antigua atención; todo en vano; como en un pacto secreto se había desarrollado por todas partes, al mismo tiempo, una aversión hacia el arte del ayuno. Por supuesto que, en realidad, este fenómeno no podía haberse dado así, de repente, y se acordaban, entonces, tardíamente, de algunas cosas que en la época de embriaguez del éxito no habían atendido suficientemente, presagios no suficientemente mitigados, pero ahora era demasiado tarde para emprender algo contra ello. Era indudable que alguna vez regresaría la época para el ayuno, pero para los que vivían de ello no era consuelo alguno. ¿Qué debía hacer, entonces, el ayunador? Aquél que había sido aclamado por miles no podía presentarse en los tinglados de las pequeñas ferias, y para adoptar otro oficio el ayunador no sólo estaba demasiado viejo, sino que estaba fanáticamente prendido del ayuno. De tal modo, se despidió del empresario, el camarada de una carrera incomparable, y se hizo contratar por un gran circo. Para proteger su sensibilidad, ni siquiera examinó las condiciones del contrato.

Un gran circo, con su infinidad de hombres y animales y aparatos que permanentemente se sustituyen y se complementan unos a otros puede, en cualquier momento, emplear a cualquier artista, también a un ayunador, si sus pretensiones son modestas, por supuesto, y además, en este caso especial, no sólo era el ayunador mismo quien era contratado, sino también su antiguo y famoso nombre, pues ni siquiera podía decirse, por la peculiaridad de este arte que no mengua en una edad avanzada, que un artista veterano, quien ya no estaba más en la cumbre de sus habilidades, quisiera huir a un tranquilo trabajo circense. Por el contrario, el ayunador aseguraba que ayunaba tan bien como antes, lo que era absolutamente creíble. Incluso él afirmaba que si se le dejaba actuar a voluntad, y esto se le prometió de inmediato, entonces de verdad causaría un justificado asombro al mundo. Era una afirmación que hacía sonreír a la gente del oficio, en vista de la atmósfera de la época, que, en su entusiasmo, el ayunador olvidaba fácilmente.

En el fondo, sin embargo, el ayunador no perdió de vista las verdaderas circunstancias y aceptó, desde luego, que su jaula no fuera colocada en el centro de la pista como atracción principal, sino que la llevaran afuera, cerca de los establos, a un lugar bastante concurrido, por cierto. La jaula estaba rodeada por grandes rótulos pintados de colores que anunciaban lo que había que ver allí. Cuando el público se abría paso hacia los establos para ver a los animales durante los intermedios de la función, era casi inevitable que pasaran frente al ayunador y se detuvieran allí un momento; podría haberse permanecido más tiempo junto a él, si en el estrecho pasillo los empujones de quienes venían detrás, que no entendían esa parada en el camino hacia los ansiados establos, no hubieran imposibilitado una contemplación más larga, más tranquila.

Éste también era el motivo por el que el ayunador temblaba ante aquellas horas de visita, que sin embargo anhelaba como el propósito de su vida, por supuesto. Al principio apenas podía esperar los intermedios de las funciones; contemplaba, con entusiasmo, a la multitud que daba vueltas de un lado a otro, hasta que muy pronto —ni el más necio y casi consciente autoengaño resistía la experiencia— se convenció de que, al menos de acuerdo a su intención, la mayoría de las veces, una y otra vez, sin excepción, eran meros visitantes de establos. Esa vista desde la distancia siempre fue la más agradable. Pues cuando llegaban hasta él, de inmediato lo perturbaban los gritos e insultos de los dos partidos que al punto se formaban. El de quienes querían verlo cómodamente, no por interés, sino por capricho y terquedad —que pronto se convirtió en el más vergonzoso para el ayunador— y el de los segundos, que ante todo sólo pedían los establos. Cuando el gentío pasaba, llegaban entonces los rezagados, y éstos, a pesar de que ya no se les prohibía quedarse tanto como quisieran, pasaban de prisa a grandes zancadas, casi sin mirar de reojo, para llegar a tiempo hasta los animales. Y no era un golpe de suerte frecuente que llegara un padre de familia con sus hijos, señalara con el dedo al ayunador explicando detalladamente de qué se trataba, contara de años anteriores en los que él había estado en un espectáculo semejante, pero incomparablemente más espléndido; y entonces los niños, a causa de su insuficiente preparación escolar y en la vida —¿qué era para ellos el ayuno?—, seguían sin comprender; pero en el brillo de sus ojos inquietos se traslucían nuevos tiempos por venir, más piadosos.

Quizá todo estaría en verdad un poco mejor, se decía a sí mismo a veces el ayunador, si su ubicación no estuviese tan cerca de los establos. De ese modo, a la gente se le habría facilitado muchísimo la elección, sin hablar de que lo ofendían mucho y lo deprimían sin cesar los tufos de los establos, la inquietud de los animales en la noche, el tránsito de los sangrientos trozos de carne para las fieras y los bramidos mientras las alimentaban. Pero no se atrevía a hacerlo de conocimiento de la dirección; después de todo, tenía que agradecer a los animales la multitud de visitantes, entre los cuales, de vez en cuando, también podía encontrarse alguno que viniera precisamente a verlo, y quién sabía en qué rincón lo esconderían si él quería recordar su existencia y con ello, viéndolo bien, que no era más que un estorbo en el camino hacia los establos.

En todo caso un pequeño estorbo, un estorbo que empequeñecía cada vez más. Se habían acostumbrado a la extravagancia de reclamar atención para un ayunador en los tiempos actuales, y esa costumbre fue la sentencia para el ayunador. Él podría ayunar tanto como quisiera, y así lo hacía, pero nada podía salvarlo ya: se le ignoraba. ¡Intente explicarle el ayuno a alguien! No es posible hacérselo comprensible a quien no lo siente. Los hermosos rótulos se ensuciaron y se volvieron ilegibles, fueron arrancados y a nadie se le ocurrió reemplazarlos. La tablita con la cifra de los días de ayuno cumplidos, que en la primera época era cuidadosamente rehecha a diario, desde hacía mucho tiempo ya era siempre la misma, pues al cabo de las primeras semanas incluso ese pequeño trabajo había hartado al personal; y de ese modo el ayunador siguió ayunando, como lo había soñado alguna vez, y lo hacía sin pena, tal como lo había predicho en otra época, pero nadie contaba los días, nadie; ni siquiera el mismo ayunador sabía qué tan grande era ya el mérito, y su corazón se endureció. Y si alguna vez un ocioso se detenía, burlándose de la vieja cifra y decía que era un fraude, aquella era la mentira más estúpida que la indiferencia y la maldad innata habrían podido inventar, pues el ayunador no estafaba: él trabajaba honradamente, pero el mundo le escamoteaba su reconocimiento.

Muchos días pasaron, pero aquello también llegó a su fin. Cierta vez, a un inspector le llamó la atención la jaula y preguntó a los sirvientes por qué dejaban allí sin usar esa jaula tan utilizable con la paja podrida adentro; nadie lo sabía, hasta que uno, con la ayuda de la tabla del calendario, se acordó del ayunador. Removieron la paja con varas y encontraron allí al ayunador.

—¿Sigues ayunando? —preguntó el inspector—. ¿Cuándo dejarás de hacerlo?

—Perdónenme todos —susurró el ayunador. Sólo lo comprendió el inspector, que tenía el oído pegado a la reja.

—Sin duda —dijo el inspector, poniéndose el índice en la sien para indicar con ello al personal el estado del ayunador—, todos te perdonamos.

—Había deseado toda la vida que admiraran mi resistencia al hambre —dijo el ayunador.

—Y la admiramos —le reviró el inspector.

—Pero no deberían admirarla —dijo el ayunador.

—Bueno, pues entonces no la admiraremos —dijo el inspector—; pero ¿por qué no debemos admirarte?

—Porque debo ayunar, no sé hacer otra cosa —dijo el ayunador.

—Eso ya se ve —dijo el inspector—; pero ¿por qué no puedes hacer otra cosa?

—Porque —dijo el artista del hambre levantando un poco la cabeza, y alargó los labios como dando un beso en la mera oreja del inspector para que nada se perdiera—, porque no pude encontrar alimento que me gustara. Si lo hubiera encontrado, créeme, no habría hecho ningún escándalo y me habría empachado como tú y como todos.

Éstas fueron las últimas palabras, pero todavía, en sus ojos fracturados, se veía la firme convicción, aunque ya no orgullosa, de seguir ayunando.

—¡Pongan orden ahora! —ordenó el inspector, y se enterró al ayunador junto con la paja.

En la jaula pusieron una pantera joven. Hasta para el gusto más negado era un gran placer ver a la hermosa fiera revolviéndose en aquella jaula tanto tiempo vacía. Nada le faltaba. Sin pensarlo mucho, los celadores le llevaban la comida que le gustaba. Ni siquiera parecía extrañar la libertad. Aquel noble cuerpo, dotado con todo lo necesario para desgarrar lo que se le pusiera enfrente, parecía además traer consigo la propia libertad, que parecía estar escondida en algún lugar de su dentadura; y la alegría de vivir brotaba con tan fuerte ardor de sus fauces, que a los espectadores no les era fácil poder hacerle frente. Pero hacían un esfuerzo, rodeaban la jaula y de ningún modo querían apartarse de allí.

Traducción de Héctor Orestes Aguilar.

SI QUIERES, LEE MÁS DE KAFKA

- *Carta al padre*, Colofón, México, 2004.
- *Diarios*, Debolsillo, Madrid, 2006.
- *América*, Terramar, Buenos Aires, 2007.
- *Bestiario*, Anagrama, Barcelona, 2008.
- *El castillo*, Edaf, Madrid, 2009.
- *El proceso*, Alianza, Madrid, 2011.
- *La metamorfosis*, Fontamara, México, 2011.
- *Dibujos*, Sexto Piso, México, 2011.
- *La metamorfosis / La condena / La muralla china*, Edaf, Madrid, 2012.
- *Obras selectas*, Edimat, Madrid, 2013.

Francisco Rojas González

Francisco Rojas González nació en Guadalajara, Jalisco, en 1904, donde también murió en 1951. Escritor extraño al ámbito literario, fue narrador, etnólogo y guionista de cine. En la narrativa produjo dos novelas, pero son sobre todo sus cuentos (y algunos de ellos, especialmente) lo que le han dado un espacio significativo en la memoria de los lectores. La mayor parte de su obra literaria está vinculada a sus investigaciones sociales entre los pueblos indígenas de México. Su libro más conocido, *El diosero*, en el que se encuentran algunos de sus cuentos inolvidables, apareció póstumamente en 1952.

"La parábola del joven tuerto", incluido en *El diosero*, es un cuento triste y trágico, no exento de un humor amargo, de los mejores que escribió Rojas González y uno de los más inolvidables. La desdicha puede ser, a veces, según este relato, un bien milagroso concedido por los dioses o los santos.

La parábola del joven tuerto

"Y VIVIÓ FELIZ LARGOS AÑOS." Tantos, como aquéllos en que la gente no puso reparos en su falla. Él mismo no había concedido mayor importancia a la oscuridad que le arrebataba media visión. Desde pequeñuelo se advirtió el defecto; pero con filosófica resignación habíase dicho: "Teniendo uno bueno, el otro resultaba un lujo". Y fue así como se impuso el deber de no molestarse a sí mismo, al grado de que llegó a suponer que todos veían con la propia misericordia su tacha; porque "teniendo uno bueno..."

Mas llegó un día infausto; fue aquél cuando se le ocurrió pasar frente a la escuela, en el preciso momento en que los muchachos salían. Llevaba él su cara alta y el paso garboso, en una mano la cesta desbordante de frutas, verduras y legumbres destinadas a la vieja clientela.

"Ahí va el tuerto", dijo a sus espaldas una vocecita tipluda.

La frase rodó en medio del silencio. No hubo comentarios, ni risas, ni algarada... Era que acababa de hacerse un descubrimiento.

Sí, un descubrimiento que a él mismo le había sorprendido.

"Ahí va el tuerto"... "el tuerto"... "tuerto", masculló durante todo el tiempo que tardó su recorrido de puerta en puerta dejando sus "entregos".

Tuerto, sí señor, él acabó por aceptarlo: en el fondo del espejo, trémulo entre sus manos, la impar pupila se clavaba sobre un cúmulo que se interponía entre él y el sol...

Sin embargo, bien podría ser que nadie diera valor al hallazgo del indiscreto escolar... ¡Andaban tantos tuertos por el mundo! Ocurriósele entonces —imprudente— poner a prueba tan optimista suposición.

Así lo hizo.

Pero cuando pasó frente a la escuela, un peso terrible lo hizo bajar la cara y abatir el garbo del paso. Evitó un encuentro entre su ojo huérfano y los múltiples y burlones que lo siguieron tras de la cuchufleta: "Adiós, media luz."

Detuvo la marcha y por primera vez miró como ven los tuertos; era la multitud infantil una mácula brillante en medio de la calle, algo sin perfiles, ni relieves, ni volumen. Entonces las risas y las burlas llegaron a sus oídos con acentos nuevos: empezaba a oír como oyen los tuertos.

Desde entonces la vida se le hizo ingrata.

Los escolares dejaron el aula porque habían llegado las vacaciones: la muchachada se dispersó por el pueblo.

Para él la zona peligrosa se había diluido: ahora era como un manchón de aceite que se extendía por todas las calles, por todas las plazas... Ya el expediente de rehuir su paso por el portón del colegio no tenía valimiento: la desazón le salía al paso, desenfrenada, agresiva. Era la parvada de rapaces que a coro le gritaban:

Uno, dos, tres,
tuerto es...

O era el mocoso que tras del parapeto de una esquina lo increpaba: "Eh, tú, prende el otro farol..."

Sus reacciones fueron evolucionando: el estupor se hizo pesar, el pesar vergüenza y la vergüenza rabia, porque la broma, la sentía como injuria y la gresca como provocación.

Con su estado de ánimo mudaron también sus actitudes, pero sin perder aquel aspecto ridículo, aquel aire cómico que tanto gustaba a los muchachos:

Uno, dos, tres,
tuerto es...

Y él ya no lloraba; se mordía los labios, berreaba, maldecía y amenazaba con los puños apretados.

Mas la cantaleta era tozuda y la voluntad caía en resultados funestos.

Un día echó mano de piedras y las lanzó, una a una, con endemoniada puntería contra la valla de muchachos que le cerraban el paso; la pandilla se dispersó entre carcajadas. Un nuevo mote salió en esta ocasión: "Ojo de tirador".

Desde entonces no hubo distracción mejor para la caterva que provocar al tuerto.

Claro que había que buscar remedio a los males. La madre amante recurrió a la terapéutica de todas las comadres: cocimientos de renuevos de mezquite, lavatorios con agua de malva, cataplasmas de vinagre aromático...

Pero la porfía no encontraba dique:

Uno, dos, tres,
tuerto es...

Pescó por una oreja al mentecato y, trémulo de sañas, le apretó el cogote, hasta hacerlo escupir la lengua. Estaban en las orillas del pueblo, sin testigos; ahí pudo erigirse la venganza, que ya surgía en espumarajos y quejidos... Pero la inopinada presencia de dos hombres vino a evitar aquello que ya palpitaba en el pecho del tuerto como un goce sublime.

Fue a parar a la cárcel.

Se olvidaron los remedios de la comadrería para ir en busca de las recetas del médico. Vinieron entonces pomadas, colirios y emplastos, a cambio de transformar el cúmulo en espeso nimbo.

El manchón de la inquina había invadido sitios imprevistos: un día, al pasar por el billar de los portales, un vago probó la eficacia de la chirigota:

"Adiós, ojo de tirador..."

Y el resultado no se hizo esperar; una bofetada del ofendido determinó que el grandullón le hiciera pagar muy caros los arrestos... Y el tuerto volvió aquel día a casa sangrante y maltrecho.

Buscó en el calor materno un poquito de paz y en el árnica alivio a los incontables chichones... La vieja acarició entre sus dedos la cabellera revuelta del hijo que sollozaba sobre sus piernas.

Entonces se pensó en buscar por otro camino ya no remedio a los males, sino tan sólo disimulo de la gente para aquella tara que les resultaba tan fastidiosa.

En falla de los medios humanos, ocurrieron al conjuro de la divinidad: la madre prometió a la Virgen de San Juan de los Lagos llevar a su santuario al muchacho, quien sería portador de un ojo de plata, exvoto que dedicaban a cambio de templar la inclemencia del muchacherío.

Se acordó que él no volviese a salir a la calle; la madre lo sustituiría en el deber diario de surtir las frutas, las verduras y las legumbres a los vecinos, actividad de la que dependía el sustento de ambos.

Cuando todo estuvo listo para el viaje, confiaron las llaves de la puerta de su chiribitil a una vecina y, con el corazón lleno y el bolso vano, emprendieron la caminata, con el designio de llegar frente a los altares de la milagrería, precisamente por los días de la feria.

Ya en el santuario, fueron una molécula de la muchedumbre. Él se sorprendió de que nadie señalara su tacha; gozaba de ver a la gente cara a cara, de transitar entre ella con desparpajo, confianzudo, amparado en su insignificancia. La madre lo animaba: "Es que el milagro ya empieza a obrar... ¡Alabada sea la Virgen de San Juan!"

Sin embargo, él no llegó a estar muy seguro del prodigio y se conformaba tan sólo con disfrutar aquellos momentos de ventura, empañados de cuando en cuando por lo que, como un eco remotísimo, solía llegar a sus oídos:

Uno, dos tres,
tuerto es...

Entonces había en su rostro pliegues de pesar, sombras de ira y resabios de suplicio.

Fue la víspera del regreso; caía la tarde cuando las cofradías y las peregrinaciones asistían a las ceremonias de "despedida". Los danzantes desempedraban el atrio con su zapateo contundente; la musiquilla y los sonajeros hermanaban ruido y melodía para elevarlos como el espíritu de una plegaria. El cielo era un incendio; millares de cohetes reventaban en escándalo de luz, al estallido de su vientre ahíto de salitre y de pólvora.

En aquel instante, él seguía embobado la trayectoria de un cohetón que arrastraba como cauda una gruesa varilla... Simultáneamente al trueno, un florón de luces brotó en otro lugar del firmamento; la única pupila buscó recreo en las policromías efímeras... De pronto él sintió un golpe tremendo en su ojo sano... Siguieron la oscuridad, el dolor, los lamentos.

La multitud lo rodeó.

—¡La varilla de un cohetón ha dejado ciego a mi muchachito! —gritó la madre, quien imploró después—: ¡Busquen un doctor, en caridad de Dios!

Retornaban. La madre hacía de lazarillo. Iban los dos trepando trabajosamente la pina falda de un cerro. Hubo de hacerse un descanso. Él gimió y maldijo su suerte... Mas ella, acariciándole la cara con sus dos manos le dijo:

—Ya sabía yo, hijito, que la Virgen de San Juan no nos iba a negar un milagro... ¡Porque lo que ha hecho contigo es un milagro patente!

Él puso una cara de estupefacción al escuchar aquellas palabras.

—¿Milagro, madre? Pues no se lo agradezco, he perdido mi ojo bueno en las puertas de su templo.

—Ése es el prodigio por el que debemos bendecirla: cuando te vean en el pueblo, todos quedarán chasqueados y no van a tener más remedio que buscarse otro tuerto de quien burlarse... Pero tú, hijo mío, ya no eres tuerto.

Él permaneció silencioso algunos instantes, el gesto de amargura fue mudando lentamente hasta transformarse en una sonrisa dulce, de ciego, que le iluminó toda la cara.

—¡Es verdad, madre, yo ya no soy tuerto...! Volveremos el año que entra; sí, volveremos al santuario para agradecer las mercedes a Nuestra Señora.

—Volveremos, hijo, con un par de ojos de plata.

Y, lentamente, prosiguieron su camino.

SI QUIERES, LEE MÁS DE ROJAS GONZÁLEZ

- *La Negra Angustias*, Fondo de Cultura Económica, México, 1984.
- *Lola Casanova*, Fondo de Cultura Económica, México, 1984.
- *La venganza de Carlos Mango y otras historias*, Fondo de Cultura Económica, México, 1984.
- *Obra literaria completa*, Fondo de Cultura Económica, México, 2007.
- *El diosero y todos los cuentos*, Fondo de Cultura Económica, México, 2009.
- *Cuentos completos*, Fondo de Cultura Económica, México, 2010.
- *El diosero*, Fondo de Cultura Económica, México, 2012.

De amor, amistad, fidelidad y traición

Bret Harte

Bret Harte nació en Albany, Nueva York, en 1836, y murió en Aldershot, Gran Bretaña, en 1902. Este narrador estadounidense es, junto con Mark Twain, el que descubre para la literatura los ambientes y los personajes del Oeste norteamericano. En su momento consiguió una amplia popularidad con sus relatos sobre los buscadores de oro, tahúres, prostíbulos, etcétera, y los rudos ambientes del viejo Oeste. Borges lo leyó en su infancia y lo considera como uno de los autores que lo cautivaron para siempre en el género del cuento.

"Brown, de Calaveras" es uno de estos cuentos inolvidables de Harte, en el cual el rudo vaquero refleja también su debilidad por la amistad y debe decidir entre el amor de una mujer y la traición a un amigo. Algo de lo más destacado en este cuento es la delicadeza del lenguaje, casi lírico, para relatar un episodio pasional.

Brown, de Calaveras

EL TONO BAJO de la conversación y la ausencia de humo de cigarro y tacones de botas en las ventanas de la diligencia de Wingdam, hicieron evidente que uno de los pasajeros era una mujer. La costumbre de los mirones de las estaciones a congregarse ante las ventanillas y una cierta preocupación por el aspecto de los abrigos, sombreros y cuellos, indicaba, además, que se trataba de una mujer hermosa. El señor Jack Hamlin, sentado en el pescante, advirtió todo esto con una sonrisa filosóficamente cínica. Y no porque desdeñara al sexo femenino, sino porque encontraba en él un elemento pérfido, cuya persecución solía apartar a los hombres de los igualmente inciertos encantos del póker, de los cuales, conviene hacer notar, el señor Hamlin era un exponente profesional.

De modo que, cuando apoyó su angosta bota sobre la rueda y saltó a tierra, él ni siquiera se preocupó de mirar la ventanilla desde la cual revoloteaba un velo verde, sino que deambuló por ahí, con esa indiferencia apática y grave de los de su clase, que era, tal vez, para él, lo más parecido a la educación. Con su abrigo perfectamente abotonado y su aire autosuficiente, mostraba un marcado contraste con los otros pasajeros, febrilmente inquietos y emocionadamente ruidosos, e incluso Bill Masters, un graduado de Harvard, con su desaliño, su desbordante vitalidad, su proclividad a la anarquía y la barbarie, y su boca llena de galletas y queso, tenía, me temo, una figura muy poco romántica al lado de aquel solitario calculador de probabilidades, con su pálido rostro y su gravedad homérica.

El conductor gritó: "¡Todos a bordo!", y el señor Hamlin regresó a la diligencia. Su bota estaba sobre la rueda, y su rostro estaba al nivel de la ventana abierta, cuando, en ese mismo instante, su mirada tropezó con los que él creyó los más hermosos ojos del mundo. En silencio, se dejó caer de nuevo en la diligencia, dirigió unas cuantas palabras a uno de los pasajeros e intercambió con él su asiento, para luego volver a instalarse tan tranquilamente como antes. El señor Hamlin nunca permitía que su filosofía se interpusiera a una rápida y decisiva acción.

Me temo que esta irrupción de Jack cohibió un poco a los demás pasajeros, en especial a aquellos que estaban tratando de mostrarse agradables a la dama. Uno de ellos se inclinó hacia adelante y, al parecer, informó a la mujer, con un sólo epíteto, sobre la profesión del señor Hamlin. Si el señor Hamlin lo oyó o si reconoció en el informante a un distinguido jurista a quien, hacía unas cuantas noches, le había ganado varios miles de dólares, es cosa que yo no sabría decir. Su pálido rostro no fue traicionado por ningún signo; sus ojos negros, serenamente observadores, resbalaron con indiferencia sobre el semblante del hombre de leyes y se posaron sobre las facciones mucho más agradables de su hermosa vecina. Un estoicismo indio —que, según se decía, era herencia de su madre— le prestó sus buenos servicios, hasta que las ruedas de la diligencia sacudieron la grava del río en Scott's Ferry, y aquélla se detuvo en el Hotel Internacional para el almuerzo. El hombre de leyes y un miembro del Congreso saltaron, y se alistaron a ayudar a descender a la diosa, mientras que el coronel Starbottle, de Siskiyou, se hizo cargo de su sombrilla y un chal. En esta multiplicidad de atenciones, hubo un momento de confusión y demora. Jack Hamlin abrió tranquilamente la portezuela opuesta de la diligencia, tomó la mano de la dama, con esa decisión y ese aire práctico que un vacilante e indeciso sexo femenino sabe admirar, y en un instante la ayudó a descender con destreza y con gracia al suelo para luego ayudarla a subir al andén. Me temo que Yuba Bill, el conductor, dejó escapar desde el pescante una perceptible y burlona risita.

—¡Cuida muy bien ese equipaje, Kernel! —dijo el cartero del expreso, con afectada preocupación, mientras seguía con la mirada al coronel Starbottle, que con aire sombrío iba al final de la triunfal procesión hacia la sala de espera.

El señor Hamlin no se quedó a almorzar. Su caballo ya estaba ensillado y lo esperaba. Se lanzó hacia el vado, sobre la colina cubierta de grava, internándose por el polvoriento camino de Wingdam, como quien deja a sus espaldas una agradable fantasía. Los moradores de las polvorientas cabañas ubicadas a un lado de la carretera se protegieron los ojos con las manos y lo siguieron con la mirada, reconociendo al hombre por su caballo, y especulando qué "era lo que pasaba con el Comanche Jack". Gran parte de este interés se centraba en el caballo, en un pueblo donde la gente se preocupaba más por los caballos que por los caballeros desde aquella ocasión en que la yegua del "Francés Pete" estableció un verdadero récord cuando huía del sheriff de Calaveras.

Los flancos sudorosos de su tordillo hicieron que el señor Hamlin saliera de su ensimismamiento. Disminuyó su velocidad y tomó un atajo que a veces utilizaba para cortar camino; siguió trotando calmosamente, mientras las riendas colgaban lánguidamente de sus dedos. A medida que cabalgaba, el aspecto del paisaje fue cambiando y se tornó más bucólico. Los claros de los bosques de pinos y sicomoros revelaban algunos intentos toscos de cultivo: una vid floreciente se arrastraba sobre el porche de una cabaña y una mujer mecía su bebé en la cuna bajo la sombra de los rosales. Un poco más adelante, el señor Hamlin se topó con algunos niños descalzos que chapoteaban en el arroyo sombreado de sauces, y tanto los provocó con sus particulares bromas que aquellos se atrevieron a subir por las patas de su caballo y montar sobre la silla, hasta que, para deshacerse de ellos, Hamlin fingió una exagerada ferocidad en su comportamiento, no sin antes dejarles a algunos de ellos besos y monedas. Y luego, más adentro del bosque, donde no había rastros de civilización, se puso a cantar, con una voz de tenor singularmente dulce y velada por una íntima y tierna emoción, que yo estaría tentado a jurar que los petirrojos y los pardillos se detuvieron a escucharlo. La voz del señor Hamlin no era una voz educada, el tema de su canción era una locura sentimental tomada de los cantores cómicos negros, pero en todo aquello brillaba cierta cualidad oculta de tono y expresión que era indescriptiblemente conmovedora. De hecho, era un espectáculo maravilloso ver a aquel tahúr sentimental, con un mazo de naipes en el bolsillo y un revólver en la cintura, lanzando su voz a través de los oscuros bosques con una queja acerca de la "tumba de Nelly", de una manera que hacía llorar a los oyentes. Un gavilán, que acababa de atrapar su sexta víctima, lo miró con sorpresa y, posiblemente, estuvo dispuesto a reconocer la superioridad del hombre, pues aunque sin duda tenía una mayor capacidad de rapiña, el no podía cantar.

Pero, poco a poco, el señor Hamlin se reencontró con la carretera y con su ritmo de marcha anterior. Las zanjas y bancos de grava, las desnudas laderas de las colinas, los tocones y troncos podridos de árboles, tomaron el lugar de los bosques y el barranco, y le indicaron al jinete que se estaba aproximando a la civilización. A continuación, vio el campanario de la iglesia, y supo que había llegado a casa. A los pocos instantes, los cascos de su caballo resonaban sobre la única y angosta calle que se perdía en una caótica ruina de canales, zanjas y desechos a los pies de la colina, y desmontó ante las ventanas doradas de la taberna "Magnolia". Luego de atravesar el largo salón de la cantina, abrió de un empujón la mampara, entró en un oscuro pasillo, abrió otra puerta con una llave maestra y se encontró en una habitación poco iluminada, cuyo mobiliario, aunque elegante y costoso para esa localidad, revelaba signos de descuido. El centro de mesa, con incrustaciones, estaba cubierto con rayones de colores que, sin duda, no figuraban en el diseño original; los sillones bordados estaban descoloridos, y el canapé de terciopelo verde, sobre el cual se dejó caer el señor Hamlin, tenía las patas manchadas con la tierra roja de Wingdam.

El señor Hamlin no cantó en su jaula. Se quedó quieto, mirando una pintura de gran colorido que representaba a una joven de opulentos encantos. Y se le ocurrió entonces, por primera vez, que nunca había visto, con exactitud, ese tipo de mujer, y que si llegaba a verla no sería probable que se enamorara de ella. Quizá estaba pensando en otro estilo de belleza. Pero justo en ese momento alguien llamó a la puerta. Sin levantarse, el señor Hamlin tiró de una cuerda que al parecer descorría un pasador, puesto que la puerta se abrió y entró un hombre.

El recién llegado era ancho de espaldas y robusto, con un vigor que desaparecía en su rostro que, aunque apuesto, era singularmente débil y desfigurado, producto de una vida disipada. Parecía estar también bajo la influencia del alcohol, porque se sobresaltó al ver al señor Hamlin y dijo:

—Creí que Kate estaba aquí.

Y, después de balbucear esto, pareció confundido y avergonzado.

El señor Hamlin sonrió con la sonrisa que antes había exhibido en la diligencia de Wingdam, y se sentó, enteramente descansado y listo para los negocios.

—Tú no viniste en la diligencia, ¿verdad? —continuó el recién llegado.

—No —respondió Hamlin—. La dejé en Scott's Ferry. Aún tardará media hora en llegar. Pero..., ¿cómo va esa suerte, Brown?

—Endemoniadamente mal —dijo Brown, y su cara asumió de repente una expresión de débil desesperación—. Me han dejado limpio, otra vez, Jack —continuó, en un tono quejumbroso que contrastaba lastimosamente con su corpulenta figura—. ¿No podrías ayudarme con un centenar que te pagaría mañana? Ya ves que tengo que enviarle dinero a la vieja... y... tú me has ganado veinte veces esa cantidad.

La conclusión no era tal vez del todo lógica, pero Jack la pasó por alto, y le entregó la suma a su visitante.

—Ese pretexto que das sobre tu mujer está bastante gastado ya, Brown —añadió, a modo de comentario—. ¿Por qué no dices que quieres probar suerte de nuevo en el póker? ¡Bien sabes que no estás casado!

—El caso, señor —dijo Brown, con repentina gravedad, como si el mero contacto del oro en la palma de su mano le transmitiera un poco de dignidad a su persona—, es que tengo una esposa..., una..., muy buena esposa por lo demás, si se me permite decirlo, en... los Estados Unidos. Ya son tres años que no la veo, y un año desde que le escribí la última carta. Cuando las cosas se compongan un poco voy a enviar por ella.

—¿Y Kate? —preguntó el señor Hamlin, con su sonrisa de antes.

El señor Brown, de Calaveras, intentó disimular su confusión con un gesto de picardía que su débil rostro y su intelecto enturbiado por el whisky apenas si pudieron llevar a cabo muy precariamente, y dijo:

—¡Caramba, Jack! Un hombre debe tener un poco de libertad, ya sabes. Pero venga..., ¿qué me dices de una partidita? Dame una oportunidad para duplicar estos cien.

Jack Hamlin miró con curiosidad a su insensato amigo. Tal vez él sabía que aquel hombre estaba predestinado a perder el dinero, y prefería que éste regresara a sus propias manos antes que a las de cualquier otro. Hizo un gesto de asentimiento y acercó su silla a la mesa. En ese mismo momento se oyó un golpe en la puerta.

—Es Kate —dijo el señor Brown.

El señor Hamlin descorrió el cerrojo y la puerta se abrió. Pero, por primera vez en su vida, el señor Hamlin se levantó completamente desconcertado y confuso y, por primera vez en su vida, su ardiente sangre enrojeció sus pálidas mejillas hasta alcanzar la frente misma, porque ante él se encontraba la dama a quien había ayudado a descender de la diligencia de Wingdam, y a quien Brown, dejando caer sus cartas con una histérica risa, saludó del siguiente modo:

—¡Pero por todos los diablos, si es mi mujer!

Dicen que la señora Brown se echó a llorar, y que agobió con reproches a su marido. Yo la vi en 1857, en Marysville, y no creo en esa historia. Y en el semanario *Wingdam Chronicle* de la semana siguiente, bajo el título de "Conmovedor Encuentro", se dijo:

"*Una de esos hermosos y conmovedores incidentes, propios de la vida de California, ocurrió la semana pasada en nuestra ciudad. La esposa de uno de los pioneros eminentes de Wingdam, cansada de la decadente civilización del Este y de su clima inhóspito, resolvió reunirse con su noble esposo en estas riberas de oro. Sin que le informara de su intención, emprendió el largo viaje, y llegó la semana pasada. La alegría del marido puede ser más fácil de imaginar que de describirse. Se dice que el reencuentro fue indescriptiblemente conmovedor. Confiamos en que su ejemplo pueda ser imitado*".

Ya sea debido a la influencia de la señora Brown o de algunos negocios de mayor éxito, la situación financiera del señor Brown mejoró incesantemente a partir de ese día. Compró las partes de sus socios en la dirección de "Nip Tuck", con el dinero que se dice había ganado en el póker, una o dos semanas antes de la llegada de su esposa, pero el rumor —adoptando la teoría de la señora Brown de que su esposo había renunciado a los juegos de azar— declaraba que esos medios le habían sido proporcionados por el señor Jack Hamlin. Brown construyó y amuebló la "Wingdam House", que la gran popularidad de la hermosa señora Brown hizo desbordar de clientes. Fue elegido miembro de la Asamblea e hizo generosas donaciones a las iglesias. Una calle en Wingdam lleva su nombre para honrarlo.

Sin embargo, se observó que a medida que se hacía rico y afortunado, se tornaba pálido, flaco y preocupado. A medida que aumentaba la popularidad de su esposa, él se revelaba cada vez más irritable e impaciente. A pesar de ser el más débil de los maridos, era también el más absurdamente celoso. Si él no interfería con la libertad social de su esposa, era porque, se murmuraba maliciosamente, en su primer y único intento de hacerlo se encontró con un estallido de la señora Brown que lo redujo a un aterrorizado silencio. Gran parte de este tipo de chismes provenía de la gente de su propio sexo a la que ella había suplantado en las atenciones de los caballeros de Wingdam que, como la mayor parte del sentimiento caballeresco popular, se dedicaba a admirar la fuerza, ya sea en el vigor varonil o en el poder de la belleza femenina. Cabe recordar, también, en descargo de la señora Brown, que ésta había sido desde su llegada la inconsciente sacerdotisa de un culto mitológico, quizá no más ennoblecedor para su condición de mujer que el que distinguiera a una antigua democracia griega. Creo que Brown era vagamente consciente de esto. Pero su único confidente era Jack Hamlin, cuya dudosa reputación impedía naturalmente cualquier intimidad abierta con la familia, y cuyas visitas eran poco frecuentes.

Era pleno verano, y una noche iluminada por la luna, la señora Brown, hermosa, con sus grandes ojos, linda como siempre, estaba sentada en el corredor de la casa, disfrutando del incienso fresco de la brisa de la montaña y, mucho nos lo tememos, de otro tipo de incienso mucho menos fresco y muchísimo menos inocente. A su lado estaban sentados el coronel Starbottle y el juez Boompointer, así como un recién agregado a su corte: un turista extranjero. Ella se encontraba de muy buen humor.

—¿Qué ve usted en la carretera? —preguntó el galante coronel, que adivinaba desde hacía unos minutos que la atención de la señora Brown se había desviado muy lejos del sitio donde estaban.

—Polvo —dijo la señora Brown, con un suspiro—. Debe ser tan sólo *el rebaño de ovejas de la hermana Anne.*

El coronel, cuyos recuerdos literarios no se extendían más allá del artículo periodístico de la semana anterior, miró algo más prosaico.

—No se trata de ovejas —dijo—. Oiga, Juez, ¿no es ése el tordillo de Jack Hamlin?

Pero el juez no lo sabía, y como la señora Brown sugirió que el aire se estaba tornando demasiado frío para seguir investigando, todos se retiraron a la sala.

El señor Brown se encontraba en el establo adonde, por lo general, se retiraba después de la cena. Tal vez lo hiciera para mostrar su desdén por los compañeros de su esposa; quizá, al igual que otras naturalezas débiles, encontrara placer en el ejercicio de un poder absoluto sobre los animales inferiores. Tenía una cierta satisfacción en el adiestramiento de una yegua zaina, a quien podía golpear o acariciar según se le antojara, lo que por supuesto no podía hacer con la señora Brown. Fue ahí donde reconoció al tordillo que acababa de llegar, y luego de mirar un poco reconoció a su jinete. El saludo de Brown fue cordial y expansivo, el del señor Hamlin un tanto reservado. Pero, accediendo a la urgente petición de Brown, Hamlin lo siguió por las escaleras de servicio hasta llegar a un estrecho pasillo, y de ahí a una pequeña habitación que daba hacia el establo. La habitación estaba sencillamente amueblada con una cama, una mesa, algunas sillas y un perchero para colgar escopetas y látigos.

—Éste es mi rincón, Jack —dijo Brown con un suspiro, mientras se dejaba caer sobre la cama, y señalándole a su amigo una silla—. La habitación de ella está al final del pasillo. Hace seis meses ya que no vivimos juntos, ni nos encontramos, excepto en las comidas. Es una situación muy desagradable para el dueño de la casa, ¿no te parece? —dijo, con una risa forzada—. Pero me alegro de verte, Jack, ¡maldita sea!, me alegro muchísimo —y estirándose sobre la cama volvió a estrechar con entusiasmo la pasiva mano de Jack Hamlin.

Luego prosiguió:

—Te traje aquí, porque yo no quería hablar de esto en el establo, aunque, por lo demás, creo que da lo mismo. No enciendas la luz.

Podemos hablar aquí con la claridad de la luna. Puedes poner los pies sobre esta ventana y siéntate aquí, a mi lado. En esa garrafa hay whisky.

El señor Hamlin no hizo caso a esta recomendación. Brown, de Calaveras, volvió la cara hacia la pared y continuó:

—Si yo no amara a esta mujer, Jack, no me importaría, pero lo que me duele es que la amo y la veo, día tras día, yendo a este paso y sin que nadie le ponga freno... ¡Eso es lo que me acongoja! Pero estoy contento de verte, Jack..., endemoniadamente contento.

En la oscuridad, a tientas, Brown encontró y oprimió de nuevo la mano de su amigo. Él habría querido retenerla, pero Jack la retiró y la deslizó en la abotonada pechera de su saco, y le preguntó con indiferencia:

—¿Desde cuándo sucede esto?

—Desde que llegó aquí, desde el día mismo en que entró en el "Magnolia". Yo era un idiota entonces, Jack, y lo soy también ahora, pero entonces no sabía lo mucho que la amaba, y ella no ha sido desde entonces la misma mujer. Pero eso no es todo, Jack, y es por eso que quería verte, y me alegro que hayas venido. No sólo se trata de que ella ya no me ame, ni de que coquetee con todos los que pasan junto a ella, porque tal vez, Jack, yo me haya jugado su amor en una apuesta y lo perdí como perdí todo lo demás en el "Magnolia", y tal vez eso de engañar y jugar al amor sea natural en algunas mujeres y no le haga gran daño a nadie sino a los tontos, pero, Jack, lo que creo es que ella ama a otro... ¡No te muevas, Jack, no te muevas! Si te estorba el revólver, quítatelo. Hace cosa de seis meses ella me parecía infeliz y solitaria, y algo así como nerviosa y un tanto asustada. Y, a veces, la he sorprendido mirándome compasiva y con una especie de timidez. Y le escribe a alguien. Y durante esta última semana, ha estado recogiendo sus cosas —dijes, encajes y joyas— y me parece, Jack, que me deja, que se va, y yo lo podría soportar todo, pero no esto. ¡Pensar que se va a escapar como un ladrón, Jack!

Brown escondió el rostro bajo la almohada y, por unos momentos, no se escuchó más sonido que el tictac de un reloj en la repisa de la chimenea. El señor Hamlin encendió un cigarro y se acercó a la ventana abierta. La luna no iluminaba ya la habitación, y la cama y su ocupante estaban en la sombra.

—¿Qué voy a hacer, Jack? —dijo la voz desde la oscuridad.

La respuesta llegó de inmediato y claramente del lado de la ventana:

—Identifica al hombre y mátalo en el acto.

—Pero, Jack...

—¡Él quiso correr el riesgo!

—Pero... eso... ¿me la devolverá?

Jack no contestó, sino que avanzó desde la ventana hacia la puerta.

—No te vayas todavía, Jack; enciende la vela, y siéntate a la mesa. Verte al menos es un consuelo.

Jack vaciló primero, y luego accedió. Sacó los naipes de su bolsillo y se puso a barajarlos, lanzando fugaces miradas a la cama. Pero el rostro de Brown estaba de frente a la pared. Cuando el señor Hamlin hubo barajado las cartas, las cortó, y repartió, entre dos, poniendo cartas en el lado opuesto de la mesa y hacia la cama, y otro en su lado, para sí mismo. El primer naipe, del otro lado de la mesa, fue una sota; su propia carta, un rey. Entonces otra vez barajó y cortó de nuevo. Esta vez, el jugador hipotético sacó una reina, y él un cuatro de corazones. Jack barajó diestramente para dar la tercera mano. Ésta le aportó a su invisible adversario una sota, y a él nuevamente un rey.

—Dos de cada tres —dijo Jack, con voz clara.

—¿Qué dices, Jack, qué es eso? — preguntó Brown.

—Nada.

Entonces Jack probó suerte con los dados, pero él siempre obtenía un seis, y su oponente imaginario un as. La fuerza de la costumbre suele causar confusiones.

Mientras tanto, alguna influencia magnética en presencia del señor Hamlin, o la influencia estupefaciente del licor, o ambas cosas, dieron tregua a la tristeza de Brown y éste se durmió. El señor Hamlin acercó su silla a la ventana y desde ahí contempló el paisaje de la ciudad de Wingdam que ahora dormía plácidamente, con sus ásperos contornos suavizados y atenuados, y sus chillones colores más tiernos y sobrios bajo la luz de la luna que se derramaba sobre todo. En el silencio pudo escuchar el gorgoteo del agua en las zanjas, y el gemido de los pinos más allá de la colina. Luego levantó la vista hacia el firmamento y, mientras lo hacía, una estrella describió una centelleante parábola sobre el campo repleto de luces titilantes. Un momento después pasó lo mismo, y casi de inmediato ocurrió otra vez. El fenómeno le sugirió al señor Hamlin un nuevo augurio. Si en otros quince minutos caía otra estrella... Se quedó allí sentado, reloj en mano, durante el doble de ese tiempo, pero el fenómeno no se repitió.

El reloj dio las dos, y Brown aún dormía. El señor Hamlin se acercó a la mesa y sacó de su bolsillo una nota que leyó bajo la parpadeante luz de la vela. Contenía una sola línea, escrita a lápiz, por la mano de una mujer: "Espérame en el corral, con el coche, a las tres".

Brown se movió inquietamente, y luego despertó.

—¿Estás ahí, Jack?

—Sí.

—No te vayas todavía. Hace un momento tuve un sueño, Jack... Soñé con los viejos tiempos. Soñé que Sue y yo volvíamos a casarnos, y que el cura, Jack, era... ¿quién crees?... ¡Pues tú mismo!

El tahúr se echó a reír y se sentó en la cama, con el papel todavía en la mano.

—Es una buena señal, ¿verdad? —preguntó Brown.

—¡Supongo que sí! Oye, viejo... ¿no sería mejor que te levantaras?

El "viejo" aceptó la afectuosa sugerencia y se levantó con la ayuda de la mano tendida del tahúr.

—¿Un cigarro?

Brown tomó mecánicamente el cigarro que le ofrecía.

—¿Fuego?

Jack había estrujado la nota formando una espiral; le prendió fuego y la acercó al cigarro de su amigo. La sostuvo hasta que se consumió, y luego dejó caer el papel carbonizado —como una estrella de fuego— por la ventana abierta: observó mientras caía, y luego se volvió hacia su amigo.

—Mira, viejo —dijo, poniendo sus manos sobre los hombros de Brown—: en diez minutos estaré en el camino, y habré desaparecido como ese papel quemado. No nos volveremos a ver, pero antes de irme sigue el siguiente consejo de un estúpido: vende todo lo que tienes, llévate a tu mujer contigo, y márchate de aquí. Éste no es sitio para ti ni mucho menos para ella. Dile que tiene que ir, oblígala si no quiere hacerlo... Y no te lamentes porque tú no puedes ser un santo y ella no es un ángel. Sé un hombre y trátala como una mujer. No seas un... idiota. ¡Adiós!

Arrancó su mano de la de Brown, y bajó las escaleras como un ciervo, a saltos. En la puerta del establo tomó por el cuello al semidormido mozo de cuadra poniéndolo contra la pared:

—Ensíllame mi caballo en dos minutos o te...

—La frase suspendida, trunca, era lo suficientemente precisa.

—La señora dijo que usted usaría el coche —balbuceó el hombre.

—¡Al diablo con el coche!

El caballo fue ensillado tan rápido como las nerviosas manos del asombrado mozo podían manipular hebilla y la correa.

—¿Pasa algo, señor Hamlin? —dijo el peón que, como todos los de su clase, admiraba el brío de su patrón y se interesaba sinceramente por su suerte.

—¡Hazte a un lado!

El peón retrocedió. Con un juramento, un salto, y el ruido de los cascos de su caballo, Jack se lanzó al camino. Al cabo de un momento, ante los ojos semidormidos del mozo de cuadra, Hamlin no era más que una nube de polvo que se movía a lo lejos y en pos de la cual brillaba la cola de fuego de una estrella recién desprendida de sus hermanas.

Pero en las primeras horas de aquella mañana, los habitantes que vivían junto al camino de peaje de Wingdam oyeron una voz pura como la de una alondra que cantaba a lo lejos. Los que estaban durmiendo se revolvieron sobre sus toscos camastros para soñar con la juventud y el amor y los días de antaño. Hombres rudos y afanosos buscadores de oro, que ya estaban en su labor, suspendieron su trabajo y se apoyaron sobre sus zapapicos para escuchar a un romántico vagabundo que se alejaba al trote y cuya figura se recortaba sobre el rosado resplandor de un sol recién nacido.

Traducción de Juan Domingo Argüelles.

SI QUIERES, LEE MÁS DE HARTE

- *Los desterrados de Poker Flat y otros cuentos*, Corregidor, Buenos Aires, 1977.
- *Bocetos californianos*, Premiá, México, 1982.
- *Cuentos del Oeste*, Espasa Calpe, Madrid, 2001.
- *Cuentos californianos*, Navona, Barcelona, 2009.

J. M. Machado de Assis

Joaquim Maria Machado de Assis nació en Río de Janeiro en 1839, donde también murió en 1908. Novelista y cuentista autodidacta, este gran escritor brasileño fue reconocido en su momento como uno de los más importantes prosistas de la lengua portuguesa, y en el siglo xx y en lo que va del xxi su revaloración ha sido continua, reconociéndose su maestría y destacándolo como uno de los más significativos narradores del siglo xix en cualquier idioma. Además de su originalidad en la novela y el cuento se le considera un renovador de la lengua portuguesa, en oposición al idioma colonizador de Portugal.

"La cartomántica" es un cuento de amistad, amor, pasión, celos y muerte, ingredientes que Machado de Assis sabe combinar a la perfección para mantener las expectativas y la atención del lector, en tensión continua, hasta el desenlace fatal.

La cartomántica

HAMLET LE DIJO a Horacio que hay muchas más cosas en el cielo y en la tierra de lo que supone nuestra filosofía. Fue de algún modo la explicación que dio la bella Rita al joven Camilo un viernes de noviembre de 1869, cuando él se rió de ella por haber ido la víspera a consultar a una cartomántica. La diferencia, claro, es que lo hizo con otras palabras.

—Ríete, ríete. Los hombres son así, no creen en nada. Pero era realmente una adivina, pues antes de que yo le dijera cualquier cosa, ella ya había adivinado el motivo de mi consulta. Tan pronto como empezó a echar las cartas, me dijo: "Usted está enamorada de un hombre"... Reconocí que sí, y ella continuó poniendo las cartas sobre la mesa y al final me dijo que yo tenía miedo de que tú me olvidaras, pero que en esto estaba completamente equivocada...

—¡La equivocada es ella! —la interrumpió Camilo, riendo.

—¡No digas eso, Camilo! ¡Si supieras todo lo que he sufrido por tu causa en todos estos días! Ya lo sabes, ya te lo dije. No te rías de mí, no te rías de mí, por favor...

Camilo la tomó de las manos, la miró con seriedad y le juró que en verdad la quería y que todos sus temores eran infantiles, pero que si se empeñaba en ellos, el mejor adivino era él mismo para sacarla de dudas y consolarla. Luego la reprendió por la imprudencia de haber ido a visitar a aquella cartomántica. Villela hubiera podido enterarse...

—¡Claro que no! —respondió ella. Fui muy precavida al entrar a esa casa.

—¿Dónde está la casa?

—Cerca de aquí, en la calle de la Guarda Velha; no pasaba nadie por ahí en ese momento. Tranquilízate, que no haré locuras.

Camilo se echó a reír nuevamente.

—¿Pero de veras crees en esas cosas? —le preguntó.

Fue entonces cuando ella, sin saber que estaba traduciendo a Hamlet, sin conocerlo siquiera, le dijo con sus propias palabras que en este mundo había muchas cosas misteriosas pero verdaderas que desconocíamos, y que sí él no creía en ellas, pues ni modo, pero lo cierto es que la cartomántica lo había adivinado todo. ¿Qué más quería? La prueba es que ahora ella estaba tranquila y satisfecha.

Por un momento pareció que él iba a decir algo, pero se contuvo para no desilusionarla. También él, en su niñez y aún más tarde, llegó a ser supersticioso, tenía todo un arsenal de creencias que su madre le inculcó y que abandonó a los veinte años. El día en que se deshizo de toda esa vegetación parásita, y sólo se quedó con el tronco de la religión, él, que había recibido de su madre ambas enseñanzas, las envolvió en la misma duda y poco después en una negación total. Desde entonces, Camilo no creía en nada. ¿Por qué? No podría decirlo, pues no tenía un sólo argumento y se limitaba a negarlo todo. Y digo mal, porque negar es todavía afirmar, y él en cambio no formulaba ninguna incredulidad: ante el misterio se contentaba con alzar los hombros y seguir su camino.

Se separaron contentos; él más que ella. Rita estaba segura de su amor, y Camilo no sólo lo sabía sino que la veía estremecerse ante la sola posibilidad de que él la abandonara, de ahí que hubiera acudido a la adivina, y aunque él la riñera por ello, no podía sentirse más halagado. La casa donde los dos amantes se encontraban estaba en la antigua calle de los Barbonos, donde vivía también una coterránea de Rita. Ésta continuó por la calle de Mangueiras hacia Botafogo, donde residía; Camilo, por su parte, bajó por la Guarda Velha y, al pasar, miró la casa de la adivina.

Villela, Camilo y Rita, tres nombres, una aventura y ninguna explicación de los orígenes. Ahora la daremos. Los dos primeros eran amigos de la infancia. Villela siguió la carrera de derecho. Camilo se enroló en la burocracia, aun contra los deseos de su padre, que quería que estudiara medicina. Pero su padre murió y Camilo anduvo de aquí para allá, sin hacer nada, hasta que su madre le consiguió un empleo en el gobierno. En los inicios de 1869, Villela regresó de la provincia donde se había casado con una hermosa mujer no muy inteligente y algo frívola: algo tonta, pero bella; entonces, abandonó la magistratura y abrió su propio despacho de abogado. Camillo se encargó de conseguirle una casa por los rumbos de Botafogo, y fue a recibirlo.

—¿Es usted, señor Camilo? —exclamó Rita, tendiéndole su mano. No puede imaginar de qué modo lo aprecia mi marido; todo el tiempo está hablando de usted.

Camilo y Villela se miraron con ternura. Eran amigos de verdad. Después, Camilo se dijo a sí mismo que la mujer de Villela no desmentía lo que por cartas le había dicho el marido. Era realmente graciosa y de gestos vivos, ojos cálidos y boca fina e interrogante. Era apenas un poco mayor que ambos: tenía treinta años, mientras Villela veintinueve y Camilo veintiséis. Sin embargo, el porte grave de Villela le hacía parecer mayor que su esposa, mientras que Camilo tenía el aspecto que da una ingenua vida moral y práctica. Aún le faltaban tanto la acción del tiempo como los anteojos de cristal que la naturaleza suele poner en la cuna de algunos para hacer que parezcan más viejos. Ni la experiencia ni la intuición.

Se juntaban los tres. La convivencia se tradujo en intimidad. Poco después murió la madre de Camilo, y en esta congoja que fue para él, los dos se mostraron como amigos a toda prueba. Villela se hizo cargo del entierro, de las misas y el testamento, y Rita especialmente del consuelo de su corazón, y nadie lo hubiera podido hacer mejor. ¿Cómo fue que pasaron de la amistad al amor? Él no lo sabía. La verdad es que le gustaba pasar horas al lado de ella, era su enfermera moral, casi una hermana, pero sobre todo era una mujer hermosa. *Odor di femina*: eso era exactamente lo que él aspiraba en ella para impregnar todos sus sentidos. Leían los mismos libros, iban juntos al teatro y a los paseos. Camilo le enseñó a jugar damas y ajedrez y lo hacían todas las noches; ella muy mal, y él, para serle más grato, un poco menos mal. Hasta ahí las cosas. Pero después vino el íntimo trato personal: los insistentes e invitadores ojos de Rita que buscaban muchas veces los de él y que los encontraban y los consultaban incluso antes de hacerlo con el marido..., también las manos frías, las actitudes inusuales.

Un día, en su cumpleaños, Camilo recibió de Villela un hermoso bastón como regalo, y de ella únicamente una ordinaria tarjeta de felicitación escrita a lápiz, y fue entonces cuando él pudo leer las palabras de ella en su propio corazón: no podía apartar los ojos de la pequeña nota. Palabras vulgares, sí, pero hay vulgaridades sublimes, o al menos encantadoras. La vieja calesa de alquiler, donde por primera vez había paseado con la mujer amada, muy juntitos ambos, vale tanto como el carro de Apolo. Así es el hombre, así son las cosas que le rodean.

Camilo quiso sinceramente, en un principio, huir de aquel amor, pero le fue imposible. Rita se le acercó como una serpiente, se enroscó en su cuerpo, hizo crujir sus huesos en un estremecimiento y luego, gota a gota, vertió el veneno prohibido en sus labios. Él quedó vencido, subyugado. Vergüenza, miedo, remordimiento, deseo: todo esto se mezcló en sus sentimientos. Pero la batalla fue corta y la victoria delirante. ¡Adiós escrúpulos! Pronto el zapato se ajustó al pie, y ambos emprendieron el camino, cogidos del brazo y rozando apenas el césped y los guijarros al caminar, sin sufrir más que algunas nostalgias cuando tenían que estar lejos el uno del otro. La confianza y el afecto de Vilela seguían inalterables.

Un día, sin embargo, Camilo recibió una carta anónima, que lo llamaba inmoral y pérfido, y le decía que su aventura era conocida por todos. Camilo sintió miedo y, para desviar las sospechas, escaseó las visitas a la casa de Villela. Éste le reprochó amistosamente sus ausencias, pero Camilo respondió que el motivo no era otro que un amorío frívolo con una mujer que Villela no conocía. Su ingenuidad se volvió astucia. Las ausencias se prolongaron y las visitas a casa de Villela cesaron por completo. Pudo ser que en esta decisión también haya influido un poco el remordimiento: la intención de disminuir las atenciones del marido, para hacer menos cruel la alevosía de la traición.

Fue por esos días que Rita, desconfiada y nerviosa, acudió a consultar a la adivina sobre la verdadera causa de la conducta de Camilo.

Como ya sabemos, la cartomántica le devolvió la confianza, y Camilo la reprendió por haber hecho lo que hizo. Pasaron algunas semanas más y Camilo recibió otras dos o tres cartas anónimas, tan virulentas y llenas de odio que tuvo que descartar que fueran simplemente advertencias de virtud, y considerar que se trataban de expresiones de despecho de algún pretendiente; tal era la opinión de Rita que, con palabras mal ordenadas, formuló la siguiente idea: "La virtud es perezosa y avara; no pierde el tiempo sobre el papel: sólo el propio interés es activo y pródigo.

En realidad, esto tampoco pudo tranquilizar a Camilo, pues éste temía que alguno de los anónimos le llegara también a Villela, y entonces el desastre sería irremediable. Rita coincidió con él en que esto era posible.

—Bueno —dijo ella—, me llevo los sobres para comparar la letra con la de las cartas que llegan a la casa; si alguna es igual, la guardo y luego la rompo.

No apareció ninguna, pero poco después Villela comenzó a mostrarse sombrío y huraño, como si desconfiara de algo. Rita se apresuró a decírselo al otro, y deliberaron sobre el punto. Su opinión era que Camilo debía reanudar las visitas a la casa de ellos, con el fin de sondear si el marido realmente desconfiaba de algo. Camilo tenía otra opinión: reaparecer en la casa después de tantos meses de ausencia equivalía a confirmar las sospechas. Más valía andarse con cuidado y dejarse de ver aunque con ello tuvieran que sacrificarse por algunas semanas.

Se pusieron de acuerdo en cómo podrían comunicarse en caso de urgente necesidad, y se separaron entre lágrimas.

Al día siguiente, estando Camilo en el Ministerio, recibió la siguiente nota de Villela: "Ven inmediatamente a nuestra casa; necesito hablar contigo sin demora". Pasaba del mediodía. Camilo salió de inmediato y, ya en la calle, advirtió que habría sido más natural que Villela lo citara en su oficina. ¿Por qué en la casa? Todo indicaba un asunto particular y la letra de la nota —¿era realidad o ilusión?— le pareció escrita por una mano temblorosa. Y relacionó todas estas cosas con lo que Rita le había contado un día antes. "Ven inmediatamente a nuestra casa; necesito hablar contigo sin demora", repetía Camilo sin quitar los ojos del papel.

En sus fantasías, vio asomar la punta de la oreja de un drama pasional: Rita sometida y llorosa, Villela indignado y colérico cogiendo la pluma y, con mano temblorosa, escribiendo la nota, en espera de que él acudiera para matarla en su presencia. Camilo se estremeció; tenía miedo; y luego rió con una risa falsa y nerviosa; en todo caso le chocó la idea de echarse para atrás, y siguió caminando. Pero, en el trayecto, se dijo que debía pasar antes por su casa; quizá le estaría esperando allá algún mensaje de Rita que pudiera explicar todo este misterio. Pero ahí no encontró nada ni a nadie. Regresó a la calle, y la idea de que habían sido descubiertos le parecía cada vez más probable: era de lo más natural una denuncia anónima del mismo que le había amenazado antes, y, por tanto, podía ser que Villela ahora lo supiera todo. La misma interrupción de sus visitas, sin ninguna razón aparente, con sólo un pretexto fútil, habría venido a confirmarle lo demás.

Camilo caminaba inquieto y nervioso. No había vuelto a leer el mensaje, pero las palabras se las sabía de memoria y estaban ahí ante sus ojos, fijas o, peor aún, le eran susurradas al oído por la misma voz de Villela: "Ven inmediatamente a nuestra casa; necesito hablar contigo sin demora". Dichas así, en la voz del otro, tenían un tono de secreto y amenaza. "Ven inmediatamente". ¿Inmediatamente para qué? Ya era cerca de la una. Su inquietud crecía minuto a minuto. A tal grado se imaginó lo que iba a pasar que llegó a creer que realmente lo estaba viendo. Ahora sí, sin duda, tenía miedo. Llegó a pensar en ir armado, teniendo en cuenta que si nada pasaba, nada perdía, y la precaución siempre sería útil. Poco después rechazó la idea, avergonzado de sí mismo, y apuró el paso en dirección al Paseo de la Carioca para conseguir allí un tílburi. Al llegar, entró en uno y ordenó al cochero que fuera al trote. "Cuanto antes, mejor —pensó—, no puedo seguir así..."

Pero el mismo trote del caballo agravaba su angustia. El tiempo volaba y él no tardaría en estar delante mismo del peligro. Casi al final de la calle Guarda Velha, el tílburi se detuvo, pues la calle estaba bloqueada por un carruaje que se había volcado. Camilo se alegró para sus adentros de que el tránsito se hubiera detenido, y esperó. Poco después de cinco minutos se dio cuenta de que al lado, a la izquierda, junto al tílburi, estaba la casa de la cartomántica a la que Rita había consultado, y nunca en su vida, como ahora, deseó él creer en la lectura de las cartas.

Miró hacia la casa de la cartomántica y vio las ventanas cerradas, en tanto que todas las demás estaban abiertas y llenas de curiosos por el incidente de la calle. Se podía decir que era la morada del destino indiferente.

Camilo se reclinó en el asiento para no ver nada. La agitación que sentía era grande, extraordinaria y, desde lo más profundo de sus angustias morales, salieron a flote algunos fantasmas de otros tiempos, las viejas creencias, las antiguas supersticiones. El cochero le propuso salirse por el primer callejón y así poder avanzar por otro camino, pero él le respondió que no, que mejor esperara. Y se asomó para mirar nuevamente hacia la casa de la adivina... Después hizo un gesto de incredulidad ante la idea de escuchar a la cartomántica, una idea que le llegaba distante, muy distante, con grandes alas grises: desaparecía y volvía a aparecer en su cerebro; se desvanecía pero poco después agitaba otra vez las alas, más de cerca, cada vez más de cerca, haciendo giros concéntricos... En lá calle, los hombres gritaban para enderezar el carruaje:

—¡Vamos! ¡Ahora! ¡Empujen, va, va!

Por lo tanto, en breve el obstáculo sería retirado del camino. Camilo cerraba los ojos, trataba de pensar en otras cosas, pero la voz de Villela le susurraba en los oídos las palabras de la carta: "Ven inmediatamente, inmediatamente..." Y él podía imaginar cómo se desarrollaba el drama, y temblaba. Ahora era la casa la que lo estaba observando a él. Sus piernas querían bajar y entrar... Camilo se encontró ante un largo velo opaco... Pensó rápidamente en lo inexplicable de tantas cosas. La voz de su madre le repetía una gran cantidad de casos extraordinarios, y hasta la misma frase del príncipe de Dinamarca revoloteaba en su interior: "Hay muchas más cosas en el cielo y en la tierra de lo que supone nuestra filosofía". ¿Qué perdería él si...?

Se encontraba en la acera cerca de la puerta de la adivina. Bajó y le dijo al cochero que lo esperara, y rápidamente se deslizó por el pasillo y subió las escaleras. La luz era escasa, los escalones estaban carcomidos, y el pasamanos pegajoso, pero él no vio ni sintió nada. Subió y llamó a la puerta. No salió nadie, y tuvo ganas de bajar corriendo, pero ya era tarde, pues la curiosidad le aguijoneaba la sangre: sus venas hervían, y volvió a llamar: uno, dos, tres golpes. Apareció entonces una mujer: era la cartomántica. Camilo le dijo que quería consultarla, y ella lo hizo pasar. Subieron a la buhardilla, por una escalera todavía peor que la primera y aún más oscura. En la parte superior había una pequeña habitación, apenas iluminada por una ventana que daba al tejado de las casas. Viejos trastes, paredes oscuras, un aire de pobreza que contribuía a acentuar el misterio del lugar. La adivina le hizo sentarse a la mesa, y ella se sentó en el lado opuesto, de espaldas a la ventana, de modo que la poca luz que por ahí se filtraba daba de lleno en el rostro de Camilo. Abrió un cajón y sacó un mazo de barajas muy gastadas y sucias; mientras barajaba con rapidez, miraba de soslayo la cara de su cliente. Era una mujer de unos cuarenta años, italiana, morena y delgada, con grandes y penetrantes ojos oscuros. Volteó tres cartas sobre la mesa y le dijo:

—Veamos primero qué le trae por aquí. Usted tiene un gran temor...

Camilo, sorprendido, asintió con la cabeza.

—Y usted quiere saber —continuó ella—, si le va o no a suceder algo...

—A mí y a ella —explicó él vivamente.

La cartomántica le sonrió y le dijo que esperara. Rápidamente tomó otra vez las cartas y las barajó, con sus largos y delgados dedos de uñas descuidadas; las barajó muy bien, cortó una, dos, tres veces, y luego comenzó a extenderlas. Camilo no le quitaba de encima los ojos curiosos y llenos de ansiedad.

—Las cartas me dicen...

Camilo se inclinó a beber una a una las palabras de la cartomántica. Y entonces ella dijo que no le tuviera miedo a nada; que nada le sucedería ni a él ni a la otra, que el otro —el tercero en discordia— no sabía nada. Sin embargo, la precaución era necesaria, pues hervían celos y despechos. Le contó del amor que los unía, de la belleza de Rita... Camilo estaba impresionado. La adivina recogió las cartas y las guardó nuevamente en el cajón.

—Usted me ha devuelto la paz al espíritu —le dijo él poniendo la mano sobre la mesa y apretando la de la cartomántica.

Ésta se levantó, riendo.

—Vaya —dijo ella—; vaya, *ragazzo innamorato*...

Ya de pie, con el dedo índice, le tocó la frente. Camilo se estremeció como si fuera la mano de la propia Sibila, y se puso de pie también. La pitonisa fue a la cómoda, en la que se encontraba un plato con uvas pasas, tomó un racimo de ellas, comenzó a arrancarlas y se la comió, mostrando dos hileras de dientes que contradecían el estado de sus uñas. En esa misma acción tan ordinaria, la mujer tenía un particular aire o esto es lo que él veía. Camilo, con ganas de salir, no sabía cómo pagar, pues ignoraba el precio.

—Las pasas cuestan dinero —dijo finalmente, sacando su cartera—. ¿Cuántas quiere encargar?

—Pregunte a su corazón —respondió ella.

Camilo sacó un billete de diez mil *réis*, y se lo dio. Los ojos de la adivina se iluminaron. El precio habitual era de dos mil *réis*.

—Veo bien que usted la quiere mucho... Y hace bien; a ella también le encanta usted. Vaya, vaya tranquilo. Fíjese bien en la escalera, es oscura; póngase el sombrero...

La cartomántica se había ya guardado el billete en la bolsa, y bajaba con él, hablando con un ligero acento. Camilo se despidió por lo bajo, y descendió las escaleras hasta la calle, mientras la cartomántica, alegre con su pago, regresaba arriba tarareando una barcarola. Camilo encontró el tílburi esperando: la calle estaba libre. Subió y partieron al trote.

Todo le parecía mucho mejor ahora, las cosas cobraban diferente aspecto; el cielo estaba claro y los rostros joviales. Llegó incluso a reírse de sus temores, que consideró pueriles; recordó los términos de la carta de Villela y le parecieron que eran íntimos y familiares. ¿En dónde estaba la amenaza? Recordó también que los términos eran urgentes y que acaso él había hecho mal en demorarse tanto. Podría tratarse de un asunto de negocios de suma gravedad.

—Vayamos más de prisa, más de prisa —repitió al cochero.

Y se entretuvo en buscar argumentos para justificar su retraso ante el amigo. Decidió, además, que este incidente le serviría de lección para, de ahora en adelante, reanudar las visitas a la casa de Villela... Y en tanto hacía planes, volvían a él las palabras de la adivina. No le cupo la menor duda de que ella había adivinado la razón de su visita, la situación en la que se encontraba y la existencia de un tercero. ¿Por qué no iba a adivinar lo demás? El presente que se ignora vale por el futuro. Y fue así como sus viejas creencias infantiles fueron emergiendo, lentas y continuas, y el misterio lo aferró con su mano de hierro. Le dieron ganas de reír y, especialmente, de reírse de sí mismo, algo avergonzado..., pero la mujer, las cartas, las palabras precisas y afirmativas, la exhortación: "Vaya, vaya, *ragazzo innamorato*", y al final, a la distancia, la barcarola de la despedida, lenta y graciosa, tales fueron los nuevos elementos que formaban, con los antiguos, una nueva y viva fe en el espíritu de Camilo.

La verdad es que su corazón iba alegre y ansioso, pensando en las horas felices de antes y en las que estaban por llegar. Al pasar por la Gloria, Camilo miró hacia el mar, lanzando la mirada hasta donde el agua y el cielo se dan un abrazo infinito, y adquirió así una sensación del futuro, largo, largo, sin fin, interminable.

Pronto llegó a la casa de Villela. Bajó del tílburi, empujó la puerta de hierro del jardín y entró. La casa estaba en completo silencio. Subió los seis escalones de piedra, y apenas tuvo tiempo para llamar: la puerta se abrió, y apareció Villela.

—Lo siento, hermano, no pude venir antes; ¿qué sucede?

Villela no le respondió; tenía las facciones descompuestas; le hizo una señal, y fueron a una salita interior. Al entrar, Camilo no pudo reprimir un grito de espanto: al fondo, sobre el sofá, estaba Rita muerta y ensangrentada. Villela lo aferró por el cuello, y con dos tiros de revólver lo tendió muerto en el suelo.

Traducción de Juan Domingo Argüelles.

SI QUIERES, LEE MÁS DE MACHADO DE ASSIS

- *Quincas Borba*, Icaria, Barcelona, 1990.
- *Don Casmurro*, Cátedra, Madrid, 2001.
- *El alienista*, UNAM, México, 2002.
- *El secreto de Augusta*, UNAM, México, 2005.
- *Memorial de aires*, Corregidor, Buenos Aires, 2006.
- *Las academias de Siam y otros cuentos*, Fondo de Cultura Económica, México, 2006.
- *Crónicas escogidas*, Sexto Piso, México, 2008.
- *Memorias póstumas de Blas Cubas*, Fondo de Cultura Económica, México, 2008.
- *Esaú y Jacob*, Fondo de Cultura Económica, 2009.
- *Cuentos de madurez*, Pre-Textos, Valencia, 2011.

EMILIA PARDO BAZÁN

Emilia Pardo Bazán nació en La Coruña en 1851, y murió en Madrid en 1921. En un principio escribió poemas, pero fue en la narrativa y en el ensayo donde encontró su vocación más duradera. Fue, además, animadora de la cultura femenina y feminista en España, con ideas adelantadas a su tiempo en un ambiente provinciano. Su actividad política está asociada de algún modo con su propia literatura de carácter social y crítico. Pero si en un momento de su obra literaria abraza el naturalismo de Zola, pronto su obra va más allá de esta corriente y anticipa la modernidad de la literatura española. Varias de sus novelas y muchos de sus cuentos están entre lo mejor de las letras españolas.

"A secreto agravio..." juega desde el título con un conocido refrán español que el dramaturgo Calderón de la Barca usó también para uno de sus dramas más conocidos: "A secreto agravio, secreta venganza". Se trata, pues, de un cuento inolvidable sobre la pasión del amor, la infidelidad y la venganza.

A secreto agravio...

AQUELLA TIENDA de ultramarinos de la calle Mayor regocijaba los ojos y era orgullo de los moradores de la ciudad, quienes, después de mostrar a los forasteros sus dos o tres monumentos románicos y sus *docks*, no dejaban de añadir: "Fíjese usted en el establecimiento de Ríopardo, que compite con los mejores del extranjero".

Y competía. Los amplios vidrios, los escaparates de blanco mármol, las relucientes balanzas, los grifos de dorado latón, el artesonado techo, las banquetas forradas de rico terciopelo verde de Utrecht, las brillantes latas de conservas formando pirámides, las piñas y plátanos maduros en trofeo; las baterías de botellas de licor, de formas raras y charoladas etiquetas, todo alumbrado por racimos de bombillas eléctricas, hacían del establecimiento un suntuoso palacio de la golosina. Así como en Madrid salen las señoras a revolver trapos, en la apacible capital de provincia salían a "ver qué tiene Ríopardo de nuevo". Ríopardo sustituía al teatro y a otros goces de la civilización; y los turrones y los quesos, y los higos de Esmirna eran el pecadillo dulce de las pacíficas amas de casa y sus sedentarios maridos, por lo cual no faltaban censores malhumorados y flatulentos que acusasen a Ríopardo de haber corrompido las costumbres y trocado la patriarcal sencillez de las comidas en fausto babilónico...

Entre tanto, el establecimiento medraba, y Ríopardo, moreno, afeitado, lucio, adquiría ese aplomo que acompaña a la prosperidad. Los negocios iban como una seda, y esperaba morir capitalista, a semejanza de otros negociantes de la misma plaza que habían tenido comienzos más humildes aún... Hoy convenía trabajar, aprovechando el vigor de los treinta años y la salud férrea. De día, desde las seis de la mañana, al pie del cañón, haciendo limpiar y asear, pesando, despachando, cobrando; de noche, compulsando registros, copiando facturas, contestando cartas..., y así, sin descanso ni más intervalo que el de algún corto viaje a Barcelona y Madrid.

De uno de estos volvió casado Ríopardo; su mujer, linda muchacha, hija de un perfumista, apareció en la tienda desde el primer día, ayudando en el despacho a su marido y al dependiente. La cara juvenil y la fina habla castellana de María fueron otro aliciente más para la clientela. Sin ser activa ni laboriosa como su esposo, María era zalamera y solícita, y daba gozo verla, bien ceñida de corsé, muy fosca de peinado, cortar con su blanca manecita de afinados dedos una rebanada de *Gruyère* o una serie de rajas de salchichón, sutiles como hostias, pesarlas pulcramente y envolverlas en papeles de seda, atados con cinta azul. La tienda sonreía, animada por el revuelo de unas faldas ligeras, y nadie como María para aplacar a una parroquiana descontenta, para halagar a un parroquiano exigente, para regalar un cromo a un niño o deslizar un puñado de dátiles en el delantal de una cocinera gruñona.

El ejemplo de María, su atractivo, su complacencia habían influido en el dependiente Germán. Mientras estuvo solo con Ríopardo, Germán era hosco, indiferente y torpe; no se mudaba, no se rasuraba. María le arregló el cuarto —porque Germán vivía con sus patronos en el piso principal—, le surtió de un buen lavabo, de toallas; le repasó la ropa blanca y le compró cuellos y puños, con lo cual el dependiente sacó a luz su figura adamada, su rubio pelo rizado con gracia sobre la sien, y las criadas y las mismas señoras compraron de mejor gana en el establecimiento, que al fin las cosas de bucólica gusta recibirlas de gente aseada, moza y no fea... "También se come con la vista", solían decir.

Una tarde, casi anochecido, Ríopardo, volviendo de arreglar asuntos urgentes en la Aduana, prefirió entrar en su casa por la puerta trasera, que caía a la Marina, ahorrándose así diez minutos de callejeo inútil, pues era, a fuer de hombre de acción, avaro de tiempo. Tenía en el bolsillo el llavín; abrió, salvó un pasadizo y empujó la puerta del almacén que cedió sin rechinar. El almacén, atestado de latas de petróleo, bocoyes de aguardiente y aceite, y sacas de arroz y harina, estaba a oscuras, y allá a su extremidad, Ríopardo creyó percibir un cuchicheo ahogado y suave. Se detuvo, resguardado por una gran barrica y miró. Al pronto no se ve nada viniendo de afuera, cuando la luz es poca; pero a los tres minutos la vista se acostumbra y algo se percibe. Ríopardo logró distinguir dos personas. De pronto, una de ellas, Germán, dijo en alta voz: "Está alguien en la tienda". Y el modo de separarse, brusco, azorado, fue más inequívoco aún que la proximidad de los dos bultos...

Retrocedió Ríopardo; salió por donde había entrado y sin cuidarse ya de economizar tiempo, penetró por la tienda en su casa. Cerróse ésta a la hora habitual; cenaron los tres: marido, mujer y dependiente, y se recogieron en paz a sus respectivos dormitorios María y Germán. Ríopardo volvió a bajar; era el momento de repasar las cuentas y manejar libros. Llevaba su linterna sorda, que le servía para registrar el almacén, en precisión de un incendio; y ya dentro del vasto recinto empezó por atrancar la puerta que daba al pasadizo y probar los cerrojos de la que con la tienda comunicaba.

Después, entregóse a una faena extraña: abrió buen número de latas de petróleo y las inclinó para que el mineral corriese por el suelo; en seguida, ensopando una gran escoba en los charcos que se formaban, barnizó bien un punto determinado del techo, rociándolo de continuo con hisopazos fuertes. De un rincón trajo brazadas de paja, papeles y astillas —residuos de los embalajes de las botellas—, y los hacinó hasta formar una pirámide, que con ayuda de una escalera subió a la altura de las vigas del techo, en el mismo punto en que las había untado de petróleo. Hecho ésto, siguió destapando latas y dio la vuelta al grifo de un inmenso barril de alcohol. El trajín había sido largo; Ríopardo sentía que un sudor helado brotaba de sus cabellos. Descansó un instante y miró el reloj: era la una menos cuarto. Entonces se descalzó, abrió la puerta exterior, dejándola arrimada, subió furtivamente la escalera y no paró hasta su alcoba. María dormía o aparentaba dormir serenamente. La alcoba no tenía ventana. Ríopardo, con maravilloso silencio, colocó delante de la vidriera sillas, butacas, ropas, un cofre, cuantos objetos pudo trasladar sin hacer ruido.

Retiróse, y al salir echó por fuera cerrojo y llave a la puerta del gabinete que comunicaba con la alcoba. Descendió otra vez a la tienda, metióse en el almacén, raspó un fósforo, encendió una mecha corta y la aplicó al suelo encharcado de aceite mineral. La llamarada súbita que se alzó le chamuscó pestañas y cabellos. Sólo tuvo tiempo de huir a la tienda. El almacén no tardaría tres minutos en ser un brasero enorme.

El marido, con flema, se calzó, se limpió las manos y subió pisando recio. Golpeó la puerta del dormitorio de Germán, que salió medio desnudo, despavorido. "Creo que hay fuego... Huele a humo... Baje usted... ¡No, antes de pedir socorro hay que cerciorarse!" Germán se precipitó sin más ropas que unos pantalones vestidos a escape y babuchas. Mal despierto aún del primer sueño de los veinte años, casi no comprendía lo que pasaba. Le precedía Ríopardo con la indispensable linterna.

Tienda y portal estaban llenos de un humo acre, asfixiante. "Pase usted; mire a ver dónde es..." Titubeaba el dependiente, ciego y atónito; Ríopardo le empujó, le precipitó, ya sin disimular, dentro del horno, y aún tuvo fuerzas para correr los cerrojos y huir, saliendo al portal y a la calle. En ella respiró con delicia, cerciorándose de que por allí no andaba el sereno ni pasaba nadie, y probablemente sucedería lo mismo durante el cuarto de hora necesario...

Sin embargo, a los diez minutos el humo era tal, que temeroso de ver abrirse las ventanas y oír voces de socorro, el mismo Ríopardo gritó. Al llegar los primeros auxilios, la casa, sobre todo el bajo y el principal, no formaban más que una hoguera. Se atendió a aislar las casas vecinas y a salvar con escalas a los inquilinos del segundo y tercero. La fatalidad —observaron las gentes— quiso que el fuego se iniciase en la parte del almacén que correspondía con el dormitorio de la esposa de Ríopardo, la cual, asfixiada por el humo, ni pudo levantarse a pedir socorro. Apareció carbonizada, lo mismo que el dependiente, presunto reo de imprudencia temeraria por fumar en el almacén.

No estando aseguradas las existencias del establecimiento, sobre el dueño no recayeron sospechas, sino gran lástima. Arruinado casi completamente, no faltó quien, estimando sus cualidades mercantiles, su laboriosidad, le adelantase dinero para abrir otra lonja; pero Ríopardo dice tristemente a su antigua y fiel clientela:

—Ya no tengo ilusión... ¡Una esposa y un dependiente como los que perdí no he de encontrarlos nunca!

SI QUIERES, LEE MÁS DE PARDO BAZÁN

- *La mujer española y otros escritos*, Cátedra, Madrid, 1999.
- *Un viaje de novios*, Alianza Editorial, Madrid, 2003.
- *El pozo de la vida*, Eneida, Madrid, 2008.
- *Cuentos*, Debolsillo, Madrid, 2009.
- *Obra crítica*, Cátedra, Madrid, 2010.
- *La madre naturaleza*, Alianza Editorial, Madrid, 2010.
- *Los pasos de Ulloa*, Espasa Calpe, Madrid, 2011.
- *Teatro completo*, Akal, Madrid, 2011.
- *Cuentos de amor*, Hermida Editores, Madrid, 2012.
- *Cuentos de Navidad y Reyes*, Artemisa Ediciones, Barcelona, 2012.

Manuel Gutiérrez Nájera

Manuel Gutiérrez Nájera nació en la ciudad de México en 1859, donde también murió en 1895. Periodista y prominente representante del Modernismo en México, cultivó, además del artículo y la crítica literaria, la poesía, el cuento y la crónica. Es, como bien señala Gabriel Zaid, "una de las grandes inteligencias literarias de México". Si bien es más conocido por su obra poética, en el género cuentístico dejó un puñado de narraciones que están entre lo mejor de las letras mexicanas del siglo xix. En vida publicó un solo volumen de relatos (*Cuentos frágiles*) en 1883, y póstumamente se recogerían en dos volúmenes los que dejó dispersos en publicaciones periódicas: *Cuentos color de humo* y *Cuentos de mil colores*.

"La novela del tranvía", que pertenece a los *Cuentos frágiles*, es, seguramente, su cuento más emblemático, en el cual un observador en el tranvía va tejiendo una novela pasional a partir de ciertos personajes que abordan dicho medio de transporte y en los que pone especial atención.

La novela del tranvía

Cuando la tarde se obscurece y los paraguas se abren, como redondas alas de murciélago, lo mejor que el desocupado puede hacer es subir al primer tranvía que encuentre al paso y recorrer las calles, como el anciano Víctor Hugo las recorría, sentado en la imperial de un ómnibus. El movimiento disipa un tanto cuanto la tristeza, y para el observador, nada hay más peregrino ni más curioso que la serie de cuadros vivos que pueden examinarse en un tranvía. A cada paso el vagón se detiene, y abriéndose camino entre los pasajeros que se amontonan y se apiñan, pasa un paraguas chorreando a Dios dar, y detrás del paraguas la figura ridícula de algún asendereado cobrador, calado hasta los huesos. Los pasajeros se ondulan y se dividen en dos grupos compactos, para dejar paso expedito al recién llegado.

Así se dividieron las aguas del Mar Rojo para que los israelitas lo atravesaran a pie enjuto. El paraguas escurre sobre el entarimado del vagón que, a poco, se convierte en un lago navegable. El cobrador sacude su sombrero y un benéfico rocío baña la cara de los circunstantes, como si hubiera atravesado por en medio del vagón un sacerdote repartiendo bendiciones e hisopazos. Algunos caballeros estornudan. Las señoras de alguna edad levantan su enagua hasta una altura vertiginosa, para que el fango de aquel pantano portátil no las manche. En la calle, la lluvia cae conforme a las eternas reglas del sistema antiguo: de arriba para abajo. Mas en el vagón hay lluvia ascendente y lluvia descendente. Se está, con toda verdad, entre dos aguas.

Yo, sin embargo, paso las horas agradablemente encajonado en esa miniaturesca arca de Noé, sacando la cabeza por el ventanillo, no en espera de la paloma que ha de traer un ramo de oliva en el pico, sino para observar el delicioso cuadro que la ciudad presenta en ese instante. El vagón, además, me lleva a muchos mundos desconocidos y a regiones vírgenes. No, la ciudad de México no empieza en el Palacio Nacional, ni acaba en la calzada de la Reforma. Yo doy a ustedes mi palabra de que la ciudad es mucho mayor. Es una gran tortuga que extiende hacia los cuatro puntos cardinales sus patas dislocadas. Esas patas son sucias y velludas. Los ayuntamientos, con paternal solicitud, cuidan de pintarlas con lodo, mensualmente.

Más allá de la peluquería de Micoló, hay un pueblo que habita barrios extravagantes, cuyos nombres son esencialmente antiaperitivos. Hay hombres muy honrados que viven en la plazuela del Tequesquite y señoras de invencible virtud cuya casa está situada en el callejón de Salsipuedes. No es verdad que los indios bárbaros estén acampados en esas calles exóticas, ni es tampoco cierto que los pieles rojas hagan frecuentes excursiones a la plazuela de Regina. La mano providente de la policía ha colocado un gendarme en cada esquina. Las casas de esos barrios no están hechas de lodo ni tapizadas por dentro de pieles sin curtir. En ellas viven muy discretos caballeros y señoras muy respetables y señoritas muy lindas. Estas señoritas suelen tener novios, como las que tienen balcón y cara a la calle, en el centro de la ciudad.

Después de examinar ligeramente las torcidas líneas y la cadena de montañas del nuevo mundo por que atravesaba, volví los ojos al interior del vagón. Un viejo de levita color de almendra meditaba apoyado en el puño de su paraguas. No se había rasurado. La barba le crecía "cual ponzoñosa hierba entre arenales". Probablemente no tenía en su casa navajas de afeitar... ni una peseta. Su levita necesitaba aceite de bellotas. Sin embargo, la calvicie de aquella prenda respetable no era prematura, a menos que admitamos la teoría de aquel joven poeta, autor de ciertos versos cuya dedicatoria es como sigue:

A la prematura muerte de mi abuelita,
a la edad de 90 años.

La levita de mi vecino era muy mayor. En cuanto al paraguas, vale más que no entremos en dibujos. Ese paraguas, expuesto a la intemperie, debía semejarse mucho a las banderas que los independientes sacan a luz el 15 de septiembre. Era un paraguas calado, un paraguas metafísico, propio para mojarse con decencia. Abierto el paraguas, se veía el cielo por todas partes.

¿Quién sería mi vecino? De seguro era casado, y con hijas. ¿Serían bonitas? La existencia de esas desventuradas criaturas me parecía indisputable. Bastaba ver aquella levita calva, por donde habían pasado las cerdas de un cepillo, y aquel hermoso pantalón con su coqueto remiendo en la rodilla, para convencerse de que aquel hombre tenía hijas. Nada más las mujeres, y las mujeres de quince años, saben cepillar de esa manera. Las señoras casadas ya no se cuidan, cuando están en la desgracia, de esas delicadezas y finuras. Incuestionablemente, ese caballero tenía hijas. ¡Pobrecitas! Probablemente le esperaban en la ventana, más enamoradas que nunca, porque no habían almorzado todavía. Yo saqué mi reloj y dije para mis adentros:

—Son las cuatro de la tarde. ¡Pobrecillas! ¡Va a darles un vahído! Tengo la certidumbre de que son bonitas. El papá es blanco, y si estuviera rasurado no sería tan feote. Además, han de ser buenas muchachas. Este señor tiene toda la facha de un buen hombre. Me da pena que esas chiquillas tengan hambre. No había en la casa nada que empeñar. ¡Como los alquileres han subido tanto! ¡Tal vez no tuvieron con qué pagar la casa y el propietario les embargó los muebles! ¡Mala alma! ¡Si estos propietarios son peores que Caín!

Nada; no hay para qué darle más vueltas al asunto: la gente pobre decente es la peor traída y la peor llevada. Estas niñas son de buena familia. No están acostumbradas a pedir. Cosen ajeno, pero las máquinas han arruinado a las infelices costureras y lo único que consiguen, a costa de faenas y trabajos, es ropa de munición. Pasan el día echando los pulmones por la boca. Y luego, como se alimentan mal y tienen muchas penas, andan algo enfermitas, y el doctor asegura que, si Dios no lo remedia, se van a la caída de la hoja. Necesitan carne, vino, píldoras de fierro y aceite de bacalao. Pero, ¿con qué se compra todo esto? El buen señor se quedó cesante desde que cayó el Imperio, y el único hijo que habría podido ser su apoyo, tiene rotas las dos piernas. No hay trabajo, todo está muy caro y los amigos llegan a cansarse de ayudar al desvalido. ¡Si las niñas se casaran!... Probablemente no carecerán de admiradores. Pero como las pobrecitas son muy decentes y nacieron en buenos pañales, no pueden prendarse de los ganapanes ni de los pollos de plazuela. Están enamoradas sin saber de quién, y aguardan la venida del Mesías. ¡Si yo me casara con alguna de ellas!... ¿Por qué no? Después de todo, en esa clase suelen encontrarse las mujeres que dan la felicidad. Respecto a las otras, ya sé bien a qué atenerme.

¡Me han costado tantos disgustos! Nada; lo mejor es buscar una de esas chiquillas pobres y decentes, que no están acostumbradas a tener palco en el teatro, ni carruajes, ni cuenta abierta en La Sorpresa. Si es joven, yo la educaré a mi gusto. Le pondré un maestro de piano. ¿Qué cosa es la felicidad? Un poquito de salud y un poquito de dinero. Con lo que yo gano, podemos mantenernos ella y yo, y hasta el angelito que Dios nos mande. Nos amaremos mucho, y como la voy a sujetar a un régimen higiénico se pondrá en poco tiempo más fresca que una rosa. Por la mañana un paseo a pie en el Bosque. Iremos en un coche de a cuatro reales hora, o en los trenes. Después, en la comida, mucha carne, mucho vino y mucho fierro. Con eso y con tener una casita por San Cosme; con que ella se vista de blanco, de azul o de color de rosa; con el piano, los libros, las macetas y los pájaros, ya no tendré nada que desear.

> Una heredad en el bosque:
> Una casa en la heredad;

En la casa, pan y amor...
¡Jesús, qué felicidad!

Además, ya es preciso que me case. Esta situación no puede prolongarse, como dice el gran duque en la *Guerra Santa*. Aquí tengo una trenza de pelo que me ha costado cuatrocientos setenta y cuatro pesos, con un pico de centavos. Yo no sé de dónde los he sacado: el hecho es que los tuve y no los tengo. Nada; me caso decididamente con una de las hijas de este buen señor. Así las saco de penas y me pongo en orden. ¿Con cuál me caso?, ¿con la rubia?, ¿con la morena? Será mejor con la rubia... digo, no, con la morena. En fin, ya veremos. ¡Pobrecillas! ¿Tendrán hambre?

En esto, el buen señor se apea del coche y se va. Si no lloviera tanto —continué diciendo en mis adentros— le seguía. La verdad es que mi suegro, visto a cierta distancia, tiene una facha muy ridícula. ¿Qué diría, si me viera de bracero con él, la señora de Z? Su sombrero alto parece espejo. ¡Pobre hombre! ¿Por qué no le inspiraría confianza? Si me hubiera pedido algo, yo le habría dado con mucho gusto estos tres duros. Es persona decente. ¿Habrán comido esas chiquillas?

En el asiento que antes ocupaba el cesante, descansa ahora una matrona de treinta años. No tiene malos ojos; sus labios son gruesos y encarnados: parece que los acaban de morder. Hay en todo su cuerpo bastantes redondeces y ningún ángulo agudo. Tiene la frente chica, lo cual me agrada porque es indicio de tontera; el pelo negro, la tez morena y todo lo demás bastante presentable. ¿Quién será? Ya la he visto en el mismo lugar y a la misma hora dos... cuatro... cinco... siete veces. Siempre baja del vagón en la plazuela de Loreto y entra a la iglesia. Sin embargo, no tiene cara de mujer devota. No lleva libro ni rosario. Además, cuando llueve a cántaros, como está lloviendo ahora, nadie va a novenarios ni sermones. Estoy seguro de que esa dama lee más las novelas de Gustavo Droz que el *Menosprecio del mundo* del padre Kempis. Tiene una mirada que si hablara, sería un grito pidiendo bomberos. Viene cubierta con un velo negro. De esa manera libra su rostro de la lluvia. Hace bien. Si el agua cae en sus mejillas, se evapora, chirriando, como si hubiera caído sobre un hierro candente. Esa mujer es como las papas: no se fíen ustedes, aunque las vean tan frescas en el agua: queman la lengua.

La señora de treinta años no va indudablemente al novenario. ¿Adónde va? Con un tiempo como este nadie sale de su casa, si no es por una grave urgencia. ¿Estará enferma la mamá de esta señora? En mi opinión, esta hipótesis es falsa. La señora de treinta años no tiene madre. La iglesia de Loreto no es una casa particular ni un hospital. Allí no viven ni los sacristanes. Tenemos, pues, que recurrir a otras hipótesis. Es un hecho constante, confirmado por la experiencia, que a la puerta del templo, siempre que la señora baja del vagón, espera un coche. Si el coche fuera de ella, vendría en él desde su casa. Esto no tiene vuelta de hoja. Pertenece, por consiguiente, a otra persona. Ahora bien, ¿hay acaso alguna sociedad de seguros contra la lluvia o cosa parecida, cuyos miembros paguen coche a la puerta de todas las iglesias, para que los feligreses no se mojen? Claro es que no. La única explicación de estos viajes en tranvía y de estos rezos, a hora inusitada, es la existencia de un amante, ¿Quién será el marido?

Debe de ser un hombre acaudalado. La señora viste bien, y si no sale en carruaje para este género de entrevistas, es por no dar en qué decir. Sin embargo, yo no me atrevería a prestarle cincuenta pesos bajo su palabra. Bien puede ser que gaste más de lo que tenga, o que sea como cierto amigo mío, personaje muy quieto y muy tranquilo, que me decía hace pocas noches:

—Mi mujer tiene al juego una fortuna prodigiosa. Cada mes saca de la lotería quinientos pesos. ¡Fijo!

Yo quise referirle alguna anécdota atribuida a un administrador muy conocido de cierta aduana marítima. Al encargarse de ella dijo a los empleados:

—Señores, aquí se prohíbe jugar a la lotería. El primero que se la saque lo echo a puntapiés.

¿Ganará esta señora a la lotería? Si su marido es pobre, debe haberle dicho que esos pendientes que ahora lleva son falsos. El pobre señor no será joyero. En materia de alhajas sólo conocerá a su mujer que es una buena alhaja. Por consiguiente, la habrá creído. ¡Desgraciado!, ¡qué tranquilo estará en su casa! ¿Será viejo? Yo debo conocerle... ¡Ah!... ¡sí!... ¡es aquél! No, no puede ser; la esposa de ese caballero murió cuando el último cólera. ¡Es el otro! ¡Tampoco! Pero ¿a mí, qué me importa quién sea?

¿La seguiré? Siempre conviene conocer un secreto de una mujer. Veremos, si es posible, al incógnito amante. ¿Tendrá hijos esta mujer? Parece que sí. ¡Infame! Mañana se avergonzarán de ella. Tal vez alguno la niegue. Ése será un crimen; pero un crimen justo. Bien está; que mancille, que pise, que escupa la honra de ese desgraciado que probablemente la adora.

Es una traición; es una villanía. Pero, al fin, ese hombre puede matarla sin que nadie le culpe ni le condene. Puede mandar a sus criados que la arrojen a latigazos y puede hacer pedazos al amante. Pero sus hijos ¡pobres seres indefensos, nada pueden! La madre los abandona para ir a traerles su porción de vergüenza y deshonra. Los vende por un puñado de placeres, como Judas a Cristo por un puñado de monedas. Ahora duermen, sonríen, todo lo ignoran; están abandonados a manos mercenarias; van empezando a desamorarse de la madre, que no los ve, ni los educa, ni los mima. Mañana, esos chicuelos serán hombres, y esas niñas, mujeres. Ellos sabrán que su madre fue una aventurera, y sentirán vergüenza. Ellas querrán amar y ser amadas; pero los hombres, que creen en la tradición del pecado y en el heredismo, las buscarán para perderlas y no querrán darles su nombre, por miedo de que no lo prostituyan y lo afrenten.

Y todo eso será obra tuya. Estoy tentado de ir en busca de tu esposo y traerle a este sitio. Ya adivino cómo es la alcoba en que te aguarda. Pequeña, cubierta toda de tapices, con cuatro grandes jarras de alabastro sosteniendo ricas plantas exóticas. Antes había dos grandes lunas en los muros; pero tu amante, más delicado que tú, las quitó. Un espejo es un juez y es un testigo. La mujer que recibe a su amante viéndose al espejo, es ya la mujer abofeteada de la calle.

Pues bien; cuando tú estés en esa tibia alcoba y tu amante caliente con sus manos tus plantas entumecidas por la humedad, tu esposo y yo entraremos sigilosamente, y un brusco golpe te echará por tierra, mientras detengo yo la mano de tu cómplice. Hay besos que se empiezan en la tierra y se acaban en el infierno.

Un sudor frío bañaba mi rostro. Afortunadamente habíamos llegado a la plazuela de Loreto, y mi vecina se apeó del vagón. Yo vi su traje; no tenía ninguna mancha de sangre; nada había pasado. Después de todo, ¿qué me importa que esa señora se la pegue a su marido? ¿Es mi amigo acaso? Ella sí que es una real moza. A fuerza de encontrarnos, somos casi amigos. Ya la saludo.

Allí está el coche; entra a la iglesia; ¡qué tranquilo debe estar su marido! Yo sigo en el vagón. ¡Parece que todos vamos tan contentos!

SI QUIERES, LEE MÁS DE GUTIÉRREZ NÁJERA

- *Cuentos completos y otras narraciones*, Fondo de Cultura Económica, México, 1984.
- *Cuentos y cuaresmas del Duque Job*, Porrúa, México, 1991.
- *Visión de Cuernavaca*, Miguel Ángel Porrúa, México, 1992.
- *Antología*, Cal y Arena, México, 1996.
- *Juan Lanas y otros cuentos*, Fondo de Cultura Económica, México, 1997.
- *Poesía*, Factoría Ediciones, México, 2000.
- *Cuentos*, Océano, México, 2001.
- *Obras*, Fondo de Cultura Económica, México, 2003.
- *Tranvías*, Fondo de Cultura Económica, México, 2004.
- *Por donde se sube al cielo*, Factoría Ediciones, México, 2004.

Antón Chéjov

Antón Pavlovich Chéjov nació en Tanganrog en 1860, y murió en Badenweiler en 1904. Este gran escritor que cultivó especialmente el teatro y el cuento, es una de las glorias de la literatura rusa, junto con Tolstoi, Pushkin y Dostoievski. Su maestría se revela en la captación exacta del comportamiento humano y en la profundización del análisis psicológico, que realiza revelando sus diversas actitudes ante el amor, el dolor, los celos, la angustia y el temor a la muerte. Para Chéjov, la alegría o la tristeza de un escritor no se reflejaba de manera directa en sus obras, pues llegó a decir: "Cuanto más alegre es mi vida, más sombríos son los relatos que escribo".

"La dama del perrito" es un cuento genial más que magistral, un cuento inolvidable, sin duda, por la forma en que expone el conflicto del amor, la monotonía doméstica y la infidelidad, así como la angustia y la amargura que se desprenden de una aparente felicidad. Es uno de los cuentos más inolvidables de la literatura universal.

La dama del perrito

I

LAS PERSONAS DECÍAN que se había visto en el muelle a un nuevo personaje: una dama con un perrito. Dmitri Dmitrich Gurov llevaba dos semanas en Yalta, estaba acostumbrado ya a la ciudad y había empezado a interesarse en gente nueva. Desde su asiento, en el café Vernet al aire libre, vio a una joven y bella mujer que llevaba una boina y paseaba por el malecón: era rubia y de mediana estatura, y detrás de ella corría un pequeño perro blanco, un lulú de Pomerania.

Más tarde se la encontró varias veces, el mismo día, en el parque municipal y en la plaza. Estaba siempre sola, y llevaba la misma boina, y tras ella iba siempre también el lulú blanco. Nadie sabía quién era, y la gente se refería a ella simplemente como *La dama del perrito*.

"Si ella está aquí sola, sin su marido, y sin amigos —pensó Gurov—, no sería una mala idea conocerla".

Gurov no había cumplido aún los cuarenta años, pero tenía una hija de doce y dos hijos en el liceo. Se había casado joven, en su tercer año en la universidad, y su esposa ahora aparentaba casi el doble de la edad de él. Ésta era una mujer alta, de cejas oscuras; tiesa, orgullosa y grave y, según ella misma decía, "intelectual". Era bastante lectora, escribía cartas muy ceremoniosamente, y llamaba a su esposo Dimitri en lugar de Dmitri. Aunque en secreto él la consideraba poco profunda, de mente estrecha, y poco elegante, le tenía cierto temor y, por ello, evitaba estar en casa. Desde hace mucho tiempo había empezado a engañarla, primero de forma esporádica, y ahora de manera constante, pues le era frecuentemente infiel; quizá por esto, y para evitar las sospechas de ella, hablaba con desprecio de las mujeres, a quienes se refería como "raza inferior".

Consideraba que las amplias lecciones que había recibido de su amarga experiencia con las mujeres le daban derecho a expresarse de ellas de este modo, pero lo cierto es que sin esta "raza inferior" él no hubiera podido sobrevivir ni un solo día. Entre los hombres se aburría, no se sentía a gusto y se mostraba siempre frío y reservado, pero cuando se hallaba entre mujeres se sentía muy alegre y sabía exactamente qué decirles y cómo comportarse; en compañía de ellas incluso podía guardar silencio sin sentir la más mínima incomodidad. Además, había un encanto indefinido en su apariencia y disposición que atraía a las mujeres y atrapaba sus simpatías. Él lo sabía y también se sentía atraído por ellas como por alguna fuerza magnética.

Una experiencia múltiple y amarga le había enseñado, desde hacía mucho tiempo, que toda intimidad que en un primer momento hace grata la vida cotidiana y promete una encantadora aventura, con el tiempo se transforma, inevitablemente, para la gente decente, y en especial para los moscovitas —tardos e indecisos—, en un gran problema, en una complicación tan excesiva, que acaba por convertirse en una situación intolerable y molesta. Pero cada vez que se encontraba con una mujer atractiva, Gurov se olvidaba de estos antecedentes: el deseo que sentía tornaba esa aventura en algo apetecible y, de repente, todo le parecía sencillo y divertido.

Una noche, mientras Gurov estaba cenando en el restaurante del parque, la hermosa dama de la boina llegó y se sentó en una mesa vecina. Su expresión, su forma de andar, su vestido, el peinado y todo lo demás le dijeron que ella pertenecía a la buena sociedad, que estaba casada, que se encontraba sola en Yalta por vez primera y que, sin ninguna duda, se aburría... En los relatos sobre la vida disipada de los visitantes de Yalta se exageraba con mucha frecuencia. Gurov no les prestaba demasiada atención porque sabía que a menudo eran invenciones de gente que, de buena gana, habría transgredido la moral si hubiera tenido realmente oportunidad de hacerlo. Pero cuando la dama se sentó en una mesa vecina a pocos pasos de él, estas historias de conquistas fáciles, de excursiones a las montañas, se hicieron presentes en su recuerdo, y la idea tentadora de una intimidad rápida y fácil, de una aventura con una bella mujer cuyo nombre ni siquiera sabía, se apoderó pronto de su mente.

Chasqueó los dedos hacia el perrito lulú y, cuando éste se le acercó, movió el índice con fingida amenaza. El pequeño can gruñó, y Gurov volvió a fingir que le amenazaba.

La dama lo miró e inmediatamente bajó los ojos.

—No muerde —dijo, y se sonrojó.

—¿Puedo darle un hueso? —preguntó Gurov, y ante el gesto afirmativo de ella, inquirió en tono amable—: ¿Hace mucho que está usted en Yalta?

—Apenas cinco días.

—Pues yo ya vengo arrastrando mi segunda semana aquí.

Durante unos minutos guardaron silencio.

—Los días pasan rápidamente, ¡y sin embargo hay que ver qué tan aburridos pueden ser! —dijo ella, sin mirarlo.

—Bueno, en Yalta sí que es aburrido, aunque me parece que la gente se queja aquí del aburrimiento casi por costumbre, pues esta misma gente nunca se queja de aburrimiento en lugares tan olvidados de la mano de Dios como Belyev o Zhizdra, que es donde viven, pero en cuanto llegan aquí todo es: "¡Oh, qué monotonía!, ¡oh, el polvo!" ¡Usted pensaría que vienen de Granada por decir lo menos!

Ella se echó a reír. Luego los dos siguieron comiendo en silencio, como los dos extraños que eran. Pero, después del almuerzo, salieron del restaurante juntos, y entablaron una conversación casual y jovial, de gente libre y contenta a quien le da lo mismo a dónde ir o de qué hablar. Caminaron sin más, comentando sobre la extraña luz que se reflejaba sobre el mar. El agua era de un cálido y tierno púrpura, y la luna sobre su superficie proyectaba una franja de luz dorada. Hablaron de que en la noche el aire era sofocante a causa del caluroso día. Gurov le contó que era moscovita, que tenía un grado en literatura, pero que trabajaba en un banco; le dijo también que durante un tiempo quiso cantar para una compañía de ópera, pero que luego había renunciado a esa idea, y que era propietario de dos casas en Moscú. Y de ella se enteró que había crecido en Petersburgo, pero que se había casado en la localidad de S., donde ya llevaba viviendo dos años; que se quedaría un mes más en Yalta, y que tal vez su marido, que también necesitaba un descanso, llegaría en uno de estos días y se reuniría con ella. En cuanto a la ocupación de su marido, no supo explicar si era un miembro del Consejo de Provincia o del Consejo del *Zemstvo*, y ella misma se rió de su torpeza en este sentido. Gurov se enteró, además, de que su nombre era Anna Serguievna.

De vuelta, ya en la habitación de su hotel, Gurov pensaba nada más en Anna, y estaba seguro de que volvería a reunirse con ella al día siguiente. Era inevitable. Al acostarse recordó que Anna Serguievna, hace sólo muy poco tiempo, había sido una estudiante, como su propia hija hoy; se acordó de lo mucho que le quedaba de timidez y de reserva en su risa, en su manera de conversar con un extraño, todo lo cual revelaba que era probablemente la primera vez en su vida que ella se encontraba sola, y en la situación en la que los hombres podían seguirla y observarla, y hablar con ella, todo el tiempo con un sólo objetivo secreto que ella no podía ignorar o dejar de adivinar. Recordó su esbelto y delicado cuello, sus hermosos ojos grises.

"Y sin embargo hay algo triste en ella", pensó para sus adentros mientras se quedaba dormido.

II

Había pasado una semana desde su primer encuentro. Era un día de fiesta. En el interior de las casas el aire era asfixiante, y el viento se levantaba por las calles en torbellinos de polvo que arrancaba los sombreros de las cabezas de los transeúntes. Era un día abrasador y Gurov iba con frecuencia a la cafetería al aire libre y pedía bebidas heladas de frutas que ofrecía a Anna Serguievna. El calor era insoportable.

Por la noche, cuando el viento había amainado, juntos caminaron hasta el muelle para ver la llegada del vapor. En el embarcadero había un gran número de personas que paseaban, en espera de los viajeros; algunas con ramos de flores en sus manos destinados a los amigos con quienes se reunirían. Dos particularidades de la elegante multitud de Yalta se destacaban claramente: las señoras mayores vestían muy juvenilmente y había una abundancia de generales.

Debido a la tormenta, el barco de vapor llegó tarde, después de la puesta del sol, y tuvo que maniobrar durante algún tiempo antes de que pudiera atracar en el muelle. Anna Serguievna miraba con atención el barco y a los pasajeros a través de sus impertinentes, como si buscara a alguien conocido, y cuando se volvió hacia Gurov sus ojos resplandecían. Hablaba mucho, disparando preguntas bruscas y olvidando de inmediato qué era lo que había preguntado. Luego, en medio de la multitud y entre tanto embeleso, perdió sus impertinentes.

El gentío engalanado comenzó a dispersarse; ya no se distinguían las facciones, el viento había cesado de pronto, pero Gurov y Anna Serguievna seguían ahí de pie como esperando que alguien más descendiera del barco. Anna Serguievna se había quedado en silencio, y olía las flores, pero sin mirar a Gurov.

—La noche ha mejorado —dijo él—. ¿Qué hacemos ahora? ¿Y si no fuéramos a ninguna parte?

Ella no respondió.

Entonces él la miró fijamente y, de pronto, la tomó entre sus brazos y la besó en los labios. En ese momento sintió la fragancia y la humedad de las flores en torno a él, pero casi inmediatamente miró en derredor, alarmado de que alguien los hubiera visto.

—Vayamos a su habitación —murmuró.

Y caminaron juntos, rápidamente.

La habitación de Anna Serguievna era calurosa y olía a un perfume que había comprado en la tienda japonesa. Gurov la miró, pensando para sus adentros: "¡Qué llena de extraños encuentros puede ser la vida!". De sus pasadas aventuras recordaba a las mujeres despreocupadas, a las de buen carácter siempre agradecidas por la breve felicidad que les dio; otras, sin embargo —entre ellas, su esposa——, eran afectadas, histéricas e insinceras, que hablaban incesante e innecesariamente con una expresión que parecía decir que todo eso no era amor ni pasión, sino algo mucho más importante. Recordaba también a dos o tres mujeres hermosas pero frías, en cuyas expresiones se reflejaba una actitud depredadora, un deseo de tomar, una determinación para arrancarle a la vida más de lo que podía dar; estas mujeres, que ya habían rebasado su primera juventud, eran caprichosas, irracionales, despóticas, nada inteligentes, y cuando Gurov dejaba de amarlas, su belleza despertaba en él nada más que repulsión y los encajes de su ropa interior le recordaban las escamas de los peces.

Pero en Anna Serguievna la timidez y torpeza de la juventud y la inexperiencia eran todavía evidentes, y había en ella un sentimiento de vergüenza y una sensación de inquietud, como si alguien de pronto hubiera llamado a la puerta. Anna Serguievna, *La dama del perrito*, parecía considerar el asunto como algo muy especial, muy grave, como si se hubiera convertido en una mujer caída en lo irreparable; una actitud que él encontró extraña y desconcertante. Sus facciones se alargaron y marchitaron, y sus largos cabellos colgaban tristemente a ambos lados de su rostro. Asumió una actitud pensativa, con un aire sombrío: se parecía a esas pecadoras arrepentidas que aparecían en los cuadros de la pintura antigua.

—¡No está bien!—dijo por fin—. Nunca más se me va a respetar. Nadie me respetará, y usted menos que nadie.

Sobre la mesa había una sandía. Gurov cortó un trozo y comenzó lentamente a comerlo. Transcurrió por lo menos media hora en silencio.

Anna Serguievna lo conmovía, pues en ella se revelaba la pureza de una mujer decente, ingenua, que había visto muy poco de la vida. La solitaria vela encendida sobre la mesa le iluminaba apenas la cara, pero era obvio que su corazón sufría.

—¿Por qué iba a dejar de respetarte? —preguntó Gurov—. No sabes lo que estás diciendo.

—¡Que Dios me perdone! —exclamó, y sus ojos se llenaron de lágrimas—. Esto es terrible.

—No hay necesidad de justificarse.

—Pero ¿cómo podría siquiera justificarme? Soy una mujer vil, baja, me desprecio y no tengo la menor intención de justificarme. No es a mi marido a quien he engañado; me he engañado a mí misma. Y no sólo ahora, sino hace mucho tiempo que me engaño. Mi marido es sin duda un hombre digno, honesto, ¡pero es un lacayo! No sé qué es lo que hace en su oficina, pero yo sé que es un lacayo. Sólo tenía veinte años cuando me casé con él, y la curiosidad me devoraba, quería conocer algo mejor. Me decía a mí misma que seguramente había otro tipo de vida y que yo quería vivirla. ¡Quería conocerla! ¡Quería vivirla! Ardía de curiosidad... Usted nunca comprenderá esto, pero le juro por Dios que ya no podía contenerme, y le dije a mi marido que estaba enferma... y vine aquí.... Y aquí empecé a andar de aquí para allá como una poseída, y ahora me he convertido en una mujer devaluada, vil, a la que todo el mundo tendrá derecho de despreciar.

Gurov la escuchaba, cada vez más aburrido. Le molestaba ese tono ingenuo, esos remordimientos tan inesperados, tan inoportunos, tan fuera de lugar. De no haber sido por las lágrimas en sus ojos, hubiera podido pensar que bromeaba o simplemente representaba una lacrimógena escena teatral.

—No entiendo —dijo suavemente—. ¿Qué es lo que quieres?

Ella escondió la cara contra su pecho y se estrechó más a él.

—Créame, créame, le suplico que me crea —respondió—. Me gusta mi vida honesta y limpia, el vicio me repugna, y ni yo misma sé lo que estoy haciendo. La gente común dice: "El diablo me ha obligado a hacerlo". Y ahora yo también puedo decir que el diablo me ha empujado a sus brazos.

—Vamos, vamos —murmuraba él.

Miró sus ojos aterrorizados, fijos; la besó y la tranquilizó con palabras cariñosas, suaves, y poco a poco se fue calmando y recuperó la alegría. Los dos comenzaron a reír de nuevo.

Cuando, un poco más tarde, salieron, no había ni un alma en el muelle. La ciudad con sus cipreses parecía muerta, pero el mar seguía agitado y las olas rompían contra la costa. Solitaria, una barcaza de pesca se balanceaba sobre las olas y, somnolienta, la lucecita de su lámpara apenas parpadeaba.

Alquilaron un coche y se fueron a Oreanda.

—Descubrí tu apellido en el vestíbulo, justo ahora —dijo Gurov—, escrito en el tablero. Von Dideritz. ¿Es alemán tu marido?

—No. Creo que su abuelo era alemán, pero él pertenece a la Iglesia Ortodoxa.

Cuando salieron del coche en Oreanda se sentaron en un banco cerca de la iglesia, y miraron el mar, en silencio. Yalta se podía ver vagamente a través de la niebla de la mañana, y las nubes blancas descansaban inmóviles en las cumbres de las montañas. No se movía una hoja, las cigarras emitían su estridencia, y el rugido sordo y monótono del mar llegaba hasta ellos, hablándoles del reposo, del sueño eterno que a todos nos espera. Igual rugiría el mar mucho antes de que existiesen Yalta y Oreanda, e igual rugía ahora, y lo mismo rugiría, monótono y sordo, cuando ya nadie estuviera, mañana, en la tierra. Y puede ser que en esta continuidad, en esta total indiferencia a la vida y a la muerte de cada uno de nosotros, se encuentre oculta la garantía de nuestra salvación eterna, del movimiento continuo de la vida en la tierra, del movimiento continuo hacia la perfección. Al lado de esta mujer joven, que parecía tan bella al amanecer, apacible y encantado por aquella vista maravillosa —el mar, las montañas, las nubes y la vasta extensión del cielo—, Gurov se dijo a sí mismo que, bien pensado, todo en el mundo es bello de verdad, todo, menos aquello que pensamos y hacemos cuando perdemos de vista los objetivos superiores de la vida y de nuestra dignidad como seres humanos.

Alguien se acercó a ellos —probablemente, un vigilante—; los miró y se fue. Y había algo misterioso y hermoso, incluso en este detalle. El vapor de Feodosia se podía ver que venía hacia el muelle, ya sin luces, iluminado tan sólo por el fulgor de la mañana.

—Hay rocío sobre la hierba —dijo Anna Serguievna, rompiendo el silencio.

—Sí. Es hora de regresar.

Regresaron a la ciudad.

Después de esto se reunieron diariamente al mediodía en el muelle, almorzaban y cenaban juntos, caminaban y admiraban el mar. Anna Serguievna se quejaba de la falta de sueño, de palpitaciones, y le hacía a Gurov siempre las mismas preguntas, una y otra vez, agitada ya sea por los celos o por el temor de que él realmente ya no la respetara. Y a menudo, cuando no había nadie a la vista en la plaza o en el parque, él la atraía de pronto hacia sí y la besaba apasionadamente. El ocio absoluto, estos besos a plena luz del día, acompañados de miradas furtivas y del temor de ser descubiertos, el calor, el olor del mar, y la inactividad en torno suyo de personas elegantes y bien comidas parecían haberle dado a él una nueva oportunidad de vida. Le decía a Anna Serguievna de lo hermosa y seductora que era; impetuoso e impaciente, no se separaba de su lado ni un solo momento, pero ella, siempre pensativa, insistía en que él admitiera que en verdad no la respetaba, que realmente no la amaba en absoluto y que sólo veía en ella a una mujer fácil y vulgar. Casi todas las tardes se dirigían a algún lugar fuera de la ciudad, a Oreanda o a las cascadas. Y estas excursiones eran invariablemente muy felices, y las impresiones siempre magníficas por la majestuosa belleza de los sitios que visitaban.

Todo este tiempo esperaban el anuncio de la llegada del marido. Pero en la carta que recibió Anna Serguievna, aquél le notificaba que había enfermado de los ojos, y le suplicaba que volviera a casa tan pronto como le fuera posible. Anna Serguievna apresuró los preparativos para marcharse.

—Está bien que me vaya —le dijo a Gurov—. Así lo quiere el destino.

Tomó un coche y dejó Yalta, y él fue con ella hasta la estación del tren. El viaje duró casi un día entero. Cuando tomó asiento en el vagón del tren y después de que sonó la segunda campanada, ella dijo:

—Déjeme que le mire una vez más... Una última mirada. Así.

No lloraba, pero estaba triste y parecía enferma; los músculos de su rostro se estremecían.

—Pensaré en usted... Le recordaré todo el tiempo... —dijo ella—. ¡Dios le bendiga! ¡Sea feliz! No conserve un mal recuerdo de mí. Nos despedimos para siempre, tiene que ser así, porque nunca debimos habernos conocido. ¡Adiós! ¡Dios le bendiga!

El tren salió rápidamente de la estación, sus luces desaparecieron pronto, y un minuto más tarde ya ni siquiera se oía su trepidar, como si todo estuviera conspirando para terminar lo antes posible, ese dulce ensueño, esa locura. Y Gurov, al quedarse solo en el andén, con la mirada perdida en la oscura lejanía, escuchó el chirrido de los grillos y el zumbido de los cables del telégrafo, con la sensación de quien acaba de despertar. Pensó que ésta había sido una más de las muchas aventuras en su vida y que, también, había terminado, dejándole tan sólo un recuerdo... Estaba emocionado y triste, y sintió un ligero remordimiento. Después de todo, esta joven mujer a la que nunca más volvería a ver, no había sido realmente feliz con él. Él la había tratado con cariño y ternura, pero en todo su comportamiento hacia ella, en el tono de su voz, en sus propias caricias, flotaba la sombra de una ligera ironía, la indulgencia grosera del hombre afortunado, que tenía, por otra parte, casi el doble su edad. Ella insistía en calificarlo de bueno, de excepcional y extraordinario. Para él era evidente que lo veía distinto de lo que en realidad era; en una palabra, la había engañado... involuntariamente.

Había un ambiente otoñal en el aire, y la noche era fría.

"Es hora de que también yo me vaya al norte", pensó Gurov, mientras abandonaba el andén. "¡Ya es hora!"

III

Cuando Gurov regresó a Moscú estaba empezando el invierno; en su casa tenían que encender las estufas todos los días, y por las mañanas, cuando los niños se levantaban para ir a la escuela y tomaban su té, todavía estaba oscuro y la sirvienta tenía que encender las lámparas. Habían comenzado las heladas. Cuando cae la primera nevada, y uno sale en trineo, es agradable ver la tierra blanca y los techos blancos; se respira libremente el aire ligero y se recuerdan los días de la juventud. Los viejos tilos y abedules, blancos de escarcha, tienen un aspecto tan bonachón que están más cerca del corazón que los cipreses y las palmeras, y debajo de sus ramas se pierde por completo el deseo de pensar en las montañas y en el mar.

Gurov siempre había vivido en Moscú y regresó a su ciudad en un espléndido día escarchado, y cuando se puso el abrigo forrado de piel y los guantes gruesos para el invierno, y se paseó por la calle Petrovka;

cuando, el sábado por la tarde, oyó tañer las campanas de la iglesia, su reciente viaje y los lugares que había visitado perdieron para él todo su encanto. Poco a poco volvió a sentirse inmerso en la vida moscovita; leía con avidez tres periódicos al día, aunque por principio aclaraba que ninguno de éstos era de Moscú. Una vez más se vio envuelto en el torbellino de frecuentar restaurantes y clubes, de asistir a banquetes y celebraciones; una vez más le halagaba recibir en su casa a conocidos abogados y artistas, lo mismo que jugar a las cartas con un profesor en el Club de los Doctores. Ya podía volver a comer una ración completa de *selianka* servida en un sartén.

Había creído que al cabo de un mes Anna Serguievna no sería más que un vago recuerdo y que, de aquí en adelante, sólo ocasionalmente se le aparecería en sueños, al igual que las otras, con su sonrisa melancólica. Pero había pasado ya más de un mes, el invierno estaba en pleno apogeo, y todo estaba tan claro en su memoria como si apenas un día antes se hubiera despedido de Anna Serguievna. Y el recuerdo, en vez de disminuir, aumentaba con mayor intensidad. A veces, cuando en el silencio y la quietud de la tarde, las voces de sus hijos que preparaban sus tareas llegaban a su estudio, cuando oía una romanza o las notas del armonio en un restaurante, cuando el viento de la ventisca aullaba en la chimenea, todo volvía de repente a su memoria: las mañanas en el muelle de Yalta, las montañas brumosas, el vapor de Feodosia, los besos. Se paseaba nerviosamente por su habitación durante largo tiempo, rememoraba, sonreía, y los recuerdos se convertían en sueños; en su imaginación, el pasado se confundía con el futuro. No soñaba con Anna Serguievna: ella lo acompañaba a todas partes, como su sombra: lo seguía por dondequiera que iba. Cuando cerraba los ojos, parecía que estaba delante de él, aún más bella, más joven, más cariñosa de lo que había sido, y mirando hacia atrás, él mismo se la imaginaba mejor de lo que había sido en Yalta. Por las noches, ella lo contemplaba desde las estanterías de los libros, desde la chimenea, desde un rincón; podía escuchar su respiración, el dulce susurro de sus faldas. En las calles seguía con la vista a las mujeres, buscando siempre a alguna que se pareciese a ella.

Comenzó a sentir un deseo irresistible de compartir sus recuerdos con alguien. Pero era obvio que no podía hablar de su amor en la casa, y que fuera de ella no había realmente nadie en quien confiar. ¡No iba a contárselo a los inquilinos, o a sus colegas en el banco! Y, además, ¿qué les iba a decir? ¿Que se había enamorado? ¿Que la amaba? ¿Que habían sido bellas, poéticas, ejemplares o incluso simplemente divertidas sus relaciones con Anna Serguievna? Tuvo que contentarse con hablar mediante vagas generalizaciones sobre el amor y las mujeres, y nadie podía adivinar lo que en realidad quería decir. Únicamente su esposa enarcaba las oscuras cejas y le decía con sarcasmo:

—¡Dimitri, el papel de Don Juan no te sienta muy bien!

Una noche, al salir del Club de Doctores con uno de sus compañeros de juego, un funcionario del gobierno, no pudo contenerse y le confió:

—¡Si supiera qué mujer más encantadora conocí en Yalta!

El funcionario se subió al trineo, se sentó, y justo antes de partir volvió la cabeza y gritó:

—¡Dmitri Dmitrich!

—¿Sí?

—¡Tenía usted razón: el esturión no estaba fresco!

Estas palabras, en sí mismas tan corrientes, por alguna razón enfurecieron a Gurov: le parecieron humillantes, indignas. ¡Qué costumbres salvajes, qué gente más bruta e insensible! ¡Qué desperdicio de noches, qué días más tediosos y vacíos! El juego desaforado a las cartas, la gula, la embriaguez, la charla perpetua sobre las mismas cosas. En esas banalidades consumían la mayor parte de su tiempo y de sus energías. ¿Y todo para qué? Para llevar siempre una vida vacía, sin interés, absurda, trivial. Aquello era un manicomio, una colonia penal de la que no se podía escapar.

Furioso, Gurov permaneció despierto toda la noche, y al día siguiente le dolió todo el tiempo la cabeza. En las noches posteriores también durmió mal: sentado en la cama, pensando, o recorriendo su habitación de un lado a otro. Estaba harto de sus hijos, fastidiado del banco, no sentía el menor deseo de ir a ninguna parte ni de hablar de nada.

Cuando llegaron las vacaciones de Navidad, hizo su maleta y le dijo a su esposa que debía ir a Petersburgo a recomendar a cierto joven, aunque en realidad se dirigió a la ciudad de S. ¿Con qué propósito? Ni él mismo lo sabía con exactitud. Lo único que sabía es que sentía deseos de ver a Anna Serguievna, de hablar con ella, de encontrarse íntimamente con ella si era posible.

Llegó a S. por la mañana y ocupó la mejor suite en el hotel, que tenía una alfombra de color gris militar, y en la mesilla un tintero cubierto de polvo, coronado con un jinete sin cabeza que llevaba el sombrero en la mano levantada. El conserje le dijo lo que quería saber: Von Dideritz tenía, no muy lejos del hotel, una casa propia en la calle Staro-Goncharnaia; era rico, tenía carruajes y caballos, y todos en la ciudad lo conocían. El conserje pronunciaba el nombre como "Drideritz".

Sin apresurarse, Gurov se acercó a la calle Staro-Goncharnaia y encontró la casa. Frente a ella había una larga tapia gris cuya parte superior estaba cubierta de erizadas púas.

"Con una valla así, cualquiera tendría que sentir miedo de huir", pensó Gurov, mirando las ventanas de la casa y la cerca.

Él razonó que, puesto que era día feriado, el marido de Anna probablemente estaría en casa. De todos modos, sería una falta de tacto avergonzarla llamando a la casa. Y si le enviaba una nota, ésta podía caer en manos del marido y con ello provocar una catástrofe. Lo mejor sería esperar una mejor oportunidad para verla. Y anduvo arriba y abajo de la calle, paseándose en las proximidades de la tapia en espera de su oportunidad. Un mendigo entró por la puerta, sólo para ser acosado por los perros, y luego, una hora más tarde, los sonidos débiles y confusos de un piano llegaron a sus oídos. Seguramente era Anna Serguievna la que tocaba. De repente, la puerta se abrió y salió una anciana seguida del conocido perrito blanco. Gurov quiso llamarlo, pero el corazón le latía con tal violencia, y su agitación era tanta, que no pudo recordar el nombre del perro.

Siguió caminando, odiando cada vez más la tapia gris, y molesto consigo mismo comenzó a decirse que a lo mejor Anna Serguievna ya se había olvidado de él, y que tal vez ya se distraía con otro amante, lo cual le parecía de lo más natural tratándose de una mujer joven y bella que se ve obligada a contemplar, día y noche, esa maldita tapia gris llena de púas. Volvió a su hotel y se sentó en el sofá de su suite durante mucho tiempo, sin saber qué hacer, y luego de comer cayó en un largo sueño.

"¡Qué tonto, qué estúpido he sido!", pensó al despertar, mientras miraba los oscuros ventanales. Había anochecido. "¡Buena la he hecho, me he dormido! ¿Y ahora qué? ¿Qué voy a hacer por la noche?"

Se sentó en la cama, cubierto por una manta gris barata, que le recordaba las de los hospitales, y en su enojo se burló de sí mismo diciéndose con sorna:

"Aquí tienes a tu *dama del perrito*... ¡Vaya con tu aventura! Bien merecido tienes ahora estar sentado aquí como un idiota".

A su llegada a la estación por la mañana se había fijado en un cartel que anunciaba en letras enormes el estreno en el teatro local de *La geisha*. Lo recordó de pronto, se levantó y se dirigió hacia el teatro.

"Es muy probable que ella vaya a los estrenos", se dijo.

El teatro estaba lleno. Era un teatro típico de la provincia: el humo envolvía las lámparas de araña, y la multitud en la galería se mostraba ruidosamente inquieta. En la primera fila de la platea los dandis locales estaban de pie, con las manos entrelazadas a la espalda, a la espera de que subiera el telón. En el palco gubernamental se sentó la hija del gobernador, que lucía una boa, mientras que el propio gobernador se ocultaba modestamente detrás de las cortinas, de manera que sólo sus manos eran visibles. El telón se movía, la orquesta tomaba su tiempo afinando los instrumentos. Los ojos de Gurov recorrían ansiosamente al público que desfilaba y ocupaba sus asientos.

Anna Serguievna entró entonces. Se sentó en la tercera fila de la platea y, cuando la mirada de Gurov cayó sobre ella, el corazón de éste pareció detenerse, y comprendió en ese mismo instante que, para él, no había en el mundo entero ningún ser más querido, más entrañable y más importante para su felicidad que Anna Serguievna. Esta menuda mujer, confundida entre la muchedumbre provinciana, que en realidad poco tenía de notable, con unos vulgares impertinentes en la mano, llenaba ahora toda su vida: era su dolor y su alegría, y la única felicidad que él deseaba. Entre los sonidos que provenían de la miserable orquesta, de los pésimos violines provincianos, Gurov sólo pensaba en lo hermosa que era Ana Serguieva. Pensaba... y soñaba...

Anna Serguievna iba acompañada por un hombre joven, alto y un tanto encorvado, de pequeñas patillas, quien asentía con la cabeza a cada paso que daba antes de tomar asiento como si hiciera continuas reverencias a alguien. Éste debía ser su marido, a quien, en un arranque de amargura, en Yalta, ella había calificado de "lacayo". Y, efectivamente, había algo de servilismo lacayuno en su figura desgarbada, sus patillas y la incipiente calva que le brillaba en la parte superior de la cabeza. Tenía el rictus de una sonrisa dulzona, y la insignia de alguna sociedad científica reluciente en el ojal se parecía mucho al número de la librea de un lacayo.

El marido salió a fumar en el primer entreacto, y ella se quedó sola en su asiento. Gurov, que también había tomado un asiento en el patio de butacas, se acercó a ella y le dijo con voz temblorosa y sonriendo forzadamente:

—Buenas noches.

Ella lo miró y se puso pálida, y luego volvió a mirarlo de nuevo con espanto, sin poder creer lo que veía, apretando el abanico y los impertinentes en una mano, en una lucha evidente consigo misma para no sufrir un desmayo. Ambos se miraban en silencio. Ella sentada ahí, y él de pie junto a ella, asustado por su turbación y sin atreverse a sentarse a su lado. Los violines y las flautas que los músicos afinaban creaban una sensación de tensión en la atmósfera, como si estuvieran siendo observados desde todos los palcos. Repentinamente, ella se levantó y se movió hacia una de las salidas. Él la siguió y ambos marchaban sin rumbo por los pasillos, subiendo y bajando escaleras; cruzaron veloces delante de los funcionarios uniformados, los maestros y los magistrados con sus insignias; ante sus ojos desfilaban señoras y abrigos colgados en las perchas, y las corrientes de aire que soplaban inundaban el ambiente de un fuerte olor a cigarrillo. Y Gurov, cuyo corazón latía con violencia, pensaba:

"¡Oh, por Dios! ¡Qué diablos hacen aquí todas estas personas, esta orquesta!..."

De pronto recordó la noche en la estación del tren cuando se despidió de Anna Serguievna, cuando se dijo a sí mismo que todo había terminado y que nunca se volverían a ver. ¡Pero cuánto faltaba todavía para que aquello terminara!

Ella se detuvo en una estrecha escalera oscura sobre la que había un aviso con la siguiente inscripción: "Entrada al anfiteatro".

—¡Qué gran susto me ha dado usted! —dijo ella, respirando con dificultad, todavía pálida y aturdida—. ¡Oh, qué susto me ha dado! ¡Estoy casi muerta! ¿Por qué ha venido? ¡Oh!, ¿para qué?

—Pero, Anna —dijo en voz baja y apresurada—, compréndeme. Anna…, te suplico, trata de entender…

Ella le lanzó una mirada llena de miedo, de súplica, de amor, y luego lo miró fijamente, como si quisiera grabarse sus rasgos en lo más profundo de su memoria.

—Soy muy infeliz, ¡no sabe cuánto sufro! —continuó, sin hacer caso de sus palabras—. Todo este tiempo no he podido pensar en nada más que en usted. Traté de olvidar, quería olvidar… ¡Oh, Dios mío!… ¿Para qué, por qué ha venido usted?

En el rellano, por encima de ellos, había dos estudiantes fumando y mirando hacia abajo, pero a Gurov no le importaba, todo le daba igual y, atrayendo a Anna Serguievna hacia él, comenzó a besar su rostro, sus labios, sus manos.

—¿Pero qué hace? ¡Oh, por Dios, qué está haciendo! —dijo ella espantada, retrocediendo—. Los dos nos hemos vuelto locos. Váyase hoy mismo, en este momento…. Por lo más sagrado, se lo imploro… ¡Alguien se acerca!…

Efectivamente, alguien subía las escaleras.

—Tiene que irse… —proseguía Anna Serguievna en un susurro—. ¿Me escucha, Dmitri Dmitrich? Iré a verle a Moscú. ¡Nunca he sido feliz, y ahora soy desgraciada, y nunca, nunca podré ser feliz! ¡No me haga sufrir aún más! ¡Iré a Moscú; se lo juro! ¡Y ahora tenemos que separarnos! Querido mío, amado mío, despidámonos.

Ella le apretó la mano y bajó corriendo las escaleras, volviendo continuamente la cabeza para verle, y en sus ojos se podía leer que, en verdad, no era feliz. Gurov permaneció donde estaba durante un rato más, tan sólo escuchando, y cuando todo quedó en silencio fue a buscar su abrigo y abandonó el teatro.

IV

Y Anna Serguievna comenzó a ir a Moscú para verlo. Cada dos o tres meses abandonaba la ciudad de S., diciéndole al marido que iba a consultar a un especialista en enfermedades de la mujer, y su marido le creía y no le creía. En Moscú siempre se quedaba en el Slavianski Bazaar, e inmediatamente enviaba a casa de Gurov a un recadero. Gurov iba a verla, y nadie en Moscú se enteraba.

En cierta ocasión fue a verla por la mañana, ya que el mensajero había estado en su casa la noche anterior pero no lo había encontrado. Era invierno y caían grandes copos de nieve. Con él iba su hija, a quien Gurov había querido acompañar a la escuela porque el Slavianski Bazaar le quedaba en el camino.

—Estamos a tres grados sobre cero —dijo Gurov a su hija—, y sin embargo está nevando. Pero ésta es sólo la temperatura de la superficie de la tierra; la temperatura en las capas superiores de la atmósfera es muy diferente.

—¿Por qué no hay truenos en invierno, papá?

Se lo explicó también. Mientras hablaba, pensaba que iba a una cita y que nadie lo sabía, y que probablemente nunca jamás nadie lo sabría. Llevaba una doble vida: una que era pública, que estaba ante los ojos de todos, llena de verdades y mentiras convencionales —exactamente igual a las vidas de sus amigos y conocidos—, y otra que transcurría en secreto. Y, por una extraña coincidencia de circunstancias, posiblemente bastante casuales, todo lo que para él era importante, interesante, esencial, todo lo que era sincero y auténtico, aquello que constituía el centro mismo de su vida, estaba oculto para los demás, mientras que todo lo que era falso en él, la cáscara bajo la cual se escondía la verdad —por ejemplo su trabajo en el banco, las discusiones en el club, su frecuente expresión "¡raza inferior!", su asistencia a fiestas y aniversarios con su esposa— estaba a la vista de todos. Y comenzó a juzgar a los demás a partir de sí mismo: ya no creía en lo que veía, y siempre suponía que la verdadera, la única vida interesante de cada individuo, permanecía en secreto como al amparo de la noche. Para él, toda existencia individual descansaba sobre el misterio, y tal vez esa era la razón principal por la que todos los individuos con cierta cultura se afanaban tan nerviosamente en resguardar con celo, más que con pudor, sus secretos personales, sus íntimos misterios.

Después de dejar a su hija en la puerta de su escuela, Gurov se dirigió al Slavianski Bazaar. Se quitó el abrigo en el vestíbulo, subió las escaleras y llamó suavemente a la puerta. Anna Serguievna, vestida con el traje gris que más le gustaba, fatigada por el viaje y por la espera, ya que había llegado desde la noche anterior, estaba pálida y lo miraba sin sonreír, pero tan pronto como él entró se dejó caer en sus brazos. Se besaron durante largo rato, con un beso prolongado y desesperado, como si no se hubieran visto en un par de años.

—Bueno, ¿y cómo estás? —le preguntó él. ¿Hay alguna novedad?

—Espera... Ahora te contaré... No puedo...

En efecto, no podía hablar porque estaba llorando. Dándole la espalda, apretaba un pañuelo contra sus ojos.

"Voy a esperar hasta que se tranquilice", pensó Gurov, y se dejó caer en un sillón.

Llamó al servicio y pidió que le llevaran té; comenzó a beberlo, pero ella seguía de pie frente a la ventana... Lloraba de emoción, de amargura por su triste destino; lloraba porque sólo podían verse en secreto, a escondidas de la gente como si fueran ladrones. ¿Acaso no estaban destrozadas sus vidas?

—No llores —le dijo—. Tranquilízate ya.

Era bastante obvio para él que este amor no terminaría pronto, y nadie podía decir cuándo llegaría a su fin. Anna Serguievna lo amaba cada vez más, lo adoraba, y era imposible mencionarle siquiera que un día todo esto tendría que terminar. De cualquier forma, ella tampoco lo creería.

Se acercó y la tomó por los hombros, intentando acariciarla, bromear con ella, pero en ese momento se vio en el espejo.

Su cabello ya empezaba a encanecer. Le sorprendió ver qué tanto había envejecido y lo mucho que se había desmejorado en los últimos años. Los hombros sobre los cuales estaban sus manos eran tibios y se estremecían. Sintió lástima por esta vida, todavía tan cálida y bella, pero que probablemente pronto comenzaría a marchitarse y a languidecer al igual que la suya. ¿Por qué lo quería tanto? A las mujeres siempre les había parecido muy distinto de lo que realmente era, y amaban en él no lo que era, sino al hombre de su imaginación y al que habían buscado ansiosamente durante toda su vida. Pero después, cuando descubrían su error, de todos modos seguían queriéndolo. Y ninguna de ellas había sido feliz con él. El tiempo había pasado, había conocido a una mujer tras otra, con las cuales intimaba para luego separarse, pero nunca realmente se había enamorado. En su existencia había habido de todo, menos amor.

Y sólo ahora, cuando tenía el cabello gris, se había enamorado de verdad, por primera vez en su vida.

Él y Anna Serguievna se amaban con profunda y entrañable ternura, como marido y mujer, como fieles amigos. Les parecía que el destino los había puesto el uno para el otro, y no podían entender por qué ella debía tener un marido, y él una esposa. Eran como dos aves migratorias, macho y hembra, que hubieran sido capturadas y puestas en jaulas diferentes. Se habían perdonado mutuamente todo aquello de lo que pudieran avergonzarse del pasado, se perdonaban todo en el presente y no tenían duda de que este amor los había cambiado.

Antes, en los momentos de melancolía, Gurov se consolaba con el primer argumento que le viniera a la cabeza, pero ahora no tenía fuerzas para razonar, sentía una profunda compasión y deseos de ser sincero y tierno.

—Deja de llorar, querida mía —dijo—. Ya has llorado bastante, ya no llores más... Ahora hablemos, vamos a tratar de pensar en lo que podríamos hacer.

Entonces hablaron de su situación durante mucho tiempo, tratando de pensar cómo podrían deshacerse de la necesidad de ocultarse, de mentir, de vivir en diferentes ciudades, de pasar tanto tiempo sin verse. ¿Cómo podían librarse de esas intolerables ataduras?

—¿Cómo? ¿Cómo? —repetía Gurov llevándose las manos a la cabeza— ¿Cómo?

Y les parecía que estaban a punto de encontrar la solución, y que entonces comenzarían una nueva y hermosa vida. Pero para ambos era evidente que el final estaba todavía lejos, muy lejos, y que lo más difícil, la parte más complicada de todo, no había hecho más que empezar.

Traducción de Juan Enrique Argüelles.

SI QUIERES, LEE MÁS DE CHÉJOV

- *Cuentos escogidos*, Porrúa, México, 2006.
- *Cuentos*, Pre-Textos, Valencia, 2007.
- *El beso y otros cuentos*, Alianza Editorial, Madrid, 2008.
- *Cuentos imprescindibles*, Debolsillo, Madrid, 2009.
- *La dama del perrito*, Nórdica, Madrid, 2010.
- *La sala número 6*, Eneida, Madrid, 2011.
- *Teatro completo*, Losada, Buenos Aires, 2011.
- *El escritor y otros cuentos*, Losada, Buenos Aires, 2012.
- *Los mejores cuentos*, Alianza Editorial, Madrid, 2012.
- *Cuentos reunidos*, Losada, Buenos Aires, 2013.

Poéticos, morales e ilustrativos

LOS DOS HERMANOS
León Tolstoi (1828-1910)

EL PRÍNCIPE FELIZ
Oscar Wilde (1854-1900)

EL REY BURGUÉS
Rubén Darío (1867-1916)

León Tolstoi

León Tolstoi (o Lev Tolstói) nació en Yásnaia Poliana en 1828, y murió en Astápovo, Riazán, en 1910. Es, sin discusión, el más grande escritor ruso y uno de los grandes de la literatura universal de todos los tiempos. Es autor de portentosas novelas, como *La guerra y la paz* y *Ana Karerina*, entre otras, pero también de inolvidables cuentos y narraciones breves que siguen estando entre lo más alto e incomparable del arte literario. Jorge Bustamante, uno de los máximos conocedores y divulgadores de la literatura rusa, recoge en uno de sus libros la siguiente anécdota: "'Cuando muera Tolstoi todo se irá al carajo', le dijo una vez Chéjov a Bunin. '¿Y la literatura?', repuso Bunin. 'La literatura también', concluyó Chéjov". Incluso para los grandes escritores como Chéjov, Tolstoi, simple y sencillamente, es Dios.

"Los dos hermanos" es un cuento brevísimo en el que Tolstoi enfatiza el aspecto moral y edificante de la vida, del atrevimiento, de la osadía en relación con el temor a vivir. Únicamente quien se atreve consigue sacarle provecho a la existencia, aunque para ello tenga que pasar por la desilusión y aun por el dolor.

Los dos hermanos

Dos HERMANOS VIAJABAN juntos y se internaron en el bosque. Al filo del mediodía se tendieron en la hierba para descansar y se durmieron.

Al despertar, vieron cerca de ellos una piedra que tenía una inscripción. La descifraron y supieron que decía lo siguiente:

"Quien encuentre esta piedra debe caminar por el bosque hacia el Oriente. En su camino hallará un río, el cual atravesará. En la otra orilla verá a una osa con sus oseznos. Atrapará a los oseznos y huirá con ellos a la montaña sin detenerse ni un instante. En la montaña verá una casa, y en esa casa encontrará la dicha".

El hermano menor le propuso al mayor:

—Vamos juntos; tal vez podamos atravesar el río, atrapar a los oseznos, llevarlos a aquella casa y encontrar ambos la dicha.

Pero el mayor no estuvo de acuerdo y replicó:

—De ningún modo iré en busca de los osos, y te aconsejo que tú tampoco lo hagas. En primer lugar, porque no hay prueba alguna de que esta inscripción diga la verdad. Muy bien podría ser tan sólo una broma. En segundo lugar, porque existe la probabilidad de que hayamos descifrado incorrectamente el mensaje y estemos leyendo la inscripción de manera equivocada. Y en tercero, porque aun admitiendo que lo que dice esta piedra sea verdad, tendremos que pasar la noche en el bosque y, seguramente, no hallaremos tal río y nos extraviaremos. Pero aun cuando encontrásemos el río, ¿te has preguntado si seremos capaces de atravesarlo? Es probable que sea muy ancho, y muy rápida su corriente. Pero aun suponiendo que consigamos cruzarlo, ¿crees que será cosa fácil apoderarse de los oseznos? Seguramente, la osa nos degollará y, en vez de la dicha, encontraremos la muerte. Por lo demás, aunque consiguiéramos apoderarnos de los oseznos, estoy seguro que sería imposible escapar hasta llegar a la montaña sin haber descansado al menos un momento. Finalmente, querido hermano, en esta piedra no se revela qué clase de dicha es la que puede hallarse en aquella casa; quizá sea una dicha que no es para nosotros.

El hermano menor respondió:

—Estoy en desacuerdo contigo. En primer lugar, lo que está escrito en esta piedra tiene sin duda un propósito. Por supuesto que no hemos leído mal: el sentido de la inscripción es claro y muy preciso. En segundo lugar, no niego que esta aventura pueda ser peligrosa, pero también creo que no es tan peligrosa como para no correr el riesgo. En tercer luegar, si no vamos nosotros, otro viajero descubrirá la piedra y hallará la dicha que nosotros despreciamos. Por lo demás, nada se consigue en el mundo sin esfuerzo. Y, por último, yo no quiero quedar como un cobarde.

El hermano mayor alegó:

—Sabes muy bien, tanto como yo, lo que el proverbio dice: "La codicia rompe el saco", o aquel otro que afirma: "Más vale pájaro en mano que ver un ciento volar".

El hermano menor no se dejó intimidar y objetó:

—Y yo, querido hermano, he oído decir: "Quien no se arriesga no pasa la mar", y también: "Bajo una piedra inmóvil no corre el agua". Y me parece que si queremos esa recompensa ya va siendo hora de ir a buscarla.

El hermano menor tuvo que seguir solo, porque el mayor se negó a acompañarlo.

Muy adentro del bosque, el hermano menor encontró el río que, sin muchos esfuerzos, consiguió atravesar; al llegar a la otra orilla vio a una osa que dormía y, junto a ella, a unos oseznos. Sin pensarlo dos veces, cargó con ellos y, sin detenerse ni un sólo instante, echó a correr hacia la montaña.

Tan pronto como llegó a la cima, una multitud salió a su encuentro y lo llevó a la ciudad, donde lo nombró su soberano.

Fue rey durante cinco años, ya que al sexto otro soberano más fuerte que él le declaró la guerra, se apoderó de la ciudad y lo desterró.

Entonces, el hermano menor regresó sobre sus pasos y volvió a su antigua casa, en el campo, donde el mayor vivía apaciblemente y sin ambiciones: ni pobre ni rico.

Ambos hermanos sintieron mucha alegría de volver a encontrarse y el menor le refirió al otro las muchas aventuras que había vivido en los últimos cinco años hasta que fue destronado.

—Pues muy tarde te diste cuenta —le dijo el mayor— que yo estaba en lo cierto. He vivido sin sobresaltos, y tú, que fuiste rey, piensa nada más qué tan atormentada ha sido tu existencia.

El menor respondió:

—No me arrepiento de mi aventura en el bosque. Es cierto que ahora ya no soy nadie, pero tengo, para embellecer mi vejez, el corazón lleno de recuerdos, mientras que tú no tienes nada.

Traducción de Juan Enrique Argüelles.

SI QUIERES, LEE MÁS DE TOLSTOI

- *Anna Karerina*, Edimat, Madrid, 2013.
- *¿Cuánta tierra necesita un hombre?*, Nórdica, Madrid, 2011.
- *El diablo / La sonata de Kreutzer*, Juventud, Barcelona, 2009.
- *Infancia / Adolescencia / Juventud / Recuerdos*, Porrúa, México, 1991.
- *La guerra y la paz*, Porrúa, México, 2004.
- *La muerte de Iván Ilich*, Gandhi Ediciones, México, 2012.
- *Obras selectas*, Edimat, Madrid, 2013.
- *Fábulas*, Gadir, Madrid, 2013.
- *Conversaciones y entrevistas*, Fórcola, Madrid, 2012.
- *La felicidad conyugal*, Acantilado, Barcelona, 2012.

Oscar Wilde

Oscar Wilde nació en Dublín en 1854, y murió en París en 1900. Dramaturgo, poeta y narrador, Wilde es uno de los mayores ingenios de las letras inglesas y una de las figuras más prominentes del arte literario universal. Sus obras de teatro y sus novelas le dieron una celebridad extraordinaria, y gozó de la admiración y el respeto de todo el mundo. Pero una acusación de sodomía (considerada entonces delito en Inglaterra) lo llevó a padecer dos años de trabajos forzados en una prisión. Sus cuentos están llenos de gracia edificante y de una amenidad extraordinaria. Borges dijo: "Wilde es un hombre que guarda, pese a los hábitos del mal y la desdicha, una invulnerable inocencia".

"El Príncipe Feliz" es, precisamente, un cuento en el que los lectores pueden comprobar la certeza de este juicio de Borges. En este cuento inolvidable, que es un homenaje a la amistad y a la solidaridad, la inocencia brilla y el amor triunfa incluso en la desdicha.

El Príncipe Feliz

En la parte más alta de la ciudad, sobre una elevada columna, se alzaba la estatua del Príncipe Feliz. Toda ella era dorada, recubierta de finas hojas de oro; por ojos tenía dos brillantes zafiros, y un gran rubí destacaba, lanzando destellos rojos, en el puño de su espada.

Ello causaba la admiración de todos.

—Es tan hermoso como una veleta —dijo uno de los concejales de la ciudad, que intentaba pasar por hombre de gustos artísticos—; aunque no sea de mucha utilidad —añadió, con una aclaración que tenía el propósito de no mostrarse como el hombre poco práctico que en realidad era.

—¿Por qué no eres como el Príncipe Feliz? —le preguntaba una sensible madre a su pequeño hijo, que lloraba pidiéndole la luna—. Al Príncipe Feliz nos e le ocurriría llorar por nada.

—Me alegra que haya en el mundo alguien que sea completamente feliz —murmuraba un hombre desilusionado, mientras contemplaba la maravillosa estatua.

—Parece un ángel —decían los niños del orfanato al salir de la catedral, con sus brillantes capas rojas y sus limpios delantales blancos.

—¿Cómo lo saben? —los reprendía el profesor de matemáticas—. Ustedes nunca han visto a un ángel.

—¡Ah, claro que sí, los hemos visto en sueños! —respondían los niños; y el profesor de matemáticas fruncía el entrecejo y asumía un aire severo, pues no aprobaba que los niños soñasen.

Una noche voló sobre la ciudad una pequeña Golondrina. Sus compañeras habían partido para Egipto seis semanas antes, pero ella se retrasó porque estaba enamorada del más hermoso de los juncos. Lo halló al iniciar la primavera, mientras revoloteaba sobre el río en pos de una gran mariposa amarilla, y su talle esbelto la hechizó de tal modo que se detuvo para hablarle.

—¿Quieres que te ame? —le preguntó la Golondrina, que nunca se andaba con rodeos. Y, por toda respuesta, el junco se inclinó en una gran reverencia. La Golondrina entonces revoloteó a su alrededor, rozando el agua con la punta de sus alas y trazando en ella estelas de plata. Tal era su forma de cortejar, y así transcurrió todo el verano.

—Es un amor ridículo —gorjeaban las otras Golondrinas—; no tiene ni un centavo y, en cambio, sí mucha familia.

Y, efectivamente, todo el río estaba lleno de juncos.

Al llegar el otoño, todas las demás emprendieron el vuelo. Y la Golondrina se sintió muy sola, y empezó a aburrirse de su amante.

—Nunca conversa —se decía—, y temo sea muy inconstante, pues siempre anda coqueteando con la brisa.

Y, en efecto, siempre que soplaba la brisa, el junco multiplicaba sus más graciosas reverencias.

—Es demasiado sedentario —continuaba diciéndose la Golondrina—; y a mí lo que me gusta es viajar. Por ello, quien de veras me quiera, deberá también amar los viajes.

—¿Quieres venir conmigo? —le preguntó por fin la Golondrina al junco. Pero éste tan sólo sacudió la cabeza, y ella comprendió que le tenía mucho apego a su hogar.

—¡Sólo has estado jugando conmigo! —exclamó la Golondrina—. Me voy a las Pirámides. ¡Adiós!

Y alzó el vuelo.

Voló todo el día y, al caer la noche, llegó a la ciudad.

—¿Dónde me hospedaré? —se preguntó—. Espero que hayan hecho preparativos para recibirme.

En ese momento vio la estatua sobre su pedestal.

—Voy a hospedarme allí —se dijo—. Es un lugar muy bonito y aireado.

Y fue a posarse justamente a los pies del Príncipe Feliz.

—Tengo una alcoba dorada —se enorgulleció dulcemente, mirando a su alrededor. Y se dispuso a dormir. Pero no había terminado de esconder la cabeza bajo el ala, cuando le cayó encima una gran gota de agua.

—¡Qué cosa más extraña! —exclamó—. No hay una sola nube en el cielo, las estrellas están claras y brillantes y, sin embargo, llueve. Este clima del norte de Europa es realmente espantoso. Al junco le gustaba la lluvia; pero eso era simplemente por egoísmo.

Entonces, sintió otra gota.

—¿De qué sirve una estatua si no resguarda de la lluvia? —se preguntó—. Mejor voy a buscar una buena chimenea.

Y decidió emprender nuevamente el vuelo.

Pero antes de que pudiera abrir las alas, sintió una tercera gota, por lo que miró hacia arriba y vio... ¡Ah!, ¿qué es lo que vio?

Los ojos del Príncipe Feliz estaban arrasados de lágrimas que corrían por sus doradas mejillas. Tan bello era su rostro, a la luz de la luna, que la Golondrinita se conmovió.

—¿Quién eres? —preguntó.

—Soy el Príncipe Feliz.

—Si eres el Príncipe Feliz —respondió la Golondrina— ¿por qué lloras? Mira cómo me has empapado.

—En vida tuve un corazón igual que todos los hombres —le dijo la estatua—, pero no supe de lágrimas, pues vivía en el Palacio de la Despreocupación, donde está prohibida la entrada al dolor. Durante todo el día jugaba con mis compañeros en el jardín, y por la noche bailaba en el gran salón. Alrededor del jardín se levantaba un altísimo muro; pero era todo tan hermoso donde yo vivía que jamás sentí curiosidad por conocer lo que había detrás de él. Mis criados me llamaban el Príncipe Feliz, y era feliz en verdad, si el placer equivale a la felicidad. Así viví, y así morí. Y ahora que estoy muerto, me han puesto en este sitio tan alto que puedo ver todas las fealdades y toda la miseria de mi ciudad, y aunque mi corazón es de plomo, no puedo hacer otra cosa que llorar.

"¡Cómo!, ¿pero no es de oro puro?", dijo para sí la Golondrina, pues era lo bastante educada como para atreverse a hacer observaciones en voz alta sobre la gente.

—Allá abajo —continuó la estatua con su voz fina y musical—, allá abajo, en una callejuela, hay una casa miserable. Una de las ventanas está abierta y, a través de ella, puedo ver a una mujer sentada ante una mesa. Tiene el rostro demacrado y marchito, y sus ásperas manos están acribilladas de pinchazos, pues es costurera. Borda pasionarias en un traje de seda que ha de lucir en el próximo baile de Palacio la más hermosa de las damas de la reina. Sobre una cama, en un rincón del cuarto, yace su hijito enfermo. Tiene fiebre, y desea naranjas. Su madre sólo puede darle agua del río, y el niño llora. Golondrina, Golondrina, Golondrinita, ¿le llevarías el rubí del puño de mi espalda? Mis pies están clavados a este pedestal y no puedo moverme.

—Me esperan en Egipto —respondió la Golondrina—. Mis amigas revolotean sobre el Nilo, y conversan con los grandes lotos. Pronto irán a dormir a la tumba del Gran Rey. El Rey está ahí en su ataúd azul, cubierto de vendas amarillas, y embalsamado con aromáticas especias. Alrededor del cuello lleva una cadena de jade verde pálido, y sus manos son como hojas secas.

—Golondrina, Golondrina, Golondrinita —suplicó el Príncipe—, ¿no te quedarías conmigo una noche para ser mi mensajera? ¡El niño tiene mucha sed, y la madre está muy triste!

—No creo que me simpaticen los niños —respondió la Golondrina—. El pasado verano, cuando vivía a orillas del río, había dos muchachos muy malcriados, los hijos del molinero, que no cesaban de lanzarme piedras. ¡Por supuesto, nunca me alcanzaban! Nosotras, las Golondrinas, volamos muy bien y, además, yo soy de una familia que es famosa por su ligereza; pero, de todos modos, eso de lanzarme piedras era una falta de respeto.

Pero la mirada del Príncipe Feliz era tan triste, que la Golondrinita se apiadó.

—Aquí hace mucho frío —dijo—, pero me quedaré una sola noche contigo y seré tu mensajera.

—Gracias, Golondrinita —dijo el Príncipe.

La Golondrina, entonces, desprendió el gran rubí de la espada del Príncipe, y con él en el pico remontó su vuelo por sobre los tejados.

Pasó junto a la torre de la Catedral, que tenía ángeles esculpidos en mármol blanco, pasó también junto al Palacio, donde se oía música de danza. Una hermosa joven salió al balcón con su novio.

—¡Qué hermosas son las estrellas —dijo él— y qué maravilloso es el poder del amor!

—Espero que mi vestido esté listo para el gran baile de gala —respondió ella—. He mandado bordar en él unas pasionarias. ¡Pero las costureras son tan perezosas!

La Golondrina sobrevoló el río y vio las linternas colgadas de los mástiles de los barcos. Pasó sobre el gueto de la Judería, y vio a los viejos mercaderes urdiendo negocios y pesando monedas en balanzas de cobre. Llegó al fin a la pobre vivienda y miró. El niño se tiritaba febrilmente en su cama, y la madre, cansada ya, se había dormido. Entonces, la Golondrina saltó al cuarto y puso el gran rubí encima de la mesa, junto al dedal de la costura. Después, revoloteó dulcemente alrededor de la cama, y abanicó con sus alas la frente del niño.

—¡Qué brisa tan deliciosa! —susurró el niño—. Debo estar mejorando.

Y se entregó a un delicioso sueño.

La Golondrina entonces volvió hacia el Príncipe Feliz, y le refirió todo.

—Es curioso —dijo—, ahora casi tengo calor, a pesar de que hace mucho frío.

—Eso es porque has hecho una buena acción —respondió el Príncipe.

Y la pequeña Golondrina comenzó a reflexionar y se durmió. Siempre que reflexionaba terminaba dormida.

Al amanecer, voló hacia el río a tomar un baño.

—¡Qué rarísimo fenómeno! —exclamó el profesor de Ornitología, que pasaba por el puente—. ¡Una Golondrina en invierno! Y escribió una larguísima carta al periódico local. Todo el mundo habló de ella, y la carta estaba llena de palabras que muy pocos entendían.

"Esta noche volaré a Egipto", se decía la Golondrina, que ante la sola idea se sentía muy contenta. Visitó todos los monumentos públicos, y se posó largo rato en el campanario de la iglesia. Los gorriones susurraban a su paso, y se decían unos a otros: "¡Qué extranjera tan distinguida!", cosa que la hacía muy feliz.

Al aparecer la luna, volvió con el Príncipe Feliz.

—¿Tienes algunos encargos que darme para Egipto? —le gritó—. Ya me voy.

—Golondrina, Golondrina, Golondrinita —dijo el Príncipe—, ¿no te quedarías conmigo otra noche?

—Me esperan en Egipto —respondió la Golondrina—. Mañana, mis amigas volarán hacia la segunda catarata. Entre las cañas del río, dormita el hipopótamo, y sobre un gran trono de granito se yergue el dios Memnón. Toda la noche mira las estrellas, y cuando brilla el lucero de la mañana, lanza un grito de alegría, y después guarda silencio. Al mediodía, los rojizos leones bajan a beber a la orilla del río. Tienen ojos como berilos verdes y sus rugidos son más estruendosos que los retumbos de la catarata.

—Golondrina, Golondrina, Golondrinita —dijo el Príncipe—, allá abajo, al otro lado de la ciudad, veo a un joven en un desván. Está inclinado sobre una mesa cubierta de papeles, y en un vaso, a su lado, se marchita un ramo de violetas. Sus cabellos son castaños y crespos, y sus labios rojos como granos de granada, y sus ojos grandes y soñadores. Él se esfuerza en terminar una obra para el director del teatro, pero tiene demasiado frío para seguir escribiendo. No hay fuego en la chimenea, y está extenuado por el hambre.

—Me quedaré una noche más —dijo la Golondrina, que realmente tenía un buen corazón—. ¿Debo llevarle a él otro rubí?

—¡Ay!, no tengo más rubíes —lamentó el Príncipe—. Lo único que me queda son mis ojos. Son dos raros zafiros, traídos de la India hace mil años. Arranca uno de ellos y llévaselo. Podrá venderlo a un joyero y comprará alimentos y leña, y podrá terminar de escribir su obra.

—Querido príncipe —dijo la Golondrina—, yo no puedo hacer eso que me pides.

Y se echó a llorar.

—Golondrina, Golondrina, Golondrinita —imploró el Príncipe—, haz lo que te pido, por favor.

Entonces, a su pesar, la Golondrina desprendió uno de los ojos del Príncipe, y echó a volar con él hacia el cuarto del estudiante. No era difícil entrar en él, pues había un agujero en el techo, que aprovechó la

Golondrina para entrar como una flecha. El joven tenía la cabeza hundida entre las manos, de modo que no oyó el rumor de las alas. Cuando levantó los ojos, vio el bellísimo zafiro encima de las violetas marchitas.

—Empiezo a ser apreciado —exclamó—. Esto me lo debe haber enviado algún rico admirador. Ya podré terminar mi obra.

Y se mostró muy dichoso.

Al siguiente día la Golondrina voló hacia el puerto. Se posó sobre el mástil de un gran navío, y se entretuvo largo rato mirando a los marineros que subían con cuerdas unas enormes cajas de la bodega.

—¡Me voy a Egipto! —les gritó la Golondrina. Pero nadie le hizo caso.

Al aparecer la luna, regresó con el Príncipe Feliz.

—Vengo a despedirme —le dijo.

—Golondrina, Golondrina, Golondrinita —respondió el Príncipe—, ¿no te quedarás conmigo una noche más?

—Es invierno —dijo la Golondrina—, y pronto empezará a caer la nieve. En Egipto, el sol calienta sobre las palmeras verdes, y los cocodrilos, medio hundidos en el pantano, miran perezosamente en torno suyo. Mis compañeras ya construyen sus nidos en el Templo de Baalbek, y las palomas rosadas y blancas las siguen con los ojos y se arrullan entre sí. Querido Príncipe, tengo que dejarte; pero no te olvidaré; y la próxima primavera te traeré de allí dos preciosas piedras para reemplazar las que has regalado. El rubí será más rojo que una rosa roja, y el zafiro tan azul como el gran océano.

—Allá abajo, en la plaza —dijo el Príncipe Feliz—, hay una pequeña vendedora de cerillos. Los cerillos se le han caído en el lodo y se han echado a perder. Su padre la castigará si no lleva algún dinero a casa. Ella lo sabe y por eso llora. No tiene zapatos ni medias, y lleva la cabecita descubierta. Arranca mi otro ojo y entrégaselo; así su padre no le pegará.

—Me quedaré otra noche contigo —dijo la Golondrina—, pero no puedo arrancarte el otro ojo. Te quedarías ciego del todo.

—Golondrina, Golondrina, Golondrinita —imploró el Príncipe—, haz lo que te pido, por favor.

Entonces, con todo el dolor de su corazón, la Golondrina desprendió el otro ojo del Príncipe, y echó a volar con él. Se posó suavemente sobre el hombro de la niña y deslizó la joya en sus manos.

—¡Qué trozo de cristal tan hermoso! —exclamó la niña. Y corrió hacia su casa riendo.

Entonces la Golondrina volvió con el Príncipe y le dijo:

—Ahora que estás ciego me quedaré a tu lado para siempre.

—No, Golondrinita —respondió el infortunado Príncipe—; tú tienes que ir a Egipto.

—Me quedaré a tu lado para siempre —repitió la Golondrina. Y se durmió entre los pies del Príncipe.

Al día siguiente, se posó sobre el hombro del Príncipe, y le refirió todo cuanto había conocido en extraños países. Le habló de los ibis rojos, que se forman en largas filas a orillas del Nilo y que pescan con sus picos peces dorados; de la Esfinge, tan vieja como el mundo, que vive en el desierto y que todo lo sabe; de los mercaderes que marchan lentamente junto a sus camellos y llevan en la mano abalorios de ámbar; del Rey de las Montañas de la Luna, que es tan negro como el ébano y adora un gran cristal; de la gran serpiente verde, que duerme en una palmera y a la que veinte sacerdotes se encargan de alimentar con pasteles de miel; y de los pigmeos que navegan sobre un gran lago en anchas hojas lisas y mantienen una guerra continua con las mariposas.

—Querida Golondrinita —dijo el Príncipe—, me cuentas cosas extraordinarias, pero más extraordinarias todavía son las cosas que sufren los hombres. No hay misterio más grande que la miseria. Vuela sobre mi ciudad, Golondrinita, y cuéntame, por favor, lo que ahí veas.

La Golondrina voló sobre la gran ciudad, y vio a los ricos que se regocijaban en sus hermosas casas, mientras los mendigos estaban sentados a sus puertas. Voló por las oscuras callejuelas y vio los rostros pálidos de los niños que mueren de hambre mientras miran, sin ninguna esperanza, las negras calles. Bajo los arcos de un puente vio a dos chiquillos acostados, uno en brazos del otro para calentarse y no morir de frío.

—¡Qué hambre tenemos! —decían.

—¡Fuera de ahí! —les gritó un guardia; y tuvieron que alejarse bajo la lluvia.

Entonces la Golondrina volvió con el Príncipe y le contó lo que había visto.

—Estoy recubierto de oro fino —dijo el Príncipe—; despréndelo hoja por hoja, y dáselo a mis pobres. La gente cree siempre que el oro puede darles la felicidad.

La Golondrina arrancó una a una las finas láminas de oro hasta que el Príncipe Feliz perdió todo su brillo y su belleza. Hoja a hoja distribuyó el oro fino entre los pobres; y las caras de los niños se iluminaron, y los niños rieron y jugaron por las calles.

—¡Ya tenemos pan! —gritaban.

Entonces vino la nieve y después de la nieve, el hielo. Las calles parecían de plata por el modo en que brillaban. Carámbanos, largos y agudos como dagas, colgaban de los aleros de las casas. Todo el mundo se cubría con pieles, y los niños llevaban boinas rojas y patinaban sobre el hielo.

La pobre Golondrinita tenía cada vez más frío, pero no quería abandonar al Príncipe, pues lo amaba mucho. Picoteaba e intentaba calentarse batiendo las alas.

Pero, al fin, comprendió que la muerte estaba cerca. Tuvo aún fuerzas para volar hasta el hombro del Príncipe y dijo con voz débil:

—Adiós, mi querido Príncipe. ¿Me permites que te bese la mano?

—Me alegro que al fin te vayas a Egipto, Golondrinita —dijo el Príncipe—. Has estado aquí demasiado tiempo. Pero bésame en los labios, porque te amo.

—No es a Egipto adonde me dirijo — contestó la Golondrina—. Voy a la Casa de la Muerte. La Muerte es hermana del Sueño, ¿no es así?

Y luego de besar al Príncipe Feliz en los labios, cayó muerta a sus pies.

En ese mismo momento se escuchó un extraño crujido en el interior de la estatua, como si algo se hubiese roto en ella. El corazón de plomo del Príncipe Feliz se había partido en dos. No había duda de que hacía un frío terrible.

A la mañana siguiente paseaba el Alcalde por la plaza, con los concejales de la ciudad. Al pasar al lado de la columna, levantó los ojos hacia la estatua y dijo:

—¡Caramba, qué aspecto tan deplorable tiene el Príncipe Feliz!

—¡Deplorable! —repitieron los concejales, que eran siempre de la opinión del Alcalde, y todos subieron a mirarlo de cerca.

—El rubí de la espada se ha caído, los ojos desaparecieron, y ha perdido su cubierta de oro —dijo el Alcalde—. Para decirlo pronto, es un mendigo.

—¡Sí, un mendigo! —repitieron los concejales.

—Y a sus pies hay un pájaro muerto —prosiguió el Alcalde—. Será necesario promulgar un bando que prohíba a los pájaros que vengan a morir aquí.

Y el secretario del ayuntamiento tomó nota puntual de aquella instrucción.

Mandaron derribar la estatua del Príncipe Feliz.

—Puesto que ya no es bello, a nadie le sirve —dijo el profesor de Estética de la Universidad.

Entonces fundieron la estatua, y el Alcalde reunió a sus funcionarios para decidir qué harían con el metal.

—Podemos hacer otra estatua —propuso—. La mía, por ejemplo.

—O la mía —dijo cada uno de los concejales, que comenzaron a disputar.

La última vez que oí hablar de ellos aún seguían disputando.

—¡Qué cosa más extraña! —dijo el encargado de la fundición—. Este corazón de plomo no quiere fundirse; habrá que tirarlo a la basura.

Y lo arrojaron al depósito de desperdicios en el que yacía la Golondrina muerta.

—Tráeme las dos cosas más hermosas de la ciudad —le dijo Dios a uno de sus ángeles.

Y el ángel le llevó el corazón de plomo y el pájaro muerto.

—Has elegido bien —le dijo Dios—, pues en mi jardín del Paraíso esta avecilla cantará eternamente, y en mi ciudad de oro el Príncipe Feliz me colmará de alabanzas.

Traducción de Juan Domingo Argüelles.

SI QUIERES, LEE MÁS DE WILDE

- *El retrato de Dorian Grey / El Príncipe Feliz / El ruiseñor y la rosa*, Porrúa, México, 2007.
- *El fantasma de Canterville y otros cuentos*, Losada, Buenos Aires, 2008.
- *La balada de la cárcel de Reading*, Hiperión, Madrid, 2008.
- *El crimen de Lord Arthur Saville y otros relatos*, Debolsillo, Madrid, 2009.
- *El Príncipe Feliz*, Gadir, Madrid, 2009.
- *Cuentos completos*, Valdemar, Madrid, 2010.
- *El retrato de Dorian Grey*, Akal, Madrid, 2011.
- *El secreto de la vida. Ensayos*, Lumen, Madrid, 2012.
- *Intenciones*, Valdemar, Madrid, 2012.
- *Salomé*, Alianza Editorial, Madrid, 2013.

RUBÉN DARÍO

Rubén Darío, seudónimo de Félix Rubén García Sarmiento, nació en Metapa (hoy Ciudad Darío) en 1867, y murió en León, Nicaragua, en 1916. Fue el máximo exponente del Modernismo en la lengua española, y puede decirse, sin exageración, que dotó al idioma español de todas las sonoridades líricas que jamás había tenido. Poeta por excelencia, pero también cuentista, Darío es uno de los milagros que produce la literatura cada mil años. Con la publicación de su primer libro, *Azul* (1888), en cuyas páginas incluye lo mismo cuentos que poemas, y también prosas poéticas, arranca propiamente el Modernismo que él mismo llevaría hasta lo más alto de la expresividad con sus posteriores obras.

"El Rey Burgués", que pertenece precisamente a su libro *Azul*, es a la vez un cuento y un alegato; es un poema narrativo o un cuento lírico, y es también una denuncia contra una sociedad que le da muy poca importancia a la creación poética. Con todo su simbolismo, este cuento inolvidable es un canto a la dignidad artística del poeta.

El Rey Burgués

«CUENTO ALEGRE»

¡Amigo! El cielo está opaco, el aire frío, el día triste. Un cuento alegre... así como para distraer las brumosas y grises melancolías, helo aquí:

Había en una ciudad inmensa y brillante un rey muy poderoso, que tenía trajes caprichosos y ricos, esclavas desnudas, blancas y negras, caballos de largas crines, armas flamantísimas, galgos rápidos, y monteros con cuernos de bronce, que llenaban el viento con sus fanfarrias. ¿Era un rey poeta? No, amigo mío: era el Rey Burgués.

Era muy aficionado a las artes el soberano, y favorecía con gran larguez a sus músicos, a sus hacedores de ditirambos, pintores, escultores, boticarios, barberos y maestros de esgrima.

Cuando iba a la floresta, junto al corzo o jabalí herido y sangriento, hacía improvisar a sus profesores de retórica canciones alusivas; los criados llenaban las copas del vino de oro que hierve, y las mujeres batían palmas con movimientos rítmicos y gallardos. Era un rey sol, en su Babilonia llena de músicas, de carcajadas y de ruido de festín. Cuando se hastiaba de la ciudad bullente, iba de caza atronando el bosque con sus tropeles; y hacía salir de sus nidos a las aves asustadas, y el vocerío repercutía en lo más escondido de las cavernas. Los perros de patas elásticas iban rompiendo la maleza en la carrera, y los cazadores inclinados sobre el pescuezo de los caballos, hacían ondear los mantos purpúreos y llevaban las caras encendidas y las cabelleras al viento.

El rey tenía un palacio soberbio donde había acumulado riquezas y objetos de arte maravillosos. Llegaba a él por entre grupos de lilas y extensos estanques, siendo saludado por los cisnes de cuellos blancos, antes que por los lacayos estirados. Buen gusto. Subía por una escalera llena de columnas de alabastro y de esmaragdita, que tenía a los lados leones de mármol como los de los tronos salomónicos. Refinamiento. A más de los cisnes, tenía una vasta pajarera, como amante de la armonía, del arrullo, del trino; y cerca de ella iba a ensanchar su espíritu, leyendo novelas de M. Ohnet, o bellos libros sobre cuestiones gramaticales, o críticas hermosillescas. Eso sí: defensor acérrimo de la corrección académica en letras, y del modo lamido en artes; ¡alma sublime amante de la lija y de la ortografía!

¡Japonerías! ¡Chinerías! Por lujo y nada más. Bien podía darse el placer de un salón digno del gusto de un Goncourt y de los millones de un Creso: quimeras de bronce con las fauces abiertas y las colas enroscadas, en grupos fantásticos y maravillosos; lacas de Kioto con incrustaciones de hojas y ramas de una flora monstruosa, y animales de una fauna desconocida; mariposas de raros abanicos junto a las paredes; peces y gallos de colores; máscaras de gestos infernales y con ojos como si fuesen vivos; partesanas de hojas antiquísimas y empuñaduras con dragones devorando flores de loto; y en conchas de huevo, túnicas de seda amarilla, como tejidas con hilos de araña, sembradas de garzas rojas y de verdes matas de arroz; y tibores, porcelanas de muchos siglos, de aquellas en que hay guerreros tártaros con una piel que les cubre hasta los riñones, y que llevan arcos estirados y manojos de flechas.

Por lo demás, había el salón griego, lleno de mármoles: diosas, musas, ninfas y sátiros; el salón de los tiempos galantes, con cuadros del gran Watteau y de Chardin; dos, tres, cuatro, ¡cuántos salones!

Y Mecenas se paseaba por todos, con la cara inundada de cierta majestad, el vientre feliz y la corona en la cabeza, como un rey de naipe.

Un día le llevaron una rara especie de hombre ante su trono, donde se hallaba rodeado de cortesanos, de retóricos y de maestros de equitación y de baile.

—¿Qué es eso? —preguntó.

—Señor, es un poeta.

El rey tenía cisnes en el estanque, canarios, gorriones, sinsontes en la pajarera; un poeta era algo nuevo y extraño.

—Dejadle aquí.

Y el poeta:

—Señor, no he comido.

Y el rey:

—Habla y comerás.

Comenzó:

—Señor, ha tiempo que yo canto el verbo del porvenir. He tendido mis alas al huracán; he nacido en el tiempo de la aurora; busco la raza escogida que debe esperar, con el himno en la boca y la lira en la mano, la salida del gran sol. He abandonado la inspiración de la ciudad malsana, la alcoba llena de perfumes, la musa de carne que llena el alma de pequeñez y el rostro de polvos de arroz. He roto el arpa adulona de las cuerdas débiles, contra las copas de Bohemia y las jarras donde espumea el vino que embriaga sin dar fortaleza; he arrojado el manto que me hacía parecer histrión, o mujer, y he vestido de modo salvaje y espléndido: mi harapo es de púrpura. He ido a la selva, donde he quedado vigoroso y ahíto de leche fecunda y licor de nueva vida; y en la ribera del mar áspero, sacudiendo la cabeza bajo la fuerte y negra tempestad, como un ángel soberbio, o como un semidiós olímpico, he ensayado el yambo dando al olvido el madrigal.

He acariciado a la gran Naturaleza, y he buscado al calor del ideal, el verso que está en el astro en el fondo del cielo, y el que está en la perla en lo profundo del océano. ¡He querido ser pujante! Porque viene el tiempo de las grandes revoluciones, con un Mesías todo luz, todo agitación y potencia, y es preciso recibir su espíritu con el poema que sea arco triunfal, de estrofas de acero, de estrofas de oro, de estrofas de amor.

¡Señor, el arte no está en los fríos envoltorios de mármol, ni en los cuadros lamidos, ni en el excelente señor Ohnet! ¡Señor, el arte no viste pantalones, ni habla en burgués, ni pone los puntos en todas las íes! Él es augusto, tiene mantos de oro, o de llamas, o anda desnudo, y amasa la greda con fiebre, y pinta con luz, y es opulento y da golpes de ala como las águilas, o zarpazos como los leones. Señor, entre un Apolo y un ganso, preferid el Apolo, aunque el uno sea de tierra cocida y el otro de marfil.

¡Oh, la Poesía!

¡Y bien! Los ritmos se prostituyen, se cantan los lunares de las mujeres, y se fabrican jarabes poéticos. Además, señor, el zapatero critica mis endecasílabos, y el señor profesor de farmacia pone puntos y comas a mi inspiración. Señor, ¡y vos lo autorizáis todo esto!... El ideal, el ideal...

El rey interrumpió:

—Ya habéis oído. ¿Qué hacer?

Y un filósofo al uso:

—Si lo permitís, señor, puede ganarse la comida con una caja de música; podemos colocarle en el jardín, cerca de los cisnes, para cuando os paseéis.

—Sí —dijo el rey, y dirigiéndose al poeta: —Daréis vueltas a un manubrio. Cerraréis la boca. Haréis sonar una caja de música que toca valses, cuadrillas y galopas, como no prefiráis moriros de hambre. Pieza de música por pedazo de pan. Nada de jerigonzas, ni de ideales. Id.

Y desde aquel día pudo verse a la orilla del estanque de los cisnes al poeta hambriento que daba vueltas al manubrio: tiriririn, tiriririn... ¡avergonzado a las miradas del gran sol! ¿Pasaba el rey por las cercanías? ¡Tiriririn, tiriririn...! ¿Había que llenar el estómago? ¡Tiriririn! Todo entre las burlas de los pájaros libres, que llegaban a beber rocío en las lilas floridas; entre el zumbido de las abejas, que le picaban el rostro y le llenaban los ojos de lágrimas..., ¡lágrimas amargas que rodaban por sus mejillas y que caían a la tierra negra!

Y llegó el invierno, y el pobre sintió frío en el cuerpo y en el alma. Y su cerebro estaba como petrificado, y los grandes himnos estaban en el olvido, y el poeta de la montaña coronada de águilas no era sino un pobre diablo que daba vueltas al manubrio: tiriririn.

Y cuando cayó la nieve se olvidaron de él el rey y sus vasallos; a los pájaros se les abrigó, y a él se le dejó al aire glacial que le mordía las carnes y le azotaba el rostro.

Y una noche en que caía de lo alto la lluvia blanca de plumillas cristalizadas, en el palacio había festín, y la luz de las arañas reía alegre sobre los mármoles, sobre el oro y sobre las túnicas de los mandarines de las viejas porcelanas. Y se aplaudían hasta la locura los brindis del señor profesor de retórica, cuajados de dáctilos, de anapestos y pirriquios, mientras en las copas cristalinas hervía el champaña con su burbujeo luminoso y fugaz. ¡Noche de invierno, noche de fiesta! Y el infeliz cubierto de nieve, cerca del estanque, daba vueltas al manubrio para calentarse, tembloroso y aterido, insultado por el cierzo, bajo la blancura implacable y helada, en la noche sombría, haciendo resonar entre los árboles sin hojas la música loca de las galopas y cuadrillas; y se quedó muerto, pensando en que nacería el sol del día venidero, y con él el ideal..., y en que el arte no vestiría pantalones sino manto de llamas o de oro... Hasta que al día siguiente lo hallaron el rey y sus cortesanos, al pobre diablo de poeta, como gorrión que mata el hielo, con una sonrisa amarga en los labios, y todavía con la mano en el manubrio.

¡Oh, mi amigo! El cielo está opaco, el aire frío, el día triste. Flotan brumosas y grises melancolías...

Pero ¡cuánto calienta el alma una frase, un apretón de manos a tiempo! ¡Hasta la vista!

SI QUIERES, LEE MÁS DE DARÍO

- *Cuentos fantásticos*, Alianza Editorial, Madrid, 2001.
- *Cuentos*, Akal, Madrid, 2002.
- *Quince cuentos fantásticos*, Navona, Barcelona, 2009.

- *Azul / Cantos de vida y esperanza*, Espasa Calpe, Madrid, 2010.
- *Cuentos completos*, Losada, Buenos Aires, 2011.
- *Sonetos completos*, Visor, Madrid, 2011.
- *Antología poética*, Corregidor, Buenos Aires, 2011.
- *Antología poética*, Losada, Buenos Aires, 2012.
- *Prosas profanas y otros poemas*, Espasa Calpe, Madrid, 2013.
- *Antología personal*, Joaquín Mortiz, México, 2013.

Eróticos, satíricos y humorísticos

Anónimo árabe

Las mil y una noches o, como prefiere Borges, *Las mil noches y una noche*, es una recopilación árabe de cuentos de al menos tres tradiciones: árabe, persa e hindú. Su hilo conductor es un personaje femenino: Scheherezada, que a lo largo de mil y una noches irá refiriendo historias fantásticas y divertidas a un monarca con el fin de entretenerlo, y dejarlo interesado en el desenlace, para evitar que la mande asesinar. En *Las mil y una noches* están las formas antiguas del cuento fantástico y del relato erótico, que se remontan al siglo IX, con agregados y reescrituras hasta el siglo XIV. Las historias de *Las mil y una noches* se introdujeron en Europa en los siglos XVIII y XIX y, desde entonces, su influjo no ha cesado en todo el mundo occidental.

"El astrónomo engañado", que podría también denominarse en Occidente el astrónomo cornudo, es un relato de *Las mil y una noches* que cuenta Scheherezada entre la noche 849 y la noche 850 y que, a su vez —se dice en el libro—, fue contado por un verdulero. Un inolvidable cuento erótico, divertido e ilustrativo.

El astrónomo engañado

CUENTAN QUE HABÍA UN ASTRÓNOMO que tenía fama de conocer a las personas, y aun de adivinar si mentían o decían la verdad, con sólo ver sus rostros. Y aquel astrónomo tenía una esposa, que era joven y muy bella y con unos encantos singulares. Dicha mujer, tenía la costumbre de autoelogiarse, alabando siempre, adondequiera que fuese, sus supuestas virtudes y presuntos méritos. Al mismo astrónomo solía decirle:

—Esposo mío, debes estar seguro y confiado de que, entre las mujeres no hay quien me iguale en pureza, en nobleza de sentimientos y, sobre todo, en castidad.

Y el astrónomo que, como ya dijimos, era un gran fisonomista, nunca dudaba de las palabras de su esposa al ver su rostro pues, en efecto, cuando ella le decía esto su cara irradiaba candor e inocencia. Y él mismo se complacía diciendo para sí: "No hay hombre que tenga una esposa comparable con la mía, vaso de todas las virtudes, maravilla de toda castidad". Y adonde quiera que estuviese, proclamaba los méritos de su mujer, la alababa y elogiaba su honestidad y su decencia, por más que la verdadera decencia, por parte de él, hubiese sido no hablar nunca de su mujer ante extraños. Pero los sabios, y especialmente los astrónomos, no siguen las costumbres de todo el mundo. Por eso las aventuras que les ocurren no son como las aventuras de todo el mundo.

El caso es que, cierto día, cuando él pregonaba, como solía hacer, las muchas virtudes de su esposa ante una asamblea de personas extrañas, se levantó un hombre que le dijo:

—¡Eres un embustero, astrónomo, pues no sabes distinguir de las personas su verdadero ser!

El astrónomo enrojeció de rabia y, con voz agitada por la ira, enfrentó al extraño:

—¿Por qué me tachas de embustero? ¿Dónde están tus pruebas?

A lo que el otro respondió:

—No sólo eres un embustero, sino también un imbécil, si no eres capaz de identificar en el semblante de tu mujer a una puta.

Al oír esta injuria, el astrónomo se arrojó sobre aquel hombre y quiso estrangularlo. Pero los presentes los separaron y le dijeron al astrónomo:

—Tranquilízate, no lo mates ahora, pero si no prueba su afirmación, nosotros mismos te lo pondremos —es una promesa— para que lo estrangules y pague su ofensa.

El ofensor, incorporándose, le dijo:

—No tengo nada que temer; así que, hombre, es muy fácil para mí probar lo que he dicho. Ve a tu casa y anuncia a tu "virtuosa" esposa que te vas a ausentar por cuatro días. Dile adiós, sal de tu casa y escóndete en un sitio desde donde puedas ver todo sin ser visto. Y verás lo que verás. Y probaré no sólo que no miento, sino que, como ya dije, eres además de embustero, estúpido.

Los otros le dijeron al astrónomo:

—El trato no es malo. Y, ¡por Alá!, que si este hombre no prueba lo que ha dicho, si su afirmación es falsa, nosotros mismos lo prenderemos para que te vengues de su injuria.

Entonces, el astrónomo, tembloroso de cólera, aceptó, fue en busca de su esposa y le dijo:

—Amada mía, levántate y prepárame provisiones para un viaje que voy a hacer y que me tendrá ausente por cuatro o quizá seis días.

No había casi terminado de decirlo cuando la esposa prorrumpió:

—¡Oh, mi señor!, ¿quieres sumir mi alma en la desolación y hacerme morir de pena? ¿Por qué no me llevas contigo para que viaje en tu compañía y te sirva y te cuide en el camino si estuvieras fatigado o indispuesto? ¿Por qué me abandonas aquí sola con el terrible dolor de tu ausencia?

Al oír estas palabras, el astrónomo se dijo: "¡Por Alá, que mi esposa no tiene igual entre las elegidas de su especie femenina!", y le respondió:

—¡Oh, luz de mis ojos!, no te apenes por esta ausencia, que sólo ha de durar unos pocos días. Y no te preocupes por mí; más bien, cuida de ti, que si tú estás bien yo, con saberlo, también seré dichoso.

La esposa comenzó a gemir y a llorar, diciendo:

—¡Oh, cuánto sufro!, ¡oh, qué desdichada soy, y cuán abandonada me siento!

El astrónomo trató de serenarla lo mejor que pudo:

—Tranquiliza tu alma y no empañes tus ojos con lágrimas; no llores más, y a mi regreso te traeré magníficos regalos.

Y dejándola hecha un mar de lágrimas, se marchó o fingió que se marchaba, pues al cabo de dos horas volvió sobre sus pasos y entró sigilosamente por la puerta del jardín, y fue a apostarse en un sitio de la casa desde donde, sin ser visto ni oído, podía ver y oír todo lo que ocurriera.

No hacía una hora que estaba en su escondite, cuando he aquí que vio entrar a un hombre a quien reconoció de inmediato como el vendedor de cañas de azúcar que tenía su tienda enfrente de su casa. Y llevaba en la mano una muy escogida caña de azúcar: gruesa y larga. Y en el mismo momento vio que su esposa le salía al encuentro al otro, contoneándose, feliz, y le decía riendo:

—¿Es esa toda la caña que me traes hoy?, ¡oh, señor de las cañas de azúcar!

Y el hombre le respondió, también riendo:

—Oh, dueña mía, ¡la caña de azúcar que estás viendo no es nada comparada con la que ahora no ves, pero que también te traigo!

Y ella dijo:

—¡Dámela!, ¡dámela en seguida!

Y él dijo:

—¡Tómala tú misma, como siempre, que sé que te gusta su sabor! —y añadió—: ¿Pero dónde está, por cierto, el estúpido que tienes por marido, el sabio astrónomo que todo lo conoce?

Ella respondió, maldiciendo:

—¡Qué Alá le rompa las piernas y los brazos a ese inútil! ¡Por bien de nosotros, se ha marchado de viaje cuatro días o quizá seis! ¡Que Alá me escuche y que lo parta un rayo!

Ambos se echaron a reír al unísono. Y el hombre sacó su caña de azúcar y se la dio a la joven mujer, que supo muy bien cómo pelarla y exprimirla y hacer con ella lo que se hace en semejante caso con las cañas de azúcar de esa especie. Y retozaron felices y se besaron y abrazaron con ganas, y ella exprimió los jugos de la caña de él y él se regocijó con sus encantos, cubriéndolos de jugosa azúcar. Luego la dejó y se fue por donde había llegado.

El astrónomo, desde su escondite, veía y oía. Pero apenas había tenido tiempo de asombrarse por lo que había visto y oído cuando, casi al instante, vio entrar a otro hombre, a quien reconoció como el vendedor de pollos. Y la joven le salió a su encuentro, meneando mucho las caderas y diciéndole:

—¡Oh, señor de los pollos!, ¿qué me traes hoy?

Y él contestó:

—¡Un pollito que es una bestezuela retozona y gordita, altanera y muy briosa, fuerte de patitas, y tocada con un gorrito adornado de una crestecita que no tiene igual entre los pollitos! ¡Todo para ti, si me lo permites!

—¡Lo permito!, ¡lo permito! —respondió ella, riendo.

—¡Que te lo meto!, ¡que te lo meto! —y diciendo y haciendo, procedió a ello.

Y con el pollito del pollero, la joven mujer y su amante hicieron exactamente lo mismo que habían hecho ella y el vendedor de cañas de azúcar: retozaron de lo lindo y se dieron un festín. Después de lo cual, el hombre se levantó, estiró las piernas, le dio un beso de despedida a la joven y se fue por donde había llegado.

Desde su escondite, el astrónomo veía y oía, pero aún no digería todo lo que había visto y oído cuando, casi al instante, entró un hombre a quien reconoció de inmediato como el arriero mayor de la cuadra. Y la joven corrió hacia los brazos de él, diciéndole:

—¿Cuál es el regalito que me traes hoy?, ¡oh, señor de los asnos?

Él dijo:

—¡Un plátano, palomita mía, un grande y delicioso plátano!

Ella se echó a reír, y regocijada le dijo:

—¡Alá te condene, pícaro! ¿Pero dónde está ese plátano que no lo veo?

Y él entonces respondió, también riendo:

—¡Oh, mi sultana! El plátano que te traigo es un plátano muy especial, porque lo recibí de mi padre cuando era él conductor de caravana, y a decir verdad es mi única herencia.

Ella dijo:

—En tu mano no veo ninguna cosa que no sea tu palo de conductor de asnos. ¿Dónde está ese plátano del que hablas con tanto orgullo?

El burrero le respondió:

—Oh, mi sultana, es un fruto que muy bien conoces: se esconde a los ojos curiosos e impertinentes, por miedo a que lo estropeen, pero bien que se endereza para que tú lo saborees golosamente. ¡Mira cómo se endurece, tiéntalo y gózalo!

Ella lo acercó a sus labios, y a punto estaba de probar el fruto cuando el astrónomo, que había visto y oído todo desde su escondite, lanzó un grito estridente y cayó sin vida. ¡Que la misericordia de Alá sea con él!

En cuanto a la joven esposa, pronto se vio que, entre todas las cosas con que la regalaban y la consentían, prefería el plátano, incluso por encima de la caña de azúcar y del pollo tierno. Así que, después del plazo legal de su viudez se casó con el arriero, y se cuenta que vivieron muy felices.

Traducción de Juan Domingo Argüelles.

SI QUIERES, LEE MÁS DE *LAS MIL Y UNA NOCHES*

- *Las mil y una noches*, Galaxia Gutenberg, Barcelona, 2005, 2 volúmenes.
- *Las mil y una noches*, Editorial Iberia, Madrid, 2005, 3 volúmenes.
- *Las mil y una noches*, Porrúa, México, 2007.
- *Las mil y una noches*, Edaf, Madrid, 2007.

- *Las mil y una noches. Selección*, Vicens Vives, Madrid, 2007.
- *Las mil y una noches*, Cátedra, Madrid, 2007, 2 volúmenes.
- *Las mil y una noches. Selección*, Juventud, Barcelona, 2008.
- *Las mil y una noches*, Edhasa, Barcelona, 2010.
- *Las mil y una noches. Antología*, Alianza Editorial, Madrid, 2013.
- *Las mil y una noches*, Destino, Barcelona, 2013.

GIOVANNI BOCCACCIO

Giovanni Boccaccio nació probablemente en Florencia en 1313, y murió en Certaldo, también en Florencia, en 1375. Escribió diversas obras en verso, pero la que le concedió la gloria es el *Decamerón*, una serie de novelas cortas y cuentos que diversos personajes van relatando en diez jornadas con el explícito propósito de "consolar", según lo afirma el propio Boccaccio, y para que "al narrar sintamos placer" como lo anuncia Dioneo, uno de sus personajes. Las más de estas historias son licenciosas o eróticas pero con una apariencia moral, pues a decir del autor "todo lo deshonesto, dicho con palabras honestas no sienta mal a nadie".

"El monje que le tendió una trampa al abad" es uno de estos cuentos eróticos con apariencia moral, de los que está lleno el *Decamerón*, en donde, en todo caso, lo que resalta es el triunfo de la astucia para disfrutar mejor la vida. Se trata de la cuarta narración de la primera jornada, en la voz de Dioneo.

El monje que le tendió una trampa al abad

LO QUE VOY A CONTAR sucedió en Lunigiana, en un monasterio lleno de frailes y santidad. Entre los frailes había uno muy joven, cuyo vigor no habían podido doblegar ni las austeridades ni las vigilias y ni siquiera los muchos ayunos. En cierta ocasión, hacia el mediodía, mientras los demás monjes tomaban la siesta, él se fue por los alrededores del monasterio, y allá, en un lugar muy apartado, se encontró con una joven muy bien hecha, es decir bastante hermosa, seguramente la hija de algún campesino de aquella región, que andaba buscando hierbas.

Al ver a aquella joven tan bien formada, le entraron al fraile unos ardientes deseos carnales; así que, acercándose a ella, le hizo la conversación sobre esto y aquello y, llegado el momento, le propuso que lo visitara en su celda, a lo que ella accedió. Se fueron sin más y entraron al monasterio sin que nadie se enterara, puesto que todos los demás monjes, incluido el abad, tomaban la siesta.

Así, por toda penitencia, el joven monje y la muchacha se impusieron la tarea de retozar alegremente en la celda de aquél. Pero mientras esto hacían, sin cuidar de contener los gemidos y gritos de sus pasiones, el abad despertó de su siesta y escuchó la algazara. Intrigado y alarmado, se acercó a la puerta de la celda del joven fraile y no tuvo que ser muy observador para saber que aquellos ayes, no de dolor sino de placer, provenían de una mujer, y tampoco tuvo que ser sabio para saber cuál era la penitencia que el joven monje estaba cumpliendo en su celda.

El abad estuvo a punto de mandar a abrir en ese mismo momento. Pero luego lo pensó mejor y retornó a su celda en espera de que salieran y así sorprenderlos sin hacer un escándalo que afectara la honestidad del monasterio.

En tanto, el joven fraile, aunque estaba muy ocupado en los placeres y deleites con la joven labradora, no por ello dejaba de inquietarse, y más aún cuando le pareció escuchar ciertos ruidos de pasos en el corredor. Dejando por un momento sus afanes placenteros, miró por el ojo de la cerradura, y de inmediato vio al abad que escuchaba muy atentamente todo cuanto ocurría. No necesitó ser muy astuto para saber que su superior ya se había percatado de que en su celda había metido a una mujer. Conociendo la gravedad de su falta y las consecuencias que ello podía acarrearle, se preocupó muchísimo y comenzó a idear las variadas formas con las que pudiese salir bien librado de su falta. Luego de pensarlo mucho y de acongojarse bastante, se le ocurrió una estratagema que, si resultaba como él lo imaginaba, podía librarlo de un castigo ejemplar. Dirigiéndose a la joven campesina, que reposaba desnuda en el catre, fingió que ya había tenido suficiente placer y que estaba todo lo satisfecho como para despedirse de ella. Entonces le dijo:

—Voy a buscar la manera en que puedas salir sin ser vista. No te muevas de aquí hasta que yo regrese.

Salió, cerrando la puerta con llave, y sin rodeo ninguno se dirigió a la celda del abad, a quien, como era costumbre en el monasterio, le entregó la llave diciéndole con amable semblante y sin mostrarse nervioso o preocupado en ningún momento:

—Padre Abad: esta mañana no pude traer toda la leña que fui a buscar al bosque y, con su permiso, voy nuevamente a terminar dicho asunto.

El abad, sin revelar que estaba enterado que el joven fraile tenía una mujer en su celda, aceptó de buen grado la llave y le dio permiso de irse, pensando que de este modo se informaría mejor de la falta que el fraile había cometido. Tan pronto como le vio partir, comenzó a pensar cuál sería la mejor forma de castigarle y, además, la mejor forma de evitar una mala fama al monasterio. Pensó primero en abrir la celda, en presencia de los demás frailes, para mostrar a todos la culpa del joven, y de este modo tener testigos de la falta cometida. Luego lo pensó mejor y se dijo que sería bueno averiguar, con la propia mujer que estaba en la celda, cómo habían ocurrido las cosas. Entre sus pensamientos también pasó la idea de que la mujer bien podía ser la hija de algún conocido suyo de los alrededores, y en este caso no quería pasar la vergüenza de mostrarla a todos los monjes. Por todo ello, resolvió finalmente averiguar él solo todo el asunto para después tomar una decisión.

El abad tomó la llave y se dirigió a la celda del joven fraile. Abrió y entró sigilosamente, echando la cerradura por dentro. Al ver al abad, la joven, entre temerosa y avergonzada, se asustó y comenzó a llorar. El abad, por su parte, que la encontró bella y lozana, se quedó contemplando su desnudez y, aunque él ya era viejo, sintió de pronto ardientes apetitos carnales, y dijo para sí: "¿Por qué no gozar yo de este placer que Dios ha puesto ante mí? Esta hermosa joven esta aquí y nadie lo sabe en el monasterio. Además se siente culpable. Bien puedo persuadirla de que me dé lo mismo que le dio al fraile. ¿Por qué no hacerlo? ¿Quién se va a enterar? ¡Nadie! Y, además, *pecado escondido está medio perdonado*. Es bastante probable que nunca más me vuelva a ver en una situación tan oportuna. Y no me parece mal aprovechar el bien que Dios Nuestro Señor ha puesto delante de mí".

Y, dicho y hecho, mudando por completo del designio que lo había llevado a la celda del joven fraile, se acercó a la joven que lloraba y gemía, la consoló suavemente con astucia, y luego de muchas palabras afectuosas, acabó exponiéndole su deseo. La joven, que no era de duro metal, sino de ardiente hierba, aceptó fácilmente el gusto y el deseo del abad, al cual se entregó repetidas veces sin ningún cuidado y sin más lloriqueos. En el austero lecho retozaron largo rato: no él sobre ella, sino ella sobre él, pues por algún prurito de solemnidad así la hizo colocar el abad porque le pareciese más digno de su investidura.

En tanto, el joven fraile que en realidad había fingido ir al bosque, desde su escondite en el corredor pudo ver perfectamente cuando el abad entró a su celda, y se tranquilizó cuando se dio cuenta que su ardid surtía el efecto deseado, confirmándolo del todo cuando el abad cerró la puerta por dentro. Así, salió de su escondite, se acercó sigilosamente a la puerta, y miró por el ojo de la cerradura, viendo y oyendo todo lo que el abad decía y hacía con su entusiasta jinete.

Luego de un buen rato, cuando el abad consideró que ya había tenido bastante con la joven, y lo cual era, además, mucho para sus años, la dejó y volvió a cerrar la celda con llave, regresando a la suya, y ahí permaneció aguardando a que regresara del bosque el joven infractor. En cuanto llegó éste, el abad comenzó a reprenderlo con gran severidad, diciéndole que había descubierto que introdujo una mujer en su celda, y lo amenazó con ejemplares castigos, aunque en realidad lo hacía con el secreto deseo de disponer él solo de la joven. Con un rostro muy grave, el abad le exigió al joven que lo acompañara para encerrarlo en el calabozo de castigos. Pero el fraile respondió:

—Padre Abad: no llevo mucho tiempo en la Orden de San Benito y por ello no he podido aprender todas las reglas, y entre ellas no me habías enseñado que los monjes deben dar a las mujeres tanta importancia como el que dan a los ayunos y a las vigilias. Pero ahora que ya me lo has mostrado con tanto ardor y experiencia, prometo, si me perdonas, no volver a pecar nunca más, y únicamente hacer siempre, siguiendo tus buenas lecciones, lo que te he visto hacer hoy con tanta dedicación.

El abad, que no era tonto, comprendió con estas palabras que el fraile estaba enterado de todo lo ocurrido y que, además, lo había observado detenidamente. Y, como era de esperarse, no lo castigó. Lo perdonó y le mandó que guardara silencio sobre lo ocurrido, y de inmediato se trasladaron a la celda para hacer salir a la muchacha. Pero así como ese día le dijeron que se fuera, otras muchas veces la hicieron regresar.

Traducción de Juan Domingo Argüelles.

SI QUIERES, LEE MÁS DE BOCCACCIO

- *Decamerón*, Siruela, Madrid, 1990, 2 volúmenes.
- *Decamerón*, Cátedra, Madrid, 1994.
- *Decamerón*, Espasa Calpe, Madrid, 2001.
- *El decamerón (diez cuentos)*, Castalia, Madrid, 2004.
- *El decamerón*, Grupo Editorial Tomo, México, 2006.
- *Decamerón*, Planeta, Barcelona, 2006.
- *El decamerón*, Alianza Editorial, Madrid, 2007, 2 volúmenes.
- *El decamerón*, Losada, Buenos Aires, 2010.
- *Mujeres preclaras*, Cátedra, Madrid, 2010.
- *Decamerón*, Debolsillo, Madrid, 2013.

ALEXANDR PUSHKIN

Alexandr Serguéievich Pushkin nació en Moscú en 1799, y murió en San Petersburgo en 1837. Poeta, dramaturgo y narrador es una de las grandes glorias de la literatura rusa del siglo XIX. Murió a consecuencia de las heridas que sufrió en un duelo, por cuestiones de honor, cuando desafió a un barón francés. Su novela en verso (o su poema narrativo) *Eugenio Oneguín* fue llevada a la ópera por Tchaikovski; del mismo modo, su drama *Borís Godunov* se convirtió en una ópera gracias al talento del también compositor ruso Músorgski. Además de otros dramas y obras en verso, son célebres en su prosa narrativa su novela *La hija del capitán* y su libro de cuentos *Relatos de Iván Petróvich Belkin*.

"El fabricante de ataúdes", que pertenece precisamente a los *Relatos de Iván Petróvich Belkin*, está entre los mejores cuentos fantásticos y humorísticos de Pushkin. Lo que parece en un principio un cuento realista toma tintes fantasmales, y su desenlace, inesperado, le da un magistral carácter humorístico.

El fabricante de ataúdes

Los últimos enseres del fabricante de ataúdes Adrián Prójorov fueron subidos al coche fúnebre, que el par de viejos caballos arrastró, por cuarta ocasión, de la calle Basmánnaia a la Nikítskaia, adonde ahora el fabricante se trasladaba para establecerse, en una nueva casa, junto con sus hijas y la sirvienta.

Luego de cerrar la tienda, puso en la puerta un anuncio en el que avisaba que la casa estaba en venta o se rentaba, y se dirigió caminando a su nuevo domicilio.

Mientras se acercaba a la casita amarilla, que tanto había deseado y que ahora había podido adquirir por una cantidad muy respetable, el viejo fabricante de ataúdes sintió, no sin alguna sorpresa, que no gozaba realmente de una gran satisfacción.

Cuando franqueó el umbral de su flamante vivienda, el desorden que ahí reinaba le hizo extrañar de inmediato su vieja casucha en donde, por dieciocho años, había reinado siempre el más estricto orden. Movido por esta añoranza y enfadado por ese desbarajuste, regañó a sus dos hijas y a la sirvienta, acusándolas de indolentes, y él mismo se puso a ayudarlas.

Al cabo de muy poco tiempo, cada cosa estuvo en su sitio. Las imágenes piadosas, el armario, la mesa, el sofá y la cama ocuparon los rincones que él les había destinado en la habitación del fondo. En la cocina y en la sala acomodaron los artículos relacionados con el oficio del dueño de la casa: ataúdes de todos los colores y tamaños, y armarios con sombreros, mantos y antorchas fúnebres.

Sobre la puerta se destacaba un anuncio que representaba a un robusto Cupido con una antorcha invertida en una mano, y con la siguiente inscripción: "Aquí se venden y se forran ataúdes, sencillos y pintados. También se alquilan y se reparan los viejos".

Las hijas se retiraron a su habitación, en tanto Adrián pasó revista a su nueva casa, se sentó junto a una ventana y ordenó a la sirvienta que le preparara el samovar.

El lector cultivado sabe muy bien que Shakespeare y Walter Scott muestran a sus sepultureros como hombres alegres y bromistas, a fin de que el contraste con sus oficios sorprenda más la imaginación. En este caso, para ser fieles con la realidad, no podemos seguir su ejemplo y habremos de reconocer que el carácter de nuestro fabricante de ataúdes estaba muy acorde con su lúgubre tarea. Adrián Prójorov tenía, por lo general, un carácter sombrío y taciturno. Únicamente rompía su silencio para reprender a sus hijas en cuanto las veía ociosas o mirando por la ventana a los transeúntes, o bien cuando pedían un pago exagerado por sus obras a los que tenían la desgracia (o la suerte, a veces) de necesitarlas.

Así pues, mientras Adrián Prójorov estaba sentado junto a la ventana, tomando su séptima taza de té, se abismó, como ya era su costumbre, en mustias reflexiones. Pensaba en el aguacero que, una semana antes, había sorprendido justo a las puertas de la ciudad al entierro de un brigadier retirado. Aquella inoportuna lluvia encogió muchos mantones y produjo que numerosos sombreros se deformaran. Preveía gastos inevitables, ya que sus antiguas reservas de prendas funerarias estaban quedando en un estado deplorable. Pensaba resarcirse de las pérdidas con el entierro de la vieja Triújina, una tendera que estaba en las últimas desde hacía un año y que, sin embargo, no acababa de morirse. Pero, además, Triújina se moriría en Razguliái, y Prójorov temía que sus herederos, a pesar de sus promesas, decidieran al final ahorrarse el esfuerzo de mandar por él a buscarlo tan lejos y prefirieran contratar los servicios con la funeraria más próxima.

Sus pensamientos fueron interrumpidos por tres golpes dados en la puerta, según el viejo rito francmasón.

—¿Quién es? —preguntó el fabricante de ataúdes.

La puerta se abrió y penetró un hombre que, a primera vista, podía reconocerse como un artesano alemán que, con semblante alegre, se acercó a Adrián.

—Discúlpeme, amable vecino —dijo con ese acento que los rusos, incluso hoy, no podemos oír sin echarnos a reír—, perdone la molestia... Deseaba conocerle cuanto antes. Soy zapatero, me llamo Gotlib Schultz y vivo enfrente, en esa casa que puede usted ver desde su ventana. Mañana celebro mis bodas de plata y he venido a rogarle que usted y sus hijas vengan a comer a mi casa para acompañarme en el festejo y estar entre amigos.

La invitación fue aceptada muy cordialmente. Y Adrián Prójorov, a su vez, invitó al zapatero a que tomara con él una taza de té, y gracias al carácter bonachón de Gotlib Schultz, muy pronto estaban charlando animadamente.

—¿Cómo le va en el negocio a su merced? —preguntó Adrián.

—Je je —rió Schultz—. A veces mal y a veces bien. Digamos que regular. No me quejo, aunque, desde luego, mi mercancía no es como la suya: un vivo puede pasarse sin botas, pero un muerto no puede vivir sin su ataúd.

—Totalmente cierto —respondió Adrián—. Y, sin embargo, si un vivo no tiene para comprarse unas botas, aunque le pese, seguirá andando con los pies desnudos; en cambio, hasta el difunto más pobre se llevará su ataúd aunque a él no le cueste.

De este modo continuó la conversación entre ambos y luego de un rato, el zapatero se levantó y antes de despedirse del fabricante de ataúdes, le reiteró su invitación.

Al día siguiente, a las doce en punto, el fabricante de ataúdes y sus hijas salieron de su flamante casa y se dirigieron a la de su vecino. No describiré ni el caftán ruso de Adrián Prójorov, ni los atuendos europeos de Akulina y Daria, evitando así la costumbre de los novelistas actuales. Sin embargo, no me parece del todo superfluo decir que las hijas de Prójorov llevaban sombreros amarillos y botines rojos que estaban reservados para las ocasiones especiales.

La pequeña vivienda del zapatero estaba llena de invitados, en su mayoría artesanos alemanes con sus esposas y sus oficiales. Únicamente había un funcionario: un guardia de garita, el finés Yurko que, a pesar de su escaso rango, había sabido ganarse la benevolencia del zapatero. Yurko tenía veinticinco años de servir con celo y honradez en este cargo, al igual que el cartero de Pogorelski. El incendio del año doce, que redujo a cenizas la primera capital de Rusia, destruyó también la garita amarilla del guardia. Pero tan pronto como se expulsó al enemigo, se construyó una nueva garita, ahora de color gris, con blancas columnas dóricas. De este modo, Yurko reanudó su ir y venir delante de ella con "su segur y su coraza de arpillera". Lo conocían casi todos los alemanes que vivían en la cercanía de la Puerta Nikitskaia, y algunos de ellos incluso habían pasado alguna noche del domingo al lunes en la que se conocía ya como la garita de Yurko. Adrián trabó pronta relación con él, pues a su parecer era persona a la que tarde o temprano podría necesitar, y tan pronto como los invitados y los anfitriones se dirigieron a la mesa, Adrián y Yurko se sentaron juntos.

Los anfitriones y su hija Lotchen, de diecisiete años, atendían a los invitados y lo mismo comían que ayudaban a la cocinera a servir la mesa. La cerveza corría en torrentes. Yurko comía por cuatro, y Adrián no se quedaba atrás, a diferencia de sus hijas que se mostraban melindrosas. La conversación en alemán subía de tono y por momentos tornábase ruidosa. De pronto, en medio del bullicio, el dueño reclamó la atención de los convidados y, tras descorchar una botella lacrada, dijo en ruso y en voz muy alta:

—¡A la salud de mi buena Luise!

Brotó la espuma del vino achampañado. El zapatero besó con ternura el fresco y sonrosado rostro de su cuarentona esposa, y los invitados bebieron ruidosamente a la salud de la buena Luise.

—¡A la salud de mis queridos invitados! —volvió a brindar el anfitrión descorchando una nueva botella, y los convidados le dieron las gracias vaciando de nuevo sus copas.

Los brindis se sucedieron entonces uno tras otro: se bebió a la salud de cada uno de los invitados por separado; se bebió a la salud de Moscú y de una buena docena de ciudades alemanas; se bebió a la salud de todos los gremios de artesanos en general y de cada uno en particular; se bebió a la salud de los maestros y de los oficiales. Adrián bebía con entusiasmo, y se puso alegre a tal punto que se animó a pronunciar un brindis un tanto locuaz y algo cómico.

De repente, uno de los invitados, un panadero gordo, levantó su copa y dijo:

—¡A la salud de aquellos para quienes trabajamos, *unserer Kundleute*: nuestros clientes!

La propuesta, como todas las anteriores, fue recibida con alegría y de manera general. Los invitados empezaron a hacerse reverencias los unos a los otros: el sastre al zapatero, el zapatero al sastre, el panadero a ambos, todos al panadero, y así sucesivamente. Yurko, en medio de estos brindis recíprocos, gritó dirigiéndose a su vecino:

—¿Y tú, amigo, por qué no brindas a la salud de tus difuntos?

Todos soltaron la carcajada, pero Adrián Prójorov consideró aquello como una ofensa y frunció el entrecejo. Nadie lo advirtió, pues los invitados siguieron bebiendo sin enterarse del enfado del fabricante de ataúdes y, al toque del Ángelus, cada uno fue levantándose de la mesa y despidiéndose de los anfitriones.

Los invitados se marcharon tarde, y sobra decir que bastante achispados. El gordo panadero y el encuadernador, cuya cara "parecía encuadernada en cordobán rojo", llevaron del brazo a Yurko hasta su garita, fieles en este caso al proverbio ruso: "A hermoso festejo, hermoso regreso". Por su parte, el fabricante de ataúdes llegó a casa borracho y de muy mal humor.

—Porque, a ver —reflexionaba en voz alta—; ¿en qué es menos honorable mi oficio que el de los demás? ¿Acaso por ser fabricante de ataúdes me convierto en hermano del verdugo? ¿Por qué se rieron entonces esos descreídos? ¿O tengo cara de payaso de feria? Pensaba invitarlos para festejar mi nueva casa, darles un gran banquete, ¡pero ahora ni pensarlo! En cambio, esto sí, voy a convocar a aquellos para los que trabajo: a mis buenos difuntos.

—¿Pero qué cosas está diciendo, padrecito? —dijo la sirvienta mientras lo delcalzaba—. ¿Qué blasfemias son esas? ¡Santígüese! ¡Convidar a los muertos a tu casa! ¿A quién se le ocurre? ¡Qué locura!

—¡Dios sabe que sí lo hago! —prosiguió Adrián—. Y lo haré mañana mismo. ¡Les ruego, mis queridos muertos, que mañana por la noche vengan a mi casa a celebrar; les prepararé un gran festín; les agasajaré lo mejor que pueda!...

Y luego de pronunciar estas palabras, dichas con mucho énfasis, el fabricante de ataúdes se tumbó en su cama y comenzó a roncar.

Aún no había amanecido del todo cuando lo despertaron. La tendera Triújina había fallecido, ¡por fin!, aquella misma noche, y su administrador le envió a un mensajero, a caballo, para darle la noticia. El fabricante de ataúdes le dio una moneda de diez kópeks como propina, se vistió rápidamente, tomó un coche de alquiler y se dirigió a Razguliái. Ante la puerta de la casa de la difunta ya estaba la policía, y otros mercaderes iban y venían, como cuando llegan los cuervos al olor de la carroña. La difunta, amarilla como la cera, yacía sobre la mesa, pero todavía no estaba desfigurada por la descomposición. A su alrededor se encontraban parientes, vecinos y criados. Todas las ventanas estaban abiertas, todas las velas ardían, y los sacerdotes rezaban.

Adrián se acercó al sobrino de Triújina, un joven comerciante que vestía una levita a la moda, y le informó que el ataúd, los cirios, el sudario y demás accesorios fúnebres no tardarían mucho en llegar en perfecto estado. Con gesto distraído, el heredero le dio las gracias, rogándole que se encargara de todo, y que no iba a regatearle el precio, mismo que encomendaba a su recto proceder. Como de costumbre, el fabricante de ataúdes le aseguró que no le cobraría sino lo justo y, luego de cruzar una mirada inteligente con el administrador, fue a disponer las cosas.

Todo el día anduvo de Razguliái a la Puerta Nikitskaia y viceversa. Por la tarde, cuando dejó todo listo, despidió al cochero y se marchó a pie a su casa. La luna estaba resplandeciente. El fabricante de ataúdes llegó sin contratiempos a la Puerta Nikitskaia. Al acercarse a la iglesia de la Ascensión le marcó el alto el ya mencionado Yurko que, al reconocerlo, le deseó las buenas noches. Para entonces ya había anochecido. Estaba a poca distancia de su casa cuando, de pronto, vio que alguien llegaba ante su puerta, la abría y entraba.

"¿Qué significa esto? —dijo Adrián para sí—. ¿Quién necesitará de mis servicios a estas horas? ¿O será un ladrón el que ha entrado a mi casa? ¿O, peor aún, será que alguna de las tontas de mis hijas está siendo visitada por un enamorado? ¡Lo que me faltaba!"

El constructor de ataúdes estaba ya por llamar en su ayuda a su amigo Yurko, cuando alguien que se disponía a entrar en la casa, al ver al dueño, que se acercaba corriendo, se detuvo y, cortésmente, se quitó de la cabeza un sombrero de tres picos. A Adrián le pareció una cara conocida, pero con las prisas no tuvo tiempo de observarlo bien.

—¿Viene usted a mi casa? —preguntó Adrián, jadeante—. Pase, tenga la bondad.

—¡Sin ceremonias, hombre! —respondió el otro—. Pase usted primero e indique el camino a sus convidados.

Efectivamente, Adrián no tuvo tiempo para andarse con cumplimientos. La puerta estaba ya abierta y se dirigió a la escalera seguido por el visitante. Le pareció que en las habitaciones deambulaba gente. "¿Qué diablos pasa?", pensó, y se apresuró a entrar... Y entonces el terror le dobló las rodillas. La habitación estaba llena de muertos. A través de la ventana, la gran luna alumbraba sus rostros amarillos y amoratados, las bocas sumidas, los ojos turbios y a medio cerrar, las narices afiladas... Horrorizado, reconoció en ellos a las personas enterradas gracias a sus oficios, y en el invitado que había entrado con él, al brigadier que enterró durante aquel terrible aguacero.

Todos ellos, hombres y mujeres, rodearon al fabricante de ataúdes haciéndole exageradas reverencias, con excepción de uno: un pordiosero al que había dado sepultura gratuita hacía poco y que, cohibido y avergonzado de sus harapos, se mantenía humildemente en un rincón. Todos los demás iban vestidos decentemente: las muertas con sus cofias y lazos, los funcionarios, con levita, aunque con la barba sin afeitar, y los comerciantes con caftanes de gala.

—Como lo ves, Prójorov —dijo el brigadier como si fuera el portavoz de la honorable compañía—, todos nos hemos levantado de nuestras tumbas en respuesta a tu generosa invitación. Únicamente no han venido los que no podían hacerlo, los que se han desmoronado ya del todo y aquellos que no conservan ni la piel y están en los puros huesos, pero incluso entre ellos hay uno al que nada lo ha retenido, pues tantas eran sus ganas de venir a verte.

En ese instante, un pequeño esqueleto se abrió paso entre la muchedumbre y se acercó a Adrián. Su calavera sonreía afablemente al fabricante de ataúdes. Jirones de paño verde y rojo y de lienzo podrido colgaban de sus huesos como si fuera un perchero, y los huesos de sus pies golpeaban dentro de unas grandes botas haciendo un ruido parecido al de las manos en los morteros.

—No me has reconocido, Prójorov? —preguntó el esqueleto—. ¿Ya no te acuerdas del sargento retirado de la Guardia, Piotr Petróvich Kurilkin, el mismo a quien vendiste, en 1799, tu primer ataúd, que por cierto era de pino aunque tú lo hiciste pasar por uno de roble?

Y después de decir estas palabras, el esqueleto abrió sus descarnados brazos para estrechar a Adrián, pero éste, haciendo acopio de todas sus fuerzas, lanzó un grito y le dio un empellón. Piotr Petróvich se tambaleó, cayó al suelo y quedó convertido en polvo. Un murmullo de indignación se fue levantando entre los demás muertos: todos salieron en defensa del honor de su compañero y se volvieron contra Adrián llenándolo de injurias y amenazas. El pobre fabricante de ataúdes, aturdido por los gritos y casi aplastado, perdió toda presencia de ánimo y, desplomándose sobre los restos del sargento retirado, se desmayó.

Hacía rato que el sol iluminaba la cama en la que estaba acostado el fabricante de ataúdes. Éste, por fin, abrió los ojos y vio frente a él a la sirvienta que estaba atizando el fuego del samovar.

Adrián recordó entonces, lleno de espanto, los sucesos del día anterior. Triújina, el brigadier y el sargento Kurilkin se le aparecían en su mente confusa. El fabricante de ataúdes esperaba, silenciosamente, que la sirvienta le dirigiera la palabra y le comunicase las consecuencias de aquel terrible episodio nocturno.

—¡Parece que se le han pegado las sábanas, Adrián Prójorovich! —dijo Aksinia dándole la bata—. Lo ha venido a ver su vecino el sastre, y el de la garita ha pasado para avisarle que hoy es el santo del comisario, pero como dormía igual que un lirón no hemos querido despertarle.

—¿Y de parte de la difunta Triújina no ha venido nadie a buscarme?

—¿Difunta? ¿Es que se ha muerto?

—¡Si serás tonta! ¿Pues no tú misma me ayudaste ayer a preparar su entierro?

—¿Pero qué está diciendo, padrecito? ¿Es que se ha vuelto loco o aún no se le ha pasado la borrachera? ¿Qué entierro hubo ayer? Si se la pasó todo el día de fiesta en casa del alemán, volvió borracho, cayó de inmediato en la cama y, desde entonces, ha estado durmiendo como un lirón, hasta ahora que ya han tocado a misa.

—¿Es posible? —exclamó con alegría el fabricante de ataúdes.

—Como lo oye —respondió la sirvienta.

—¡Pues si es así, venga el té cuanto antes y ve a llamar a mis hijas!

Traducción de Juan Enrique Argüelles.

SI QUIERES, LEE MÁS DE PUSHKIN

- *La hija del capitán*, Alianza Editorial, Madrid, 2000.
- *Eugenio Oneguin*, Cátedra, Madrid, 2000.
- *El jinete de bronce*, Hiperión, Madrid, 2001.
- *Poemas*, Gredos, Madrid, 2005.
- *La dama de picas*, Alianza Editorial, Madrid, 2006.
- *Narraciones completas*, Debolsillo, Madrid, 2010.
- *Relatos de Iván Petróvich Belkin*, Alianza Editorial, Madrid, 2010.
- *Diario secreto 1836-1837*, Funambulista, Madrid, 2011.
- *Borís Godunov*, Akal, Madrid, 2012.
- *El zar Saltán*, Gadir, Madrid, 2013.

MARK TWAIN

Mark Twain, seudónimo de Samuel Langhorne Clemens, nació en Florida, Missouri, en 1835, y murió en Redding, Connecticut, en 1910. Es uno de los grandes escritores satíricos y humoristas de todos los tiempos. Es el creador de una especial picaresca norteamericana con novelas tan célebres y amenas, sobre todo para la edad juvenil, como *Las aventuras de Huckleberry Finn* y *Las aventuras de Tom Sawyer*. Solía decir: "Lo que uno ha vivido lo puede escribir, y a fuerza de duro trabajo y de auténtico aprendizaje, llega a escribirlo bien".

"La célebre rana saltarina del condado de Calaveras" está entre los mejores cuentos humorísticos de Twain, con un humorismo que, a decir suyo, está pensado "para que los lectores se rían pero sin una sonrisa". El humorismo de Twain es tan sutil que es lo más cercano a la ironía y al sarcasmo que son, inequívocamente, fruto más de la inteligencia que del sentido cómico.

La célebre rana saltarina del condado de Calaveras

Cumpliendo con la petición de un amigo mío, que me había escrito desde el Este, visité al locuaz y bonachón viejo Simon Wheeler, y le pregunté por el amigo de mi amigo, Leónidas W. Smiley. A continuación informo del resultado de mi visita. No sé por qué tengo la vaga sospecha de que Leónidas W. Smiley es tan sólo un invento; de que mi amigo nunca supo de un personaje así, y que me dio esta comisión porque conjeturó que, si le preguntaba al viejo Wheeler sobre él, mi pregunta le haría recordar al pícaro Jim Smiley, y su relato sobre los fastidiosos recuerdos de dicho individuo me mataría de aburrimiento, con sus anécdotas tan tediosas como inútiles para mí. Sospecho, por tanto, que me tendió una trampa, y si esto es efectivamente lo que se propuso, sin duda lo logró con creces.

Encontré a Simon Wheeler dormitando cómodamente junto a la estufa del salón del bar de la antigua taberna, en el ruinoso campo minero del Ángel, y me di cuenta de que era un hombre gordo y calvo, que tenía una expresión de cautivadora gentileza y simplicidad en su tranquilo semblante. Se levantó y me dio los buenos días.

Yo le dije que un amigo mío me había encargado hacer algunas averiguaciones sobre un muy estimado compañero suyo de infancia llamado Leónidas W. Smiley... ya que el reverendo Leónidas W. Smiley, un joven ministro del Evangelio, fue durante algún tiempo, según había oído decir, vecino de la localidad del Ángel. Añadí que si él me podía decir cualquier cosa sobre el reverendo Leónidas W. Smiley le quedaría muy agradecido.

Simon Wheeler me hizo sentar en un rincón, me bloqueó ahí con su silla y luego se sentó para desgranar el largo y monótono relato que sigue. Nunca sonrió, nunca frunció el ceño, nunca cambió el tono de su voz suave y fluido de su frase inicial, y en ningún momento reveló la más mínima sospecha de entusiasmo, pero a lo largo de su interminable narración circulaba una vena de impresionante seriedad y sinceridad que me mostró claramente que, muy lejos de considerar que su historia fuese ridícula o divertida, la consideraba como un asunto muy importante, y admiraba a los dos héroes de la misma como auténticos hombres de genio y astucia. Como he dicho antes, yo le pedí que me contara lo que sabía del reverendo Leónidas W. Smiley, y lo dejé que hablase a su manera sin interrumpirlo ni un sólo instante.

Bueno, hubo aquí, alguna vez, un individuo con el nombre de Jim Smiley, allá por el invierno del año cuarenta y nueve, o tal vez fuera la primavera del cincuenta, no lo recuerdo exactamente, aunque lo que me hace pensar que fue por esos años es porque recuerdo que cuando el tal Smiley vino por primera vez al campamento aún no estaba terminado el gran canal; pero como quiera que sea, él era un hombre muy raro y su característica más llamativa es que armaba apuestas acerca de lo que fuera, con tal de que hubiera alguien apostando en contra; y si no había un apostador en su contra, entonces era él quien apostaba contra el apostador a favor. Lo que él quería siempre era tener con quien apostar y, por lo mismo, no le costaba ningún trabajo acomodarse a la apuesta. Con tal de apostar, él quedaba plenamente satisfecho. Y, a pesar de todo, era un hombre que tenía mucha suerte: una suerte fuera de lo común, pues casi siempre ganaba.

Andaba a la caza de cualquier oportunidad, y dispuesto a no desperdiciarla. No había cosa en la conversación que no le sirviera a Smiley para entablar una apuesta, dejando la elección al contrario, como ya le he dicho. Si había una carrera de caballos, al final lo veía usted lleno de billetes o completamente esquilmado. Si la pelea era de perros, corría él a apostar. Si dos gatos peleaban, ya estaba él lo mismo apostando. Si la pelea era de gallos, ahí estaba también eligiendo el suyo. Con decirle que, incluso si dos pájaros se posaban en una cerca, él le apostaría a usted cuál volaría primero, o si se celebraba una ceremonia misional en el campamento, él no faltaba nunca con tal de apostar a favor del predicador Parson Walker, a quien juzgaba como el mejor predicador de los alrededores, tal como lo era, efectivamente, además de ser una excelente persona.

Smiley llegaba al extremo de que si encontraba un escarabajo que andaba de aquí para allá, le apostaba a usted el tiempo que le tomaría en llegar adondequiera que fuese, y si usted le aceptaba la apuesta era capaz de seguir al escarabajo hasta México con tal de averiguar adónde se dirigía y el tiempo que había invertido en llegar. Hay por aquí una buena cantidad de muchachos que conocieron a Smiley y que le pueden contar muchas cosas de él. Lo que puedo decirle yo es que a él todo le daba lo mismo. Era capaz de apostar por cualquier cosa, con tal de apostar. Así era ese condenado individuo. En cierta ocasión, la esposa del predicador Walker se puso muy enferma durante buen tiempo, y todo parecía indicar que esta vez no viviría para contarlo. Pues bien, una mañana entró aquí Walker, y Smiley se levantó y le preguntó por la salud de su esposa. El predicador le contestó: "Se encuentra bastante mejor, gracias a la infinita misericordia del Señor, y se está reponiendo estupendamente. Con la bendición de la Providencia ella conseguirá sanar del todo; estoy seguro". Y entonces Smiley, sin detenerse a pensar en nada le dijo: "Le apuesto dos y medio a uno a que de ésta no sale viva".

Este mismo Jim Smiley tenía una yegua a la que los muchachos llamaban "La yegua de quince minutos"; pero sólo por divertirse, porque como ha de imaginar aquella yegua corría mucho más que eso. En las carreras de caballos, Smiley solía ganar muy buen dinero con ella, a pesar de lo poco que corría y de que siempre andaba enferma, con asma, con moquillo o con agotamiento, o con algo por el estilo. En las carreras, solían darle ventaja de doscientos o trescientos centenares de metros, y aun así siempre la rebasaban. Pero, al final, resultaba que, a punto de terminar la carrera, la yegua esa se revolvía como una condenada, dando respingos y corcovos, encabritándose como endemoniada, abriéndose de ancas y tirando coces al aire o hacia un lado y levantando más polvo que nada, y entre toses, estornudos y resoplidos... al final cruzaba siempre la meta con un cuello de ventaja o al menos eso es lo que parecía.

Tenía también un cachorro de bulldog, que si usted lo viera no daría por él ni un centavo, pues parecía que tan sólo servía para vagabundear, hacerse el gruñón y acechar la oportunidad para robarse algo. Pero tan pronto como se apostaba por él, se convertía en otro perro: su mandíbula inferior sobresalía como el castillo de proa de un barco de vapor, y pelaba los dientes que le brillaban como hogueras, y ya podía otro perro hacerle frente, morderlo y revolcarlo, pero Andrew Jackson —que así se llamaba el perrete—, Andrew Jackson, digo, nunca se daba por vencido y seguía peleando hasta que tenía la seguridad (y esto es lo que buscaba) de que las apuestas se habían duplicado a favor del otro perro hasta que ya no había más que apostar, y entonces, súbitamente, le clavaba los dientes al enemigo en los cuartos traseros y ahí se quedaba mordiendo, sin soltar su presa hasta que *tiraban la esponja* para dar por terminada la pelea, pues por él podía quedarse mordiendo durante todo un año.

Smiley siempre salía ganador con aquel perro, hasta que en cierta ocasión lo enfrentó a un perro al que le habían aserrado las nalgas con una cierra circular. Andrew Jackson alargó la pelea, como siempre, hasta que entendió que ya todas las apuestas estaban en contra suya. Entonces se abalanzó, según su costumbre, para clavar los dientes en su lugar favorito, pero se quedó sorprendido de no encontrar el promontorio que esperaba; puso entonces una expresión de abatimiento y ya ni siquiera intentó ganar la pelea. Como ha de imaginar, salió de ahí todo maltrecho y zarandeado, hecho un despojo; digirió a Smiley una mirada, como culpándolo a él de su ruina, por haberlo enfrentado a un perro que carecía de cuartos traseros en que hincarle los dientes, que era todo su fuerte para ganar las peleas, y luego, renqueante, se alejó un poco, se tumbó en el suelo y murió. Fue, sin duda, un buen perro aquel Andrew Jackson, y pienso que se habría hecho famoso de haber vivido más tiempo, pues tenía buena madera e inmejorable talento... Estoy seguro de ello, aunque, claro, aquel perro no tenía oportunidad de hablar con nadie, pero el buen sentido me dice que si no hubiese tenido un talento natural, no hubiera sabido pelear como él lo hacía. Por eso me pongo triste cuando pienso en su último combate y en las consecuencias que tuvo para él.

Pues bien: ese mismo Jim Smiley tenía perritos ratoneros y gallos de pelea, y grandes gatos sin castrar, y toda clase de animales, hasta no dejarle a uno ninguna oportunidad, pues no había nadie que pudiera presentarle algún animal, sin que él sacara otro, para revirar una apuesta. En cierta ocasión atrapó una rana y la llevó a su casa y afirmó que la iba a amaestrar. Durante tres meses no hizo otra cosa, en el patio trasero de su casa, que enseñar a la rana a saltar lo más alto y lo más lejos posible. ¡Y vaya si la enseñó! Le daba un pequeño empujón por detrás, y un instante después la rana ya estaba en el aire dando giros como un buñuelo. ¡Era cosa de verla dar un salto mortal, y a veces hasta dos si arrancaba bien, y caer firme en el suelo, sin ningún problema, como si fuera un gato!

También le enseñó a atrapar moscas, y tan constante y firmemente la enseñó a esto que no se les escapaba una sola mosca de todas las que se le ponían al alcance de la vista. Smiley decía que todo lo que requería una rana era educación, ya que una rana educada era capaz de hacer cualquier cosa. Y yo le creo, pues le vi poner aquí mismo en el suelo a Daniel Webster (Daniel Webster se llamaba la rana) y cantarle: "¡Moscas, Daniel, moscas!", y en un santiamén, antes de que uno tuviera tiempo de parpadear, ya Daniel había pegado un gran salto, había atrapado una mosca encima del mostrador, para luego volver a saltar al suelo, quedando como un pegote de lodo y rascándose un lado de la cabeza con una de sus patas traseras, tan indiferente como si creyera que lo que había hecho lo podía hacer cualquier otra rana. Pese a todas las habilidades y todo el talento que Daniel Webster tenía, usted no habría podido encontrar una rana más modesta. Y si se trataba de saltar en terreno plano, no había otro animal de su especie que saltara tan lejos. De hecho, su fuerte era el salto largo; por ello, Jim Smiley apostaba por su rana todo el tiempo y mientras le quedara un dólar, pues estaba monstruosamente orgulloso de su rana, y bien que debía estarlo, porque gente que había viajado y estado en muchas partes aseguraba sin excepción que la rana de Smiley aventajaba a todas las que había visto en su vida.

Pues bien: Smiley guardaba a su animalito en una jaula de madera, y solía recorrer el campamento en busca de apostadores. En cierta ocasión, un individuo... —un hombre extraño al campamento— se encontró con Smiley y con su jaula y le dijo:

—¿Qué será lo lleva usted en esa jaula?

Y Smiley, haciéndose el indiferente, le respondió:

—Quizá sea un loro, quizá sea un canario, pero no es ni lo uno ni lo otro, porque se trata de una rana.

El individuo tomó la jaula, la miró cuidadosamente, le dio vuelta de un lado a otro, y luego dijo:

—Pues... sí, es una rana... ¿Pero para qué sirve esto?

Con una sonrisa despreocupada, Smiley respondió:

—Sirve por lo menos para una cosa, según creo yo... Salta más que ninguna otra rana del condado de Calaveras.

El individuo volvió a tomar la jaula, y luego de examinarla con mayor atención que la primera vez se la devolvió a Smiley diciéndole calmosamente:

—Pues la verdad es que yo no veo que esta rana tenga nada de particular; es igual que cualquier otra rana.

—Quizá usted no lo vea —respondió Smiley—, y es posible que usted entienda de ranas y es posible también que no entienda de ellas; a lo mejor tiene una gran experiencia en ranas y a lo mejor es tan sólo un simple aficionado. Pero, como ya le dije, yo tengo mi opinión, y le apostaré cuarenta dólares a que mi rana le gana a saltar a cualquier otra rana del condado de Calaveras.

El individuo estuvo pensando unos momentos y luego, con cara de circunstancia, le dijo a Smiley:

—Bueno, yo sólo soy aquí un forastero y, como verá, no cuento con una rana, pero si la tuviese le tomaría la palabra.

Entonces Smiley respondió pronto:

—Está bien, perfectamente; si usted me cuida un minuto la jaula, iré yo a traerle una rana.

Y el individuo se hizo cargo de la jaula, puso sus cuarenta dólares junto a los de Smiley y se sentó a esperar.

Allí estuvo un buen rato, pensando y pensando para sus adentros, hasta que sacó la rana de la jaula y le abrió de par en par la boca, tomó una cucharilla, la llenó de perdigones para cazar codornices, y la atiborró con esto hasta que ya no le cupieron más en la barriga. Luego la depositó en el suelo. Smiley, en tanto, se había ido a la charca y luego de chapotear un buen rato en el lodo, consiguió atrapar una rana que guardó y luego le entregó al individuo diciéndole:

—Pues bien, ya tiene usted rana, y si ya está listo, colóquela junto a Daniel con las patas delanteras en la misma línea de las de Daniel, que yo daré la voz de arranque. Y luego dijo: "¡Una..., dos..., tres... Ya!" Y él y el forastero le dieron a sus ranas un golpecito por detrás. La rana nueva saltó con gran agilidad, pero Daniel sólo pegó un tironcito hacia arriba, alzó los hombros..., así..., al igual que un francés..., pero todo fue inútil... No pudo moverse. Estaba plantado en el suelo tan sólido como un yunque, y tan imposibilitado de moverse como si estuviera anclado al piso. Smiley se quedó muy sorprendido, y por supuesto también muy disgustado, pero, como era natural, no tenía ni la más remota idea de lo que había ocurrido.

El individuo se embolsó los ochenta dólares y empezó a alejarse, pero cuando ya iba a salir de la puerta del campamento, señaló con el pulgar por encima de sus hombros..., así..., hacia Daniel, y con un hablar pausado dijo:

—Pues la verdad es que no le veo a esa rana nada de particular que no tenga cualquier otra rana.

Smiley se quedó largo rato rascándose la cabeza y mirando a Daniel, hasta que por fin dijo: "¿Pero por qué diablos hizo esta rana gestos como si quisiera escupir?... ¿No le pasará algo?... Parece como inflamada..." Y entonces tomó a Daniel por la nuca, la levantó y dijo:

"¡Por vida de mis gatos si esta rana no pesa al menos cinco libras!"
La puso boca abajo y la rana vomitó el doble puñado de perdigones.
Entonces Smiley comprendió lo que había ocurrido y se puso como
loco... Dejó a Daniel en el suelo y salió en persecución del forastero,
pero no logró alcanzarlo. Y...

En este punto, Simon Wheeeler escuchó que lo llamaban desde el patio
delantero, y se levantó para ir a ver lo que querían. Pero, mientras se
alejaba, se volvió hacia mí y me dijo:

—Quédese donde está, forastero, y descanse tranquilo... Voy a
ausentarme sólo un segundo.

Pero, con el permiso de ustedes, no creí que la continuación de la
historia del emprendedor vagabundo Jim Smiley pudiera proporcio-
narme algún dato referente al reverendo Leónidas W. Smiley, y entonces me marché.

Al salir, me tropecé en la puerta con el simpático Wheeler, que ya
volvía, y que se acercó a mí y volvió a empezar:

—Pues, como le estaba diciendo, este mismo Smiley tenía una
vaca tuerta y que no tenía de cola más que un muñón parecido a un
plátano, y...

"Maldito sea Smiley y su desdichada vaca", murmuré, con buen
humor, pero sin tiempo ni deseo de oírle contar a Wheeler nada más,
y me despedí.

Traducción de Juan Domingo Argüelles.

SI QUIERES, LEE MÁS DE TWAIN

- *El forastero misterioso*, Alianza Editorial, Madrid, 2000.
- *El príncipe y el mendigo*, Anaya, Madrid, 2001.
- *El pretendiente americano*, Navona, Barcelona, 2008.
- *El diario de Adán y Eva*, Valdemar, Madrid, 2009.

- *Cuentos humorísticos*, Navona, Barcelona, 2010.
- *Cuentos selectos*, Debolsillo, Madrid, 2010.
- *Wilson Cabezahueca*, Navona, Barcelona, 2010.
- *Reflexiones contra la religión*, Colofón/Gandhi Ediciones, México, 2011.
- *Las aventuras de Huckleberry Finn*, Anaya, Madrid, 2011.
- *Las aventuras de Tom Sawyer*, Siruela, Madrid, 2011.

GUY DE MAUPASSANT

Guy de Maupassant nació en Château de Miromesnil, Normandía, en 1850, y murió en París en 1893. Es el cuentista por excelencia, pero también escribió excelentes novelas cortas y varias novelas de primer orden. Por lo que respecta al cuento, en el cual fue un maestro, Horacio Quiroga lo tenía entre sus modelos imprescindibles, junto con Poe, Kipling y Chéjov, los cuatro puntos cardinales de la cuentística universal, en los que había que creer, a decir del escritor uruguayo, como en Dios mismo. *Bel Ami* está entre sus mejores novelas mientras que *El Horla* y *La casa del placer* entre sus mejores novelas cortas.

"La seña" es un cuento inolvidable, muy divertido y lleno de gracia. Junto con "El bigote", "Mademoiselle Fifí", "El puerco de Morin" y "Miss Harriet" ocupa un sitio de excelencia en la narrativa universal. Pocos cuentistas, como Maupassant, tienen el don de referir (como en "La seña") un episodio incómodo con tanto sentido del humor.

La seña

LA MARQUESITA DE RENNEDON dormía en su oscura y perfumada alcoba, sobre su blando y lujoso lecho, entre sábanas de vaporosa batista, acariciadoras y suaves como un beso; dormía sola, tranquila, feliz, el profundo y delicioso sueño de las divorciadas.

Dos voces, que se escuchaban discutir vivamente en el salón azul, la despertaron. En una de ellas reconoció a su íntima amiga, la baronesita de Grángerie, que disputaba con la doncella que defendía la puerta de su señora.

La marquesita entonces se levantó, descorrió los pestillos, dio vuelta a la llave, entreabrió la puerta y asomó, nada más, su rubia cabecita envuelta en una nube de cabellos.

—¿Qué te ocurre para venir tan temprano? —preguntó—. Aún no son ni las nueve.

La baronesita de Grángerie, muy pálida y nerviosa, contestó:

—Necesito hablarte; me ha ocurrido una cosa horrible.

—Anda, entra.

Entró. Se besaron. La marquesita volvió a su tibio lecho, mientras la doncella abría las ventanas, y el aire y la luz inundaban la alcoba. Ya a solas, luego de que la doncella se había retirado, la marquesita preguntó:

—¿Qué te sucede?

La baronesita dejó escapar algunas lágrimas brillantes y transparentes, de esas que hacen más seductoras a las mujeres y, sin enjugarse los ojos, para no enrojecérselos, dijo entre balbuceos:

—¡Ay, querida amiga, es terrible, realmente terrible, lo que me ocurre. En toda la noche no he dormido ni un minuto, ni un solo instante.
Siente cómo late mi corazón, cómo salta.

Y, tomando entre sus manos la de la condesa, la puso en su pecho,
sobre el redondo y firme estuche del corazón femenino, un estuche
que suele satisfacer a los hombres lo suficiente para que no se preocu-
pen de buscar lo que puede haber debajo. En efecto, su corazón latía
violentamente.

La baronesita continuó:

—Me ha sucedido ayer..., a eso de las cuatro y media; no sé a ciencia
cierta la hora... Has de recordar el saloncito donde suelo pasar mis tardes, que abre sus balcones sobre la calle de San Lázaro, en el entresuelo
de la casa; sabes que tengo la costumbre de asomarme, para distraerme
viendo a los transeúntes. ¡Es tan alegre ese barrio de la estación, tan
concurrido, tan agitado!... En fin, ¡me gusta! Ayer estaba sentada en el
balcón, sin pensar en nada, respirando el aire azul. Ya recuerdas qué
día tan hermoso el de ayer. De pronto advierto que frente a mí, en la
otra acera de la calle, está también una mujer en el balcón, vestida de
rojo; yo llevaba mi traje malva; ya lo has visto, el que es muy elegante.
Aquella mujer desconocida era nueva en la vecindad, sin duda; pero en
seguida reparé que la tal era una... fulana. Por principio me causó disgusto que una mujer de esta clase estuviera, como yo, asomada desde
el balcón, pero pronto me fue interesando y la observé...

Apoyada en los codos sobre la baranda, veía pasar a los hombres,
y los hombres también la miraban. Podría decirse que, al acercarse
ellos, algo les advertía, pues llegando a la casa olfateaban como los
sabuesos, y luego levantaban la cabeza y cambiaban con la mujer una
expresiva mirada. Ella decía con los ojos: "¿Usted gusta?", y el transeúnte contestaba: "No tengo tiempo", o bien: "No traigo dinero", o
bien: "Deja de escandalizar, sinvergüenza?" Estos últimos corres-
pondían a los ojos de los padres de familia. No puedes imaginar qué
divertidos resultaban los manejos de aquella mujer que trabajaba
en su oficio. Cada vez que cerraba bruscamente las ventanas de su
balcón, un caballero entraba en su portal. Había atrapado, como un
hábil pescador de caña, a un pececillo. Yo miraba entonces el reloj.

Los visitantes no tardaban más de veinte minutos. Aquella especie de araña acabó interesándome. ¡Y ya viéndola bien, no era para nada fea! Yo me preguntaba: "¿Cómo se las arregla para darse a entender tan bien, tan pronto, tan claramente? ¿Acaso refuerza su mirada con un mohín o con una seña?" Y tomé mis gemelos de teatro para estudiar su procedimiento ¡Ah, era bien sencillo! Una mirada, una sonrisa y un guiño que significaba "Suba usted". Pero un guiño tan ligero, tan fino, tan discreto, que se necesitaba mucha gracia para darse a entender de aquel modo. Y me pregunté: "¿Acaso yo tendría bastante malicia para repetir la seña como esa mujer?" Era ciertamente un guiño muy gracioso. Fui entonces y lo ensayé delante del espejo. ¡Mi querida amiga: lo hice mejor que ella, muchísimo mejor! Quedé muy satisfecha y volví al balcón.

Luego de un tiempo, la vecina se esforzaba inútilmente, pues ya no conseguía pescar a nadie. Dejó de tener suerte. Pensé en lo terrible que debe ser ganarse la vida de tal manera; pero terrible y divertido a la vez, porque, después de todo, entre los hombres que pasaban por la calle había algunos bastante apuestos y simpáticos. Me percaté de que ya todos pasaban por mi acera y ninguno por la de mi vecina. Unos detrás de los otros: jóvenes, viejos, morenos, rubios, grises y blancos. Algunos, verdaderamente seductores, muy seductores, incluso mucho más que tu marido y el mío; es decir, que tu ex marido, claro. ¡Ya podía una elegir! Pensé entonces: "Y si les hiciera la seña, ¿me comprenderían a mí, que soy una mujer decente?" Y me dio una inmensa tentación de hacer la seña; unas ganas irresistibles, como los antojos de mujer embarazada...; una tentación violenta, contra la cual no tenía defensa. El asunto era extraño y estúpido, pero la tentación no se iba; creo que las mujeres tenemos almas de mono. Según me han dicho —y conste que me lo dijo un médico—, el cerebro del mono se parece al nuestro. Necesitamos imitar siempre. Imitamos a nuestros maridos, cuando los amamos, en el primer mes de matrimonio; luego imitamos a nuestros amantes, a nuestras amigas, a nuestros confidentes. Nos apropiamos su manera de pensar, su forma de hablar, sus palabras y sus gestos; todo. Es estúpido, pero creo que así es.

En fin, el caso es que cuando me ha tentado mucho el deseo de hacer una cosa cualquiera, nunca he dejado de hacerla. En esa ocasión me dije: "Probaré con uno, con uno nada más para observar. Total, ¿qué puede sucederme? ¡Nada! Cambiaremos una sonrisa y no le volveré a ver, y si le veo no me reconocerá, y si me reconoce lo negaré. ¡Vaya!

Lo primero que hice fue elegir. Quería dirigirme a uno de buen porte que, además, pareciera decente. Vi acercarse a un rubio elegante, guapo y joven. ¡Ya sabes cuánto me gustan los rubios! Lo miré. Me miró. Sonreí. Sonrió. ¡Hice la seña! ¡Oh!, apenas la hice, él respondió que sí con la cabeza y entró en el portal de mi casa. ¡No puedes comprender lo que sentí en un momento! ¡Un miedo loco! ¡Imagínate! Hablaría con mis criados; con José, tan afecto a mi marido; y José pensaría que el visitante era conocido mío. ¿Qué hacer? Dime: ¿qué hacer? En cualquier momento, el caballero llamaría a la puerta. ¿Qué hacer? Dime. ¡Pensé que lo mejor sería salirle al encuentro, decirle que se equivocaba y suplicarle que se fuera! Él, seguramente, se compadecería de una mujer de una pobre mujer! Entonces, me precipité a la puerta y la abrí justamente cuando él se disponía a llamar. Murmuré atolondrada:

—Váyase usted, caballero, váyase usted; soy una mujer virtuosa, una mujer casada. Todo ha sido un error, un espantoso error; lo confundí con uno de mis amigos que se le parece mucho.

Pero, querida amiga, este hombre riendo con toda su alma me contestó:

—Buenas tardes, gatita linda. No te preocupes, ya sabes, conozco la historia. Eres casada; está bien: son dos luises en lugar de uno. Te los daré. Pero vamos ya: guíame a tu alcoba.

Y empujándome suavemente, cerró la puerta. Yo quedé aterrada junto a él, que no paraba de besarme y me tomaba por la cintura, conduciéndome hacia el salón que había quedado abierto. Comenzó a examinarlo todo como un tasador, diciendo:

—Preciosa, tienes una casa muy elegante; no comprendo cómo, a estas alturas, todavía pescas en el balcón. Debes de hallarte mal de fondos.

Yo volví a suplicarle:

—Caballero, váyase usted; váyase. Mi marido puede llegar en cualquier momento; llegará de un instante a otro. Es ya su hora. Le juro a usted que se ha equivocado.

Pero él me respondió tranquilamente:

—Calla, preciosa; no te apures. Si viene tu marido le daré también a él dos luises para que vaya un rato a la taberna de enfrente.

Al ver sobre la chimenea una fotografía de Raúl, me dijo:

—¿Es tu marido éste? Si es él, tiene cara de idiota. Y ésta, ¿quién es? ¿Una de tus amigas?

Era tu retrato, ¿recuerdas?, el que te hiciste hace poco en traje de baile. No sabiendo ya lo que decía, murmuré:

—Sí, es una de mis amigas.

—Es muy guapa, como tú; me la presentarás —replicó.

Eran ya las cinco. Raúl vuelve todos los días a las cinco y media. Si llegara y encontrase al otro, ¡imagínate!... Entonces, perdí la cabeza... De pronto..., pensé..., pensé..., que..., que lo mejor... era..., era librarme de aquel hombre., lo más pronto posible..., cuanto antes, mejor..., y..., y... pues era preciso..., era preciso, amiga mía..., no se hubiera ido sin eso... Entonces... Entonces... Corrí el cerrojo de la puerta del salón y...

La marquesita de Rennedon soltó una carcajada, y siguió riendo alocadamente, con la cabeza entre los almohadones. Sólo cuando se calmó un poco, preguntó regocijada:

—Pero ¿no era guapo y joven?

—Sí, ¡ya lo creo!

—¿Pues entonces de qué te quejas?

—Pues..., pues... de que dijo que volvería hoy a la misma hora, y estoy segura que volverá. Tengo un miedo atroz. Tú no te imaginas lo tenaz y voluntarioso que es... Volverá, estoy segura. ¿Qué haré, dime, por favor, qué me aconsejas?

La marquesita se sentó en la cama y reflexionó un momento; luego dijo bruscamente:

—¡Hazle detener!

La baronesita, estupefacta, dijo entre balbuceos:

—¿Cómo? ¿Qué dices? ¿Hacerlo detener por la policía? ¿Con qué pretexto?

—Es muy simple. Mira: vas con el comisario; le dices que un caballero te persigue desde hace tres meses, y que ayer tuvo el descaro de subir a tu casa y que te amenazó con otra visita para hoy. Por ello, pides protección a la ley. Ten por seguro que pondrán a tu disposición dos agentes para detenerle.

—Pero si él cuenta lo que ocurrió ayer...

—¡No le creerán, es simple!, pues tú habrás actuado un buen papel ante el comisario, que te dará la razón sabiendo que eres una señora irreprochable.

—¡No me atrevo, no me atrevo!

—Pues es preciso que te atrevas o de otro modo estarás perdida.

—Piensa que... me insultará... cuando le detengan me insultará.

—Entonces tendrás testigos y le condenarán.

—¿Condenarle a qué?

—A daños y perjuicios. En estos casos se debe ser implacable. Tendrá que indemnizarte.

—A propósito de indemnizaciones... Hay un detalle que me tiene inquieta..., mucho... Me dejó... dos luises..., encima de la chimenea.

—¿Dos luises?

—Sí.

—¿Únicamente dos luises? ¿Nada más?

—Sí.

—¡Qué miserable! Eso a mí me habría humillado bastante. Pero, bueno... ¿y qué?

—¿Pues qué hago yo con ese dinero?

La marquesita dudó un rato, y luego respondió con voz pausada y divertida:

—Con esos dos luises debes hacer..., debes hacer... un regalito a tu marido... Es de entera justicia. Se lo merece.

Traducción de Juan Domingo Argüelles.

SI QUIERES, LEE MÁS DE MAUPASSANT

- *Un día de campo y otros cuentos galantes*, Alianza Editorial, Madrid, 1981.
- *La máscara y otros cuentos fantásticos*, Edaf, Madrid, 2007.
- *El Diablo y otros cuentos de angustia*, Valdemar, Madrid, 2008.
- *Cuentos esenciales*, Debolsillo, Madrid, 2009.
- *Todas las mujeres*, Siruela, Madrid, 2011.
- *Cuentos completos*, Páginas de Espuma, Madrid, 2011.
- *Cuentos completos de terror, locura y muerte*, Valdemar, Madrid, 2011.
- *Los mejores cuentos*, Alianza Editorial, Madrid, 2012.
- *Bola de sebo y otros relatos*, Espasa Calpe, Madrid, 2012.
- *Bel Ami*, Debolsillo, Madrid, 2013.

GLOSARIO

abazón. Cada uno de los dos sacos o bolsas que, dentro de la boca, tienen muchas especies de monos y algunas de roedores para depositar los alimentos antes de masticarlos.

abroquelar. Escudar, resguardar.

adamada. Fina, elegante.

alabarda. Arma antigua: especie de lanza cuya punta está cruzada en su base por otra que remata en una media luna.

altozano. Cerro o monte de poca altura situado en terreno llano.

antiaperitivos. Poco gratos.

árbol del pan o frutipán. Árbol de fruto comestible de la familia de las moráceas que se cultiva especialmente en el sureste asiático.

asendereado. Agobiado.

astado. Con astas o cuernos.

ava. En Tahití, planta que servía para preparar una bebida embriagadora.

aya. Mujer encargada del cuidado de niños pequeños; en algunos casos, nodriza.

babieca. Bobo, tonto.

babuchas. Zapatos ligeros y sin tacón.

báculo. Bastón, vara o cayado que usan los débiles o viejos para sostenerse al caminar.

bandó. Cada una de las guedejas del cabello peinadas en rizos laterales.

barcarola. Canción popular italiana, especialmente de los gondoleros de Venecia.

berilo. Variedad de esmeralda.

boa. Abrigo con gruesa bufanda de pelo animal.

bocoy. Barril grande.

bracero. Hombre que da el brazo a otra persona (generalmente, mujer o anciana) para que se apoye en él.

brutos. Animales.

caftán. Vestimenta que cubre el cuerpo desde el cuello hasta la mitad de la pierna.

cala. Ensenada pequeña; caleta.

cancillerista. Empleado de una cancillería.

cartomántica. Mujer que asegura predecir el futuro por medio de los naipes; adivina.

casería. Casa de labranza.

casero. Inquilino, arrendatario.

cáustico. Mordaz.

chilaba. Túnica amplia con capucha.

chiribitil. Cuarto muy pequeño y estrecho.

chirigota. Burla, cuchufleta.

circunvolución o área de Broca. Sección del cerebro humano involucrada con la producción del habla y la comprensión del lenguaje hablado. Se le denomina así en honor del médico francés Paul Pierre Broca, que la describió a mediados del siglo XIX.

cordobán. Piel curtida de macho cabrío o de cabra.

corrada. Entrada delantera de la casa de labranza.

cretino. Que padece cretinismo, enfermedad caracterizada por un peculiar retraso de la inteligencia.

críptico. Oculto, oscuro, misterioso, enigmático. De ahí el término criptografía: escritura oculta y velada.

cucho. Abono hecho con estiércol vacuno y vegetales en descomposición.

dáctilos, anapestos y pirriquios. Pies de la poesía griega y latina.

disquisitivo. Que examina con rigor los hechos considerando cada una de sus partes.

ditirambo. Alabanza exagerada, encomio excesivo.

dock. Muelle.

duro. En España, moneda de cinco pesetas.

elan. Ímpetu, impulso vital.

entregos. Coloquialismo: entregas.

escardar. Arrancar los cardos y otras hierbas nocivas de los sembrados.

esmaragdita. Mineral de color verde.

estrar. Esparcir.

fausto babilónico. Lujo extraordinario.

festón. Bordado de realce.

fez. Gorro turco.

floresta. Bosque.

fonación. Emisión de la voz o de la palabra.

fosca. Espesa.

galopas. Música y danza de origen húngaro.

gamella. Arco que se forma en cada extremo del yugo que se pone al ganado.

ganapán. Cargador; hombre rudo y tosco.

greda. Arcilla.

gualdrapa. Cobertura larga, de seda o lana, que cubre o adorna las ancas de la mula o el caballo.

guateado. Acolchado.

heredismo. Hereditario.

hiperestesia. Sensibilidad excesiva y dolorosa.

holoku. Vestido femenino largo y suelto de origen hawaiano.

impertinentes. Anteojos con manija, usados generalmente por las damas.

indiano. Español que ha hecho fortuna en América y que ha regresado, con riquezas, a su país natal.

inervación. Movimiento de un nervio hacia algún organo.

infausto. Desgraciado, infeliz.

inimputable. Dicho de una persona: que está eximida de responsabilidad penal por no poder comprender la ilicitud de un delito. Son inimputables los enfermos mentales.

inquisitivo. Que inquiere y averigua.

jamelgo. Caballo flaco y desgarbado.

jícaras. En sentido figurado, los aisladores de porcelana en los cables de los postes telegráficos, por su parecido con las tazas.

jubilación. Fiesta.

kanaka. Término que significa "persona", usado por varios pueblos polinesios para designar a los nativos.

kópek. Unidad monetaria rusa, equivalente a la centésima parte del rublo.

lacayo. Servil, rastrero.

ladero. Que está al lado.

levita. Vestidura masculina de etiqueta, más larga y amplia que el frac.

llindar. En bable, pastorear el ganado, evitando que traspase los límites de los prados vecinos.

lonja. Tienda.

luis. Antigua moneda francesa.

lulú. Pequeño perro faldero.

mecenas. Persona que patrocina las artes o las letras.

moscovita. Habitante de la ciudad de Moscú.

nación. En expresión bable, recental: ternero, cría reciente del ganado vacuno.

narvaso. Cañas y hojas del maíz que se usan para lecho y forraje del ganado.

neños. Niños, en expresión bable.

nevasca. Ventisca de nieve.

odor di femina. Aroma de mujer; en italiano; en sentido figurado, seducción femenina.

onuchkas. Polainas para protegerse del frío, hechas con prendas viejas, para usarse dentro de la casa.

pamemes. Forma dialectal bable por pamemas: melindres, sentimentalismos.

parca. Muerte.

partesana. Arma ofensiva, a modo de alabarda, con el hierro muy grande, ancho y cortante por ambos lados.

pasta. Carácter, modo de ser o disposición.

pelliza. Abrigo hecho o forrado de pieles, para el invierno.

petersburgués. Propio de San Petersburgo, Rusia.

pez. Sustancia negruzca, muy viscosa, insoluble en agua, que es residuo de la destilación del alquitrán.

pinta. Medida de capacidad para líquidos, usada en el Reino Unido, de alrededor de medio litro.

prao. Prado. Expresión en bable, dialecto de los asturianos.

príncipe de Dinamarca. *Hamlet*, de la obra homónima de Shakespeare.

quintana. Terreno cercado, lateral a la casa de labranza. Se le llamaba así porque los inquilinos solían pagar la renta con la quinta parte de la cosecha.

quinto. En España, mozo, desde que sortea hasta que se incorpora al servicio militar.

ragazzo innamorato. Amante, joven enamorado; en italiano.

rapaz. Niño, muchacho de corta edad.

remojo o remojón. Acción y efecto de remojar, en un sentido figurado: convidar con motivo de algún estreno o festejo.

rectoral. Casa parroquial.

réis. Real; antigua moneda portuguesa.

ropa de munición. Ropa de baja calidad.

rublo. Denominación de la moneda rusa.

samovar. Utensilio con el que se hace el té en Rusia.

satírico. Que censura o pone en ridículo ciertas formas o hábitos dignos de burla.

sebe. Cercado de estacas, entretejido con ramas.

seda de Maratha. Tela confeccionada en el antiguo y hoy desaparecido imperio de Maratha (1674-1818) el subcontinente hindú.

segur. Hacha.

selianka. Sopa espesa y picante de la cocina rusa.

sevicia. Crueldad.

schi. Sopa rusa cuyos ingredientes principales son la col y la carne de res.

sub specie aeternitatis. Frase latina que se traduce como: "bajo la perspectiva de la eternidad".

sibarita. Persona acostumbrada a la buena vida, la riqueza, el refinamiento y el placer.

tabuco. Habitación pequeña o estrecha.

tílburi. Carruaje de dos ruedas grandes, para dos pasajeros, ligero y sin cubierta, tirado por un solo caballo.

tara. Defecto físico o psíquico, muy evidente y generalmente de carácter hereditario.

tintán. Onomatopeya. Sonido del cencerro o esquila.

tudesco. Por extensión alemán o germano y, más específicamente, natural de una región de Alemania en la Sajonia inferior.

ujier. Portero, criado.

vampirismo. Según una superstición, el vampiro es el ente que duerme en el día y que, por las noches, abandona su sepulcro para alimentarse chupando la sangre de hombres y mujeres, que es todo su alimento. A esta acción se le conoce como vampirismo. En su *Diccionario de ciencias ocultas* (Espasa, Madrid, 2001), José Felipe Alonso Fernández-Checa informa:

"Las leyendas de vampirismo se desarrollaron con gran fuerza en el centro y Este de Europa a fines del siglo XVII y principios del XVIII, uniéndose a las epidemias que asolaron esas zonas del continente. A las acciones de los vampiros hay que añadir ciertas perversiones como la necrofagia (comer cadáveres), necrosadismo (mutilación de los cadáveres) y necrofilia (relación sexual con los cadáveres), que han dado una cierta continuidad a las leyendas nacidas de las plumas de numerosos escritores".

vapor. Buque de vapor.

vaporcillo. Pequeño buque de vapor.

veñkas. Cocheros modestos en la antigua Rusia.

whist. Juego de naipes, con baraja francesa.

xarros. Forma dialectal del bable: jarros.

Zemstvo. Fue un régimen de gobierno local autónomo para los distritos rurales y las grandes ciudades de Rusia, instituido con las reformas liberales del imperio ruso, entre 1864 y 1870, durante el periodo del zar Alejandro II que estuvo en el poder de 1855 a 1881.

ÍNDICE

Fantásticos, terroríficos y de misterio

Tristes, crueles y trágicos

De amor, amistad, fidelidad y traición

Poéticos, morales e ilustrativos

Eróticos, satíricos y humorísticos

Cuentos inolvidables para amar la lectura,
de Juan Domingo Argüelles
se terminó de imprimir y encuadernar en marzo de 2014
en Quad/Graphics Querétaro, S. A. de C. V.
lote 37, fraccionamiento Agro-Industrial La Cruz
Villa del Marqués QT-76240

Yeana González López de Nava, *coordinación editorial*;
Héctor Orestes Aguilar, *edición*;
Miliett Alcántar, *cuidado de la edición*;
Víctor de Reza, *diseño de cubierta y formación*.